中国中药资源大典

湖南卷

黄璐琦 / 总主编

张水寒　刘　浩 / 湖南卷主编

伍贤进　刘光华　张水寒 / 主　编

北京科学技术出版社

图书在版编目（CIP）数据

中国中药资源大典. 湖南卷. 10 / 伍贤进, 刘光华, 张水寒主编. -- 北京：北京科学技术出版社, 2024. 6.
ISBN 978-7-5714-3957-6

Ⅰ. R281.4
中国国家版本馆CIP数据核字第20248B4Z04号

责任编辑：	侍　伟　李兆弟　尤竞爽　王治华　吕　慧　庞璐璐　刘　雪
责任校对：	贾　荣
图文制作：	樊润琴
责任印制：	李　茗
出 版 人：	曾庆宇
出版发行：	北京科学技术出版社
社　　址：	北京西直门南大街16号
邮政编码：	100035
电　　话：	0086-10-66135495（总编室）　0086-10-66113227（发行部）
网　　址：	www.bkydw.cn
印　　刷：	北京博海升彩色印刷有限公司
开　　本：	889 mm × 1 194 mm　　1/16
字　　数：	976千字
印　　张：	44
版　　次：	2024年6月第1版
印　　次：	2024年6月第1次印刷
审 图 号：	GS京（2023）1758号

ISBN 978-7-5714-3957-6

定　　价： 490.00元

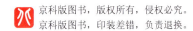

《中国中药资源大典·湖南卷》

编写委员会

总 主 编 黄璐琦

顾 问 邵湘宁 郭子华 肖文明 蔡光先 谭达全 秦裕辉 葛金文

主 编 张水寒 刘 浩

技术牵头单位 湖南省中医药研究院

普查队依托单位 （按拼音排序）

安化县中医医院	安仁县中医医院
安乡县中医医院	保靖县中医院
茶陵县中医医院	长沙市中医医院
长沙县中医医院	常德市第二中医医院
常德市第一中医医院	常宁市中医医院
郴州市中医医院	辰溪县中医医院
城步苗族自治县中医医院	慈利县中医医院
道县中医医院	东安县中医医院
洞口县中医医院	凤凰县民族中医院
古丈县中医医院	桂东县中医医院
桂阳县中医医院	汉寿县中医医院
赫山区中医医院	衡东县中医医院
衡南县中医医院	衡山县中医医院
衡阳市中医医院	衡阳市中医正骨医院
衡阳县中医医院	洪江市第一中医医院
湖南省直中医医院	湖南医药学院
湖湘中医肿瘤医院	华容县中医医院
花垣县民族中医院	会同县中医医院

嘉禾县中医医院	江华瑶族自治县民族中医医院
江永县中医院	津市市中医医院
靖州苗族侗族自治县中医医院	蓝山县中医医院
耒阳市中医医院	冷水江市中医医院
澧县中医医院	醴陵市中医院
涟源市中医医院	临澧县中医医院
临武县中医医院	临湘市中医医院
零陵区中医医院	浏阳市中医医院
龙山县中医院	隆回县中医医院
娄底市中医医院	泸溪县民族中医院
渌口区淦田镇中心卫生院	麻阳苗族自治县中医医院
汨罗市中医医院	南县中医医院
宁乡市中医医院	宁远县中医医院
平江县中医医院	祁东县中医医院
祁阳市中医医院	汝城县中医医院
桑植县民族中医院	邵东市中医医院
邵阳市中西医结合医院	邵阳市中医医院
邵阳县中医医院	韶山市人民医院
石门县中医医院	双峰县中医医院
双牌县中医医院	绥宁县中医医院
桃江县中医医院	桃源县中医医院
通道侗族自治县民族中医医院	望城区人民医院
武冈市中医医院	湘潭市中医医院
湘潭县中医医院	湘乡市中医医院
湘阴县中医医院	新化县中医医院
新晃侗族自治县中医医院	新宁县中医医院
新邵县中医医院	新田县中医医院

溆浦县中医医院	炎陵县中医医院
宜章县中医医院	益阳市中医医院
永顺县中医院	永兴县中医医院
永州市中医医院	攸县中医院
沅江市中医医院	沅陵县中医医院
岳阳市中医医院	岳阳县中医医院
云溪区中医医院	张家界市中医医院
芷江侗族自治县中医医院	资兴市中医医院

主编简介

>> 张水寒

二级研究员，博士研究生导师。享受国务院政府特殊津贴专家、享受湖南省政府特殊津贴专家、湖南省卫生健康高层次人才医学学科领军人才，入选国家"百千万人才工程"，并被授予"有突出贡献中青年专家"荣誉称号。主要从事中药资源、中药制剂及中药质量标准方面的研究。

近10年来，主持和参与"重大新药创制"、国家自然科学基金、"十二五"国家科技支撑计划等20余项课题。获得新药证书12项、药物临床批件22项、国家发明专利13项。发表学术论文200余篇，其中以第一作者和通讯作者发表SCI论文30余篇，编写专著7部。获得国家科学技术进步奖二等奖1项、省部级奖励5项。

2011年以来，担任湖南省第四次全国中药资源普查技术总负责人、湖南省中药资源动态监测省级中心主任，主持建立"技术分层、突出量化、严把质控"的中药资源普查组织管理与技术保障模式；开展重点品种研究示范，大力推动普查成果转化、应用。

主编简介

>> 刘 浩

　　副研究员。湖南省中医药研究院中药资源研究所中药资源与鉴定研究室主任。主要从事中药资源、中药鉴定与本草学研究。

　　历任湖南省中药资源普查工作领导小组办公室成员、专家委员会委员、专家委员会办公室副主任，负责湖南省第四次全国中药资源普查组织管理与技术保障工作的具体实施，采集、鉴定普查标本近10万号，参与建成湖南省中药资源数据库、药用植物标本馆，熟悉湖南省中药资源基本情况及道地药材传承与发展的情况，编制省级、县级中药材产业发展规划10余份。2014年起任湖南省中药资源动态监测省级中心秘书，参与建成"一个中心，三个监测站，百个监测点"的湖南省中药资源动态监测与技术服务体系。

《中国中药资源大典·湖南卷 10》
编写委员会

主　　编　伍贤进　刘光华　张水寒

副 主 编　贺安娜　李胜华　梁　娟　李爱民　廖　飞　王勇庆　张　成
　　　　　　肖龙骞

编　　委（按姓氏笔画排序）

　　　　　　王勇庆（湖南省中医药研究院）

　　　　　　伍贤进（怀化学院）

　　　　　　刘光华（怀化学院）

　　　　　　李佳希（怀化学院）

　　　　　　李胜华（怀化学院）

　　　　　　李爱民（怀化学院）

　　　　　　杨扬宇（湖南省中医药研究院）

　　　　　　肖龙骞（怀化学院）

　　　　　　何毓彬（汝城县中医医院）

　　　　　　余佳丽（张家界市中医医院）

　　　　　　张　成（深圳市兰科植物保护研究中心）

　　　　　　张水寒（湖南省中医药研究院）

　　　　　　陈　莹（怀化学院）

　　　　　　罗　淇（怀化学院）

　　　　　　周　博（怀化学院）

　　　　　　周柳川（怀化学院）

　　　　　　赵　晟（怀化学院）

　　　　　　贺安娜（怀化学院）

　　　　　　秦　优（湖南省中医药研究院）

龚心怡（怀化学院）

梁　娟（怀化学院）

廖　飞（临武县中医医院）

《中国中药资源大典·湖南卷 10》

编辑委员会

主任委员 章 健

委 员（按姓氏笔画排序）

王明超 王治华 尤竞爽 毕经正 吕 慧 任安琪 刘 雪 孙 硕

李小丽 李兆弟 侍 伟 庞璐璐 赵 晶 贾 荣

序 言

中药资源是中医药事业和产业发展的重要物质基础。随着中医药事业和产业蓬勃发展，社会各界对中药资源的需求量逐渐增加。为摸清中药资源家底，科学制定中药资源保护和产业发展政策措施，国家中医药管理局组织实施了第四次全国中药资源普查，对促进中药资源可持续利用、助力健康中国行动的实施和区域社会经济发展做出了重要贡献。

湖南地处云贵高原向江南丘陵、南岭山脉向江汉平原过渡的地带，属大陆性亚热带季风湿润气候区，独特的地理环境孕育了丰富的中药资源。锦绣潇湘，物华天宝，人杰地灵。湖南省作为首批6个中药资源普查试点省区之一，由湖南省中医药研究院作为技术牵头单位，组织全省技术人员队伍，出色地完成了湖南第四次中药资源普查工作任务。

张水寒和刘浩两位"伙计"基于湖南中药资源普查获得的第一手调查资料，系统整理分析、总结普查成果，牵头主编了《中国中药资源大典·湖南卷》。该书既有湖南自然社会概况、中药资源种类等总体情况介绍，又有湖南特色中药资源的历史源流与生产现状阐述，还对4196种中药资源的基本情况进行详细介绍。该书可作为认识和了解湖南中药资源的工具书，具有重要的学术价值和应用价值。希望该书的出版，能助力湖南中药产业高质量发展，为中药资源的可持续发展、优化中药产业布局、促进学术交流和科学研究起到积极推动作用。

　　付梓之际，欣然为序。

中国工程院院士
中国中医科学院院长
第四次全国中药资源普查技术指导专家组组长

2024 年 4 月

  湖南地处云贵高原向江南丘陵过渡、南岭山脉向江汉平原过渡的中亚热带，位于东经108°47′~114°15′、北纬24°38′~30°08′。东以幕阜、武功诸山系与江西交界，西以云贵高原东缘连贵州，西北以武陵山脉毗邻重庆，南枕南岭与广东、广西相邻，北以滨湖平原与湖北接壤，形成了东、南、西三面环山，中部丘岗起伏，北部湖盆平原展开的马蹄形地形。湖南有半高山、低山、丘陵、岗地和平原等多种地貌类型，其中山地面积占全省总面积的51.22%。湖南位于长江以南的东亚季风区，加之离海洋较远，形成了气候温暖、四季分明、热量充足、雨水集中、春温多变、夏秋多旱、严寒期短、暑热期长、雨热同期的亚热带季风湿润气候。湖南为华东、华中、华南、滇黔桂4个植物区系的过渡地带，其境内植物具有较明显的东西、南北过渡性。地带性植被为常绿阔叶林，地带性土壤为红壤。湖南亚热带季风的大气候与复杂地势地貌的小环境，共同孕育了丰富的中药资源。

  湖南历史文化悠久，是华夏文明的重要发祥地之一。道县玉蟾岩遗址出土了世界上现存最早的人工栽培稻标本，距今1.2万年。澧县城头山古文化遗址被称为"中国最早的城市"，距今约6 000年。宋代罗泌《路史》载炎帝"崩，葬长沙茶乡之尾……唐世尝奉祀焉"。《古今图书集成·衡州府古迹考》载："炎帝神农氏陵，在酃之康乐乡。""康乐乡"即今株洲市炎陵县鹿原镇。长沙马王堆汉墓出土的16部医书涉及方剂学、脉学、经络学等多门学科，代表了我国先秦时期的医药成就，其中《五十二病方》是我国现存最早的方书。

湖南中药资源的研究与应用历史悠久。马王堆汉墓出土的药材有桂皮、花椒、干姜、藁本、佩兰、辛夷、牡蛎、朱砂等，出土医书中的中药名共406个。《新唐书·地理志》载："岳州巴陵郡贡鳖甲，潭州长沙郡贡木瓜，永州零陵郡贡零陵香、石蜜、石燕，道州江华郡贡零陵香、犀角，辰州泸溪郡贡光明砂、犀角、水银、黄连、黄牙……锦州卢阳郡贡光明丹砂、犀角、水银。"唐代柳宗元《捕蛇者说》云："永州之野产异蛇，黑质而白章。"此即常用中药蕲蛇。宋代苏颂等编撰的《本草图经》，实际上是继《新修本草》后本草史上第二次全国药物普查的成果，集中反映了宋代实际的药物出产与使用情况，该书收载了当时湖南境内8州的28幅药图，包括辰州丹砂、道州石钟乳、道州滑石、道州石南、永州石燕、衡州菖蒲、衡州玄参、衡州栝楼、衡州地榆、衡州百部、衡州马鞭草、衡州五加皮、衡州乌药、澧州莎草、邵州苦参、邵州天麻、邵州乌头、鼎州茅根、鼎州连翘、鼎州地芙蓉、鼎州水麻、岳州假苏、岳州薄荷等。清代吴其濬所著《植物名实图考》收载的湖南药用植物达267种。明清之际，湖南各府县广泛修著地方志，并在"物产"中记载本地所产药材，如清道光《宝庆府志》（1849）与光绪《邵阳县志》（1876）均记载："百合，邵阳出者特大而肥美。"清末《邵阳县乡土志》（1907）载："玉竹参一名葳蕤，又名女萎，近谷皮洞多产此。"并载邵阳常见中药材尚有黄精、香附子、金樱子、栀子、金银花、桑白皮、厚朴、丹皮、天花粉、天南星、何首乌、前胡、桔梗、牛膝、五倍子、络石藤、吴茱萸、木通、车前草、香薷、木鳖子等。

中华人民共和国成立以来，党和政府高度重视中医药的传承与发展。湖南先后开展了4次全省范围的中药资源调查工作，掌握了全省中药资源的种类、分布、产量与民间药用情况的本底资料。20世纪50年代末，湖南开展了"群众性的中医采风运动"，全省献方达数十万个，湖南中医药研究所（1957年创办，1962年更名为湖南省中医药研究所，1984年更名为湖南省中医药研究院）组织专家对献方进行了研究，为各地挖掘使用中药资源奠定了坚实的基础。20世纪60—70年代，湖南开始兴起中草药群众运动。为了更好地开展中草药群众运动，湖南省中医药研究所对基层医疗工作者、赤脚医生、老药农、老草医与地方卫生局、药品检验所、医药公司提供的大量标本和资料进行了整理与鉴定，系统地梳理了这一时期湖南中药资源的种类和应用情况。1962年，湖南省中医药研究所出版了《湖南药物志（第一辑）》，该书收载药用植物417种。1972年，《湖南药物志（第二辑）》出版，收载药用植物406种。1979年，《湖南药物志（第三辑）》出版，收载药用植物341种。20世纪80年代，湖南第三次中药资源普查正式开始，此次普查共采集植物、动物、矿物标本298 785份，拍摄照片13 457张，调查到全省中药资源种类2 384种，其中植物药2 077种，动物药256种，矿物药51种；全国重点调查的363种药材中，湖南产241种；测算全省植物药蕴藏量107.8万t，动物药蕴藏量1 306 t，矿物药蕴藏量1 147万t；共收集单验方25 355个，经各地（州、市）筛选汇编的有8 000多个，经名老中医严格审查选用的有2 400余个，这2 400余个单验方编成了《湖南省中草药民间单验方选编》。

2011年，第四次全国中药资源普查试点工作启动。湖南作为首批6个试点省区之一率先启动普查工作，历时11年，先后分6批，进行了全省122个县级行政区域的中药资源普查工作。湖南本次普查共调查代表区域550个，代表区域总面积149 101.03 km²；调查样地4 598个，样方套22 904个；采集腊叶标本116 443号、药材样品10 204份、种质资源5 913份；调查传统知识1 252份；拍摄照片1 519 340张；计算蕴藏量的种类584种；调查栽培品种160种、市场流通中药材479种；调查数据约210万条。本次普查全面掌握了湖南中药资源种类与分布、重点品种的资源量、中药材市场流通等信息，为湖南中医药事业、产业发展提供了科学依据。

湖南第四次中药资源普查为适应时代发展需求，创新应用了大量现代技术，提高了工作效率，保障了数据的完整性、一致性、准确性和实用性。通过引入空间信息技术与分层抽样方法设置的调查区域与样地更具代表性，从而使资源蕴藏量的估算更加科学。野外调查中应用GPS、数码相机、信息采集软件等获取经度、纬度、海拔等信息化数据，搭建了信息化工作平台。湖南在约210万条数据的基础上建成了湖南省中药资源数据库，实现了全省中药资源数据的长久保存、可视查询、成果转化和共享服务。本书中的基原图片、资源分布等内容充分利用了数据库的查询、统计功能，湖南省最新中药资源区划也利用了普查数据，全省被划分为湘西北武陵山中药资源区、湘西南雪峰山中药资源区、湘南南岭北部中药资源区、湘中湘东丘陵中药资源区、洞庭湖及环湖丘岗中药资源区5个中药资源分区。

编著一套图文并茂、系统全面反映湖南中药资源家底的著作是普查工作的重要组成部分。2021 年，湖南第四次中药资源普查进入收尾阶段，我们组织专家对《中国中药资源大典·湖南卷》的编写体例、资源名录、图片整理及分工安排进行了多轮讨论，最后形成了编写工作方案。野外工作得到的一手数据，是我们编著本书的关键素材，书中的图片来源于野外拍摄，分布信息来源于凭证标本的采集地点，资源蕴藏量信息来源于实际调查，因此，本书充分体现了湖南第四次中药资源普查的全方位成果。

第四次全国中药资源普查技术指导专家组组长黄璐琦院士多次带领普查专家组莅临湖南指导普查工作。湖南省委、省政府高度重视中药资源普查工作；湖南省中医药管理局作为普查组织实施单位，构建了符合湖南实际情况的普查组织模式；湖南省中医药研究院作为技术牵头单位，组织成立了专家委员会，指导全省普查工作。在各方的共同努力下，湖南顺利完成了第四次中药资源普查工作。我们向支持普查工作的社会各界表示由衷的感谢，向奋战在普查一线的"伙计们"致以诚挚的敬意！

普查的大量数据是我们编著本书的优势，同时也为整理图片、撰写文稿带来了巨大的挑战，加之编者学术水平有限，书中难免存在资料取舍失当及错漏之处，敬请有关专家、学者批评指正。

编 者

2024 年 4 月

凡 例

（1）本书共14册，分为上、中、下篇。上篇综述了湖南自然社会概况、中药资源调查历史、第四次中药资源普查情况、中药资源分布；中篇论述了34种湖南道地、大宗中药资源；下篇共收录中药资源4 196种，其中药用菌类资源36种、药用植物资源3 799种、药用动物资源315种、药用矿物资源46种。另外，附录中收录药用资源305种。

（2）分类系统。菌类参考Index Fungorum最新的分类学研究成果。蕨类植物采用秦仁昌分类系统（1978）。裸子植物采用郑万钧分类系统（1978）。被子植物采用恩格勒系统（1964）。

（3）本书下篇主要介绍各中药资源，以中药资源名为条目名，下设药材名、形态特征、生境分布、资源情况、采收加工、药材性状、功能主治、用法用量及附注等，其中采收加工、药材性状、用法用量为非必要项，资料不详者项目从略。各项目编写原则简述如下。

1）条目名。该项记述中药资源物种及其科属的中文名、拉丁学名。其中蕨类植物、裸子植物、被子植物的名称主要参考《中国植物志》，藻类、动物、矿物的名称主要参考《中华本草》。

2）药材名。该项记述中药资源的药材名、药用部位与药材别名。凡《中华人民共和国药典》等法定标准收载者，原则上采用法定药材名；法定标准未收载者，主要参考《中华本草》《全国中草药名鉴》《中国中药资源志要》。药材别名记载湖南各地乡村中医、草医及民间习惯用名。

3）形态特征。该项简要描述中药资源的形态特征，突出鉴别特征。主要参考《中国植物志》，并结合普查实际所获取的信息进行描述。

4）生境分布。该项记述中药资源在湖南的生存环境与分布区域。生存环境主要源于凭证标本的生境，并参考相关志书的描述。分布区域源于凭证标本的采集地，以"地市级行政区划（县级行政区划）"的形式进行描述。在湖南五大中药资源分区中皆有分布且凭证标本超过20号者，记述为"湖南各地均有分布"。

5）资源情况。该项记述中药资源的蕴藏量情况，用丰富、较丰富、一般、较少、稀少来表示；并用"野生"或"栽培"记述药材的主要来源。

6）采收加工。该项记述药材的采收时间与加工方法。

7）药材性状。该项主要记述药材的性状特征、品质评价等内容。

8）功能主治。该项记述药材的性味、毒性、归经、功能和主治。

9）附注。该项记述中药资源最新的分类学地位与接受名的变动情况；记述《中华人民共和国药典》与地方标准收载的物种学名；描述物种的濒危等级、其他医药相关用途，以及本草、地方志书中的资源方面的记载情况等。

（4）附录。以名录形式收载中篇、下篇没有收载的湖南分布的中药资源。

目录

被子植物	[10] 1
夹竹桃科	[10] 2
黄蝉	[10] 2
狭叶链珠藤	[10] 4
链珠藤	[10] 6
鳝藤	[10] 8
长春花	[10] 10
酸叶胶藤	[10] 12
匙羹藤	[10] 14
腰骨藤	[10] 16
尖山橙	[10] 18
夹竹桃	[10] 20
白花夹竹桃	[10] 22
毛杜仲藤	[10] 24
杜仲藤	[10] 26
大花帘子藤	[10] 28
帘子藤	[10] 30
萝芙木	[10] 32
毛药藤	[10] 34
紫花络石	[10] 36
贵州络石	[10] 38
短柱络石	[10] 40
锈毛络石	[10] 42
细梗络石	[10] 44
络石	[10] 46
蔓长春花	[10] 48

花叶蔓长春花	[10] 50
萝藦科	[10] 52
浙江乳突果	[10] 52
马利筋	[10] 54
宝兴吊灯花	[10] 56
紫花合掌消	[10] 58
白薇	[10] 60
牛皮消	[10] 62
蔓剪草	[10] 64
刺瓜	[10] 66
山白前	[10] 68
芫花叶白前	[10] 70
竹灵消	[10] 72
毛白前	[10] 74
朱砂藤	[10] 76
徐长卿	[10] 78
柳叶白前	[10] 82
地梢瓜	[10] 84
蔓生白薇	[10] 86
隔山消	[10] 88
马兰藤	[10] 90
苦绳	[10] 92
醉魂藤	[10] 94
牛奶菜	[10] 96
蓝叶藤	[10] 98
华萝藦	[10] 100

萝藦	[10] 102	白蟾	[10] 176
青蛇藤	[10] 104	狭叶栀子	[10] 178
黑龙骨	[10] 106	剑叶耳草	[10] 180
假木通	[10] 108	金毛耳草	[10] 182
黑鳗藤	[10] 110	伞房花耳草	[10] 184
毛弓果藤	[10] 112	白花蛇舌草	[10] 186
七层楼	[10] 114	粗毛耳草	[10] 188
通天连	[10] 118	纤花耳草	[10] 190
娃儿藤	[10] 120	长节耳草	[10] 192
贵州娃儿藤	[10] 122	龙船花	[10] 194

茜草科 [10] 124

水团花	[10] 124	粗叶木	[10] 196
细叶水团花	[10] 126	日本粗叶木	[10] 198
香楠	[10] 128	榄绿粗叶木	[10] 200
茜树	[10] 130	野丁香	[10] 202
阔叶丰花草	[10] 132	羊角藤	[10] 204
丰花草	[10] 134	楠藤	[10] 206
风箱树	[10] 136	蘘花	[10] 208
流苏子	[10] 140	粗毛玉叶金花	[10] 210
短刺虎刺	[10] 142	玉叶金花	[10] 212
虎刺	[10] 144	华腺萼木	[10] 214
柳叶虎刺	[10] 146	薄叶新耳草	[10] 216
四川虎刺	[10] 148	臭味新耳草	[10] 218
狗骨柴	[10] 150	广东新耳草	[10] 220
毛狗骨柴	[10] 152	薄柱草	[10] 222
香果树	[10] 154	广州蛇根草	[10] 224
拉拉藤	[10] 156	中华蛇根草	[10] 226
六叶葎	[10] 158	日本蛇根草	[10] 228
四叶葎	[10] 160	耳叶鸡矢藤	[10] 230
阔叶四叶葎	[10] 162	白毛鸡矢藤	[10] 232
狭叶四叶葎	[10] 164	鸡矢藤	[10] 234
显脉拉拉藤	[10] 166	毛鸡矢藤	[10] 236
林猪殃殃	[10] 168	香港大沙叶	[10] 238
小叶猪殃殃	[10] 170	九节	[10] 240
蓬子菜	[10] 172	蔓九节	[10] 242
栀子	[10] 174	金剑草	[10] 244
		东南茜草	[10] 246

茜草	[10] 248
金线茜草	[10] 250
卵叶茜草	[10] 252
多花茜草	[10] 254
六月雪	[10] 256
白马骨	[10] 258
鸡仔木	[10] 260
假桂乌口树	[10] 262
白花苦灯笼	[10] 264
钩藤	[10] 266
华钩藤	[10] 268

旋花科 [10] 270

心萼薯	[10] 270
打碗花	[10] 272
旋花	[10] 274
南方菟丝子	[10] 276
菟丝子	[10] 278
金灯藤	[10] 280
马蹄金	[10] 282
土丁桂	[10] 284
蕹菜	[10] 286
番薯	[10] 288
三裂叶薯	[10] 290
小牵牛	[10] 292
篱栏网	[10] 294
北鱼黄草	[10] 296
牵牛	[10] 298
圆叶牵牛	[10] 300
飞蛾藤	[10] 302
茑萝松	[10] 304

紫草科 [10] 306

斑种草	[10] 306
柔弱斑种草	[10] 308
小花琉璃草	[10] 310
琉璃草	[10] 312
长花厚壳树	[10] 314

粗糠树	[10] 316
厚壳树	[10] 318
田紫草	[10] 320
紫草	[10] 322
梓木草	[10] 324
浙赣车前紫草	[10] 326
短蕊车前紫草	[10] 328
聚合草	[10] 330
盾果草	[10] 332
西南附地菜	[10] 334
湖北附地菜	[10] 336
附地菜	[10] 338

马鞭草科 [10] 340

紫珠	[10] 340
短柄紫珠	[10] 342
白毛紫珠	[10] 344
华紫珠	[10] 346
白棠子树	[10] 348
杜虹花	[10] 350
老鸦糊	[10] 352
毛叶老鸦糊	[10] 354
全缘叶紫珠	[10] 356
日本紫珠	[10] 358
窄叶紫珠	[10] 360
枇杷叶紫珠	[10] 362
广东紫珠	[10] 364
尖萼紫珠	[10] 366
长柄紫珠	[10] 368
尖尾枫	[10] 370
钩毛紫珠	[10] 372
藤紫珠	[10] 374
红紫珠	[10] 376
兰香草	[10] 378
单花莸	[10] 380
三花莸	[10] 382
臭牡丹	[10] 384

灰毛大青	[10] 386
腺茉莉	[10] 388
大青	[10] 390
白花灯笼	[10] 392
赪桐	[10] 394
广东大青	[10] 396
黄腺大青	[10] 398
海通	[10] 400
龙吐珠	[10] 402
海州常山	[10] 404
马缨丹	[10] 406
过江藤	[10] 408
黄药	[10] 410
豆腐柴	[10] 412
狐臭柴	[10] 414
毛狐臭柴	[10] 416
马鞭草	[10] 418
灰毛牡荆	[10] 420
黄荆	[10] 422
牡荆	[10] 424
山牡荆	[10] 426
蔓荆	[10] 428
单叶蔓荆	[10] 430

水马齿科 [10] 432

沼生水马齿	[10] 432

唇形科 [10] 434

藿香	[10] 434
筋骨草	[10] 436
金疮小草	[10] 438
多花筋骨草	[10] 442
紫背金盘	[10] 444
毛药花	[10] 446
风轮菜	[10] 448
邻近风轮菜	[10] 450
细风轮菜	[10] 452
灯笼草	[10] 454

匍匐风轮菜	[10] 456
肉叶鞘蕊花	[10] 458
绵穗苏	[10] 460
齿叶水蜡烛	[10] 462
水虎尾	[10] 464
水蜡烛	[10] 466
紫花香薷	[10] 468
香薷	[10] 470
野草香	[10] 472
水香薷	[10] 474
海州香薷	[10] 476
广防风	[10] 478
小野芝麻	[10] 480
白透骨消	[10] 482
狭萼白透骨消	[10] 484
活血丹	[10] 486
中华锥花	[10] 488
异野芝麻	[10] 490
细齿异野芝麻	[10] 492
香薷状香简草	[10] 494
粉红动蕊花	[10] 496
动蕊花	[10] 498
夏至草	[10] 500
宝盖草	[10] 502
野芝麻	[10] 504
益母草	[10] 506
白花益母草	[10] 510
斜萼草	[10] 512
小叶地笋	[10] 514
毛叶地瓜儿苗	[10] 516
华西龙头草	[10] 518
梗花华西龙头草	[10] 520
走茎华西龙头草	[10] 522
龙头草	[10] 524
蜜蜂花	[10] 526
皱叶留兰香	[10] 528

薄荷	[10] 530	紫背贵州鼠尾草	[10] 602
留兰香	[10] 534	血盆草	[10] 604
南川冠唇花	[10] 536	华鼠尾草	[10] 606
小花荠苎	[10] 538	鼠尾草	[10] 608
石香薷	[10] 540	关公须	[10] 610
小鱼仙草	[10] 542	丹参	[10] 612
石荠苎	[10] 544	南川鼠尾草	[10] 616
苏州荠苎	[10] 546	荔枝草	[10] 618
心叶荆芥	[10] 550	长冠鼠尾草紫参	[10] 620
罗勒	[10] 552	地埂鼠尾草	[10] 622
疏柔毛罗勒	[10] 554	一串红	[10] 624
牛至	[10] 556	佛光草	[10] 626
白花假糙苏	[10] 558	四棱草	[10] 628
纤细假糙苏	[10] 560	半枝莲	[10] 630
假糙苏	[10] 562	岩藿香	[10] 632
小叶假糙苏	[10] 564	韩信草	[10] 634
紫苏	[10] 566	长毛韩信草	[10] 636
野生紫苏	[10] 568	小叶韩信草	[10] 638
回回苏	[10] 570	紫茎京黄芩	[10] 640
糙苏	[10] 572	偏花黄芩	[10] 642
南方糙苏	[10] 574	假活血草	[10] 644
夏枯草	[10] 576	英德黄芩	[10] 646
香茶菜	[10] 578	光柄筒冠花	[10] 648
细锥香茶菜	[10] 580	地蚕	[10] 652
内折香茶菜	[10] 582	水苏	[10] 654
线纹香茶菜	[10] 584	针筒菜	[10] 658
大萼香茶菜	[10] 586	甘露子	[10] 660
显脉香茶菜	[10] 588	二齿香科科	[10] 662
总序香茶菜	[10] 590	穗花香科科	[10] 664
碎米桠	[10] 592	庐山香科科	[10] 666
溪黄草	[10] 594	长毛香科科	[10] 668
迷迭香	[10] 596	铁轴草	[10] 670
南丹参	[10] 598	血见愁	[10] 672
贵州鼠尾草	[10] 600	微毛血见愁	[10] 674

被子植物

夹竹桃科 Apocynaceae 黄蝉属 Allemanda

黄蝉 *Allemanda neriifolia* Hook.

| 药 材 名 |

黄蝉（药用部位：全株。别名：黄兰蝉）。

| 形态特征 |

直立灌木，高1～2m，具乳汁。枝条灰白色。叶3～5，轮生，全缘，椭圆形或倒卵状长圆形，长6～12cm，宽2～4cm，先端渐尖或急尖，基部楔形，叶面深绿色，叶背浅绿色，除叶背中脉和侧脉被短柔毛外，其余无毛。聚伞花序；花金黄色，长4～6cm，张口直径约4cm，喉部有橙红色条纹；花冠阔漏斗形，有裂片5，并向左或向右重叠，花冠基部膨大，内部着生雄蕊5。种子扁平，具薄膜质边缘，长约2cm，宽约1.5cm。花期5～8月，果期10～12月。

| 生境分布 |

栽培于庭园。分布于湖南永州（道县）等。

| 资源情况 |

栽培资源较少。药材来源于栽培。

| 采收加工 |

夏、秋季采收，洗净，鲜用或晒干。

| **功能主治** | 苦，寒；有毒。消肿，杀虫。用于无名肿毒等。

| **用法用量** | 外用适量，水浸冲洗；或捣敷。

夹竹桃科 Apocynaceae 链珠藤属 Alyxia

狭叶链珠藤 Alyxia schlechteri Lévl.

| 药 材 名 | 狭叶链珠藤（药用部位：枝、叶）。

| 形态特征 | 蔓延木质藤本。具乳汁，除幼嫩部分和花序外均无毛。小枝被微柔毛，老时渐成无毛，具稠密皮孔；老枝灰白色，直径 1.3 mm；节间幼嫩时长 1 ~ 7 cm。叶近革质，对生或 3 ~ 4 轮生，常集生于小枝的上部，狭披针形或狭椭圆形，长 2 ~ 4 cm，宽 7 ~ 13 mm，先端渐尖或急尖，基部宽楔形，叶面深绿色，叶背浅绿色，边缘微向外卷，中脉在叶面凹陷，在叶背凸出；叶柄长 2 ~ 4 mm。花黄色，多朵集成聚伞花序，长 0.5 ~ 1 cm，腋生。核果链珠状，具 2 ~ 3 节，椭圆形，紫黑色。果期 12 月至翌年 5 月。

| 生境分布 | 生于海拔 700 ~ 1 150 m 的山地疏林中或灌丛中。分布于湖南永州

（东安、江永、蓝山）、怀化（通道、靖州）、湘西州（永顺、保靖）、郴州（宜章）等。

| 资源情况 | 野生资源较少。药材来源于野生。

| 采收加工 | 夏、秋季采收，切段，晒干。

| 功能主治 | 辛、微苦，温；有小毒。祛风除湿，活血止痛。用于风湿痹痛，胃痛，泄泻，跌打损伤。

| 用法用量 | 内服煎汤，5～15 g；或浸酒。孕妇及体质阴虚者忌用。

Apocynaceae 链珠藤属 *Alyxia*

链珠藤 *Alyxia sinensis* Champ. ex Benth.

| 药 材 名 |

瓜子藤（药用部位：全株。别名：念珠藤）。

| 形态特征 |

藤状灌木，具乳汁，高达 3 m，除花梗、苞片及萼片外，其余无毛。叶革质，对生或 3 枚轮生，通常圆形、卵圆形或倒卵形，先端圆或微凹，长 1.5 ~ 3.5 cm，宽 8 ~ 20 mm，边缘反卷；侧脉不明显；叶柄长 2 mm。聚伞花序腋生或近顶生；总花梗长不及 1.5 cm，被微毛；花小，长 5 ~ 6 mm；小苞片与萼片均有微毛；花萼裂片卵圆形，近钝头，长 1.5 mm，内面无腺体；花冠先淡红色后退变为白色，花冠筒长 2.3 mm，内面无毛，近花冠喉部紧缩，喉部无鳞片，花冠裂片卵圆形，长 1.5 cm；雌蕊长 1.5 mm，子房具长柔毛。核果卵形，长约 1 cm，直径 0.5 cm，2 ~ 3 组成链珠状。花期 4 ~ 9 月，果期 5 ~ 11 月。

| 生境分布 |

生于矮林或灌丛中。分布于湖南郴州（桂东）等。

| **资源情况** | 野生资源稀少。药材来源于野生。

| **采收加工** | 夏、秋季采收，洗净，切段，鲜用或晒干。

| **功能主治** | 祛风利湿，活血通络。用于风湿关节痛，脾虚泄泻，脚气病，周身浮肿，妇人经闭，跌打损伤。

| **用法用量** | 内服煎汤，15～20 g，鲜品50～100 g；或浸酒。

夹竹桃科 Apocynaceae 鳝藤属 Anodendron

鳝藤 *Anodendron affine* (Hook. et Arn.) Druce

| 药 材 名 | 鳝藤（药用部位：茎。别名：铁骨藤）。

| 形态特征 | 攀缘灌木，有乳汁。枝土灰色。叶长圆状披针形，长 3 ~ 10 cm，宽 1.2 ~ 2.5 cm，端部渐尖，基部楔形；中脉在叶面略为陷入，在叶背略为凸起，侧脉约有 10 对，远距，干时呈皱纹状；叶柄长达 1 cm。总状聚伞花序顶生，小苞片甚多；花萼裂片经常不等长，长约 3 mm；花冠白色或黄绿色，裂片镰状披针形，长约 3 mm，内面有疏柔毛，花冠喉部有疏柔毛；雄蕊短，着生于花冠筒的基部，长约 2 mm；花盘环状；子房有 2 个无毛的心皮，为花盘所包围，柱头圆锥状，端部 2 裂。蓇葖果椭圆形，长约 13 cm，直径 3 cm，基部膨大，向上渐尖；种子棕黑色，有喙，长约 2 cm，宽 6 mm；种毛长约 6 cm。花期 11 月至翌年 4 月，果期翌年 6 ~ 8 月。

| 生境分布 | 生于山地稀疏杂木林中。分布于湖南株洲（茶陵）等。

| 资源情况 | 野生资源稀少。药材来源于野生。

| 采收加工 | 夏、秋季采收，洗净，切段，晒干。

| 功能主治 | 祛风行气，燥湿健脾，通经络，解毒。

| 用法用量 | 内服煎汤，15～30 g；或浸酒。

夹竹桃科 Apocynaceae 长春花属 Catharanthus

长春花 *Catharanthus roseus* (L.) G. Don

| 药 材 名 | 长春花（药用部位：全株。别名：雁来红、日日新、四时春）。

| 形态特征 | 半灌木，高达 60 cm，全株无毛或仅有微毛。茎近方形，有条纹，灰绿色；节间长 1 ~ 3.5 cm。叶膜质，倒卵状长圆形，长 3 ~ 4 cm，宽 1.5 ~ 2.5 cm，先端浑圆，有短尖头，基部广楔形至楔形，渐狭而成叶柄；叶脉在叶面扁平，在叶背略隆起，侧脉约 8 对。聚伞花序腋生或顶生，有花 2 ~ 3；花萼 5 深裂，萼片披针形或钻状渐尖，长约 3 mm；花冠红色，高脚碟状；花冠裂片宽倒卵形，长和宽均约 1.5 cm；雄蕊着生于花冠筒的上半部，但花药隐藏于花喉之内，与柱头离生。蓇葖果双生，直立，平行或略叉开，长约 2.5 cm，直径 3 mm，外果皮厚纸质，有条纹，被柔毛；种子黑色，长圆状圆筒形，两端截形，具颗粒状小瘤。花期、果期几乎全年。

| 生境分布 | 栽培种。湖南各地均有分布。

| 资源情况 | 栽培资源一般。药材来源于栽培。

| 采收加工 | 全年均可采收，晒干或鲜用。

| 药材性状 | 本品长 30～50 cm，主根圆锥形，略弯曲。茎枝绿色或红褐色，类圆柱形，有棱，折断面纤维性，髓部中空。叶对生，皱缩，展平后呈倒卵形或长圆形，先端钝圆，具短尖，基部楔形，深绿色或绿褐色，羽状脉明显。枝端或叶腋有花，花冠高脚碟形，淡红色或紫红色。

| 功能主治 | 凉血，降血压，镇静安神。用于高血压，烫火伤，恶性淋巴瘤，绒毛膜上皮癌，单核细胞白血病。

| 用法用量 | 内服煎汤，10～25 g；外用适量，捣敷；或研末调敷。

夹竹桃科 Apocynaceae 花皮胶藤属 Ecdysanthera

酸叶胶藤 *Ecdysanthera rosea* Hook. et Arn.

| 药 材 名 | 酸叶胶藤（药用部位：全株。别称：石酸藤、黑风藤、酸叶藤）。

| 形态特征 | 高攀木质大藤本，长达10 m，具乳汁。茎皮深褐色，无明显皮孔。叶纸质，阔椭圆形，长3～7 cm，宽1～4 cm，先端急尖，基部楔形，两面无毛，叶背被白粉；侧脉每边4～6，疏距。聚伞花序圆锥状，宽松展开，多歧，顶生，着花多朵；总花梗略具白粉，被短柔毛；花小，粉红色；花萼5深裂，外面被短柔毛，内面具5小腺体，花萼裂片卵圆形，先端钝；雄蕊5，着生于花冠筒基部，花丝短，花药披针状箭头形，基部具耳，先端达花冠筒喉部，腹面贴生于柱头上；花盘环状，全缘，围绕子房周围，比子房短。外果皮有明显斑点；种子长圆形，先端具白色绢质种毛。花期4～12月，果期7月至翌年1月。

| 生境分布 | 生于山地杂木林山谷中、水沟旁的较湿润处。分布于湖南衡阳（衡阳、衡山）、郴州（汝城）、娄底（娄星）等。

| 资源情况 | 野生资源稀少。药材来源于野生。

| 采收加工 | 全年均可采收，晒干。

| 功能主治 | 利尿消肿，止痛。用于咽喉肿痛，慢性肾小球肾炎，肠炎，风湿骨痛，跌打瘀肿。

| 用法用量 | 内服煎汤，50～100 g。外用适量，捣敷。

Apocynaceae Gymnema

匙羹藤 *Gymnema sylvestre* (Retz.) Schult. Syst.

| 药 材 名 |

武靴藤（药用部位：根、嫩枝叶。别名：断肠苦蔓、小羊角扭、小羊角木）。

| 形态特征 |

木质藤本，长达 4 m，具乳汁。茎皮灰褐色，具皮孔，幼枝被微毛，老渐无毛。叶倒卵形或卵状长圆形，长 3～8 cm，宽 1.5～4 cm，仅叶脉上被微毛；侧脉每边 4～5，弯拱上升；叶柄长 3～10 mm，被短柔毛，先端具丛生腺体。聚伞花序伞形状，腋生，比叶短；花序梗长 2～5 mm，被短柔毛；花梗长 2～3 mm，纤细，被短柔毛；花小，绿白色，长、宽均约 2 mm；花萼裂片卵圆形，钝头，被缘毛，花萼内面基部有 5 腺体；花冠绿白色，钟状，裂片卵圆形，钝头，略向右覆盖；副花冠着生于花冠裂片弯缺下，厚而成硬条带；雄蕊着生于花冠筒的基部，花药长圆形，先端具膜片，花粉块状长圆形，直立；柱头宽而短圆锥状，伸出花药之外。蓇葖果卵状披针形，长 5～9 cm，基部宽 2 cm，基部膨大，顶部渐尖，外果皮硬，无毛；种子卵圆形，薄而凹陷，先端截形或钝形，基部圆形，有薄边，先端轮生的种毛白色绢质；种毛长 3.5 cm。花期 5～9 月，果

期 10 月至翌年 1 月。

| 生境分布 | 生于山坡林中或灌丛。分布于湖南郴州（桂东）、永州（东安、江永）等。

| 资源情况 | 野生资源稀少。药材主要来源于野生。

| 采收加工 | 根，全年均可采挖，洗净，切片，晒干或鲜用。嫩枝叶，春季采收，鲜用。

| 药材性状 | 本品根呈圆柱形，直径 1~3 cm，常切成 2~5 mm 厚的斜片。外表面灰棕色，较粗糙，具裂纹及皮孔；切断面黄色，木部有细密小孔，形成层环波状弯曲，髓部疏松，淡棕色，茎类圆形，灰褐色，具皮孔，被微毛。叶对生，多皱缩，完整者展平后呈倒卵形或卵状长圆形，长 3~8 cm，宽 1.5~4 cm，仅叶脉被微毛，嫩、枯叶均具乳汁；叶柄长 3~10 mm，被短毛。

| 功能主治 | 微苦，凉；有毒。祛风止痛，解毒消肿。用于风湿痹痛，咽喉肿痛，瘰疬，乳痈，疮疖，湿疹，无名肿毒，毒蛇咬伤。

| 用法用量 | 内服煎汤，15~30 g。外用适量，鲜品捣敷。

夹竹桃科 Apocynaceae 腰骨藤属 Ichnocarpus

腰骨藤 *Ichnocarpus frutescens* (L.) W. T. Aiton

| 药 材 名 | 腰骨藤（药用部位：种子。别名：钓连石、羊角藤）。

| 形态特征 | 木质藤本。长达 8 m。小枝、叶背、叶柄及总花梗无毛，仅幼枝上有短柔毛，具乳汁。叶卵圆形或椭圆形，长 5 ~ 10 cm，宽 3 ~ 4 cm，侧脉每边 5 ~ 7。花白色；花序长 3 ~ 8 cm；花萼内面腺体有或无；花冠筒喉部被柔毛；花药箭头状；花盘 5 深裂，裂片线形，比子房长；子房被毛。蓇葖果双生，叉开，1 长 1 短，细圆筒状，长 8 ~ 15 cm，直径 4 ~ 5 mm，被短柔毛；种子线形，先端具种毛。花期 5 ~ 8 月，果期 8 ~ 12 月。

| 生境分布 | 生于海拔 150 ~ 950 m 的山地疏林、丘陵山坡灌丛中或路旁。分布于湖南郴州（宜章、临武、汝城）、永州（道县、江永、蓝山）等。

| 资源情况 | 野生资源较少。药材来源于野生。

| 采收加工 | 秋季果实成熟时采收，晒干，取出种子。

| 功能主治 | 苦，平。祛风除湿，通络止痛。用于风湿痹痛，跌打损伤。

| 用法用量 | 内服煎汤，6 ~ 10 g；或浸酒。

夹竹桃科 Apocynaceae 山橙属 Melodinus

尖山橙 *Melodinus fusiformis* Champ. ex Benth.

| 药 材 名 |

尖山橙（药用部位：茎叶。别称：乳藤、竹藤、藤皮黄）。

| 形态特征 |

粗壮木质藤本，具乳汁。茎皮灰褐色；幼枝、嫩叶、叶柄、花序被短柔毛，老渐无毛；节间长 2.5 ～ 11 cm。叶近革质，椭圆形或长椭圆形，稀椭圆状披针形，长 4.5 ～ 12 cm，宽 1 ～ 5.3 cm，端部渐尖，基部楔形至圆形；中脉在叶面扁平，在叶背略为凸起，侧脉约 15 对，向上斜升到边缘网结；叶柄长 4 ～ 6 mm。聚伞花序生于侧枝的先端，有花 6 ～ 12，长 3 ～ 5 cm，比叶短；花梗长 0.5 ～ 1 cm；花冠白色，花冠裂片长卵圆形或倒披针形，偏斜，副花冠呈鳞片状在花喉中稍为伸出，鳞片先端 2 ～ 3 裂；雄蕊着生于花冠筒的近基部。浆果橙红色，椭圆形，先端短尖，长 3.5 ～ 5.3 cm，直径 2.2 ～ 4 cm；种子压扁，近圆形或长圆形，边缘不规则波状，直径 0.5 cm。花期 4 ～ 9 月，果期 6 月至翌年 3 月。

| 生境分布 |

生于海拔 300 ～ 1 400 m 的山地疏林中、山

坡路旁或山谷水沟旁。分布于湖南永州（东安）等。

| 资源情况 | 野生资源稀少。药材来源于野生。

| 采收加工 | 全年均可采收，切段，晒干。

| 药材性状 | 本品枝条圆柱形，嫩枝、叶具毛茸，茎枝多木化。单叶对生，叶片椭圆形，长可达12 cm，先端渐尖，基部楔形，全缘，叶脉于下表面微凸起。质较厚。

| 功能主治 | 气微，微苦。祛风湿，活血。用于风湿痹痛，跌打损伤。

| 用法用量 | 内服煎汤，6～9 g。

夹竹桃科 Apocynaceae 夹竹桃属 Nerium

夹竹桃 *Nerium indicum* Mill.

| 药 材 名 | 夹竹桃（药用部位：叶。别名：红花夹竹桃、柳叶桃）。

| 形态特征 | 植株高达 6 m。枝条灰绿色。叶 3 片轮生，稀对生，革质，窄椭圆状披针形，先端渐尖或尖，基部楔形或下延；叶柄长 5 ~ 8 mm。聚伞花序组成伞房状，顶生；花芳香；花萼裂片窄三角形或窄卵形，长 0.3 ~ 1 cm；花冠漏斗状，花冠筒长 1.2 ~ 2.2 cm，喉部宽大，副花冠裂片 5，花瓣状，流苏状撕裂；雄蕊着生于花冠筒顶部，花药箭头状，附着于柱头上，基部耳状，药隔丝状，被长柔毛。蓇葖果 2，离生，圆柱形，长 12 ~ 23 cm，直径 0.6 ~ 1 cm；种子长圆形，基部较窄，先端钝，褐色，种皮被锈色短柔毛。

| 生境分布 | 栽培于低海拔的公园、风景区、道路旁或河旁、湖旁。湖南有广泛分布。

| 资源情况 | 栽培资源丰富。药材来源于栽培。

| 采收加工 | 全年均可采收，鲜用或晒干。

| 药材性状 | 本品窄披针形，长可达 15 cm，宽约 2 cm，先端渐尖，基部楔形，全缘，边缘稍反卷，上面深绿色，下面淡绿色，主脉于下面凸起，侧脉细密而平行。厚革质而硬。

| 功能主治 | 强心，利尿，祛痰，杀虫。用于心力衰竭，癫痫；外用于甲沟炎，斑秃。

| 用法用量 | 内服煎汤，0.1 ~ 0.12 g，鲜品 3 ~ 4 片，分 3 次服。外用适量，捣敷。

夹竹桃科 Apocynaceae 夹竹桃属 Nerium

白花夹竹桃 Nerium indicum Mill. cv. 'Paihua'

| 药 材 名 |

白花夹竹桃（药用部位：叶。别名：出冬）。

| 形态特征 |

常绿直立大灌木，高达 5 m，枝条灰绿色，含水液；嫩枝条具棱，被微毛，老时毛脱落。叶 3 ~ 4 轮生，下枝叶对生，窄披针形，先端急尖，基部楔形，边缘反卷，长 11 ~ 15 cm，宽 2 ~ 2.5 cm，叶面深绿色，无毛，叶背浅绿色，有多数洼点；侧脉两面扁平，纤细，密生而平行，直达边缘。聚伞花序顶生；花冠白色，花冠为单瓣时 5 裂，漏斗状，长和宽均约 3 cm，花冠筒圆筒形，上部扩大成钟形，长 1.6 ~ 2 cm，花冠筒内面被长柔毛，花冠为重瓣时有 15 ~ 18 枚。蓇葖果 2，离生，平行或并连，长圆形，两端较窄，长 10 ~ 23 cm，直径 6 ~ 10 mm，绿色，无毛，具细纵条纹；种子长圆形，基部较窄，先端钝，褐色，种皮被锈色短柔毛，先端具黄褐色绢质种毛；种毛长约 1 cm。

| 生境分布 |

栽培于植物园及公园中。湖南有广泛分布。

| **资源情况** | 栽培资源较丰富。药材来源于栽培。

| **采收加工** | 全年均可采收，鲜用或晒干研末。

| **功能主治** | 苦，寒。归心经。利尿，通便，活血，消积，祛瘀，镇咳等。

| **用法用量** | 内服煎汤，0.1 ~ 0.12 g，鲜叶 3 ~ 4 片，分 3 次服。外用适量，捣敷。

夹竹桃科 Apocynaceae 杜仲藤属 Parabarium

毛杜仲藤 *Parabarium huaitingii* Chun et Tsiang

| 药 材 名 | 杜仲藤（药用部位：根皮、茎皮。别名：鹤咀藤、香藤、鸡头藤）。

| 形态特征 | 攀缘多枝灌木，长达 13 m，具乳汁，除花冠裂片外，其余部分均被灰色或红色短绒毛。叶生于枝的先端，薄纸质，老叶略厚，两面被柔毛，卵圆状或长圆状椭圆形，长 2.5 ~ 7.5 cm，宽 1.5 ~ 3.5 cm，边缘略向下卷，叶面深绿色，叶背淡绿色；中脉与侧脉在叶面平坦，在叶背明显凸起。花序近顶生或稀腋生，伞房状，具多花，长 4 ~ 6 cm；苞片叶状，长 1 ~ 3 mm，宽 0.5 ~ 1 mm；花蕾先端钝；花有香味；花冠黄色，坛状辐形，外面有微毛。蓇葖果双生或 1 不发育，卵圆状披针形，基部胀大，外果皮基部多皱纹，中部以上有细条纹；种子线状长圆形，暗黄色，有柔毛。花期 4 ~ 6 月，果期 7 月至翌年 6 月。

| 生境分布 | 生于海拔 200 ~ 1 000 m 的山地疏林中或山谷阴湿处，攀缘于树木之上。分布于湖南怀化（靖州）等。

| 资源情况 | 野生资源稀少。药材来源于野生。

| 采收加工 | 秋季采收，剥取根皮和茎皮，切片，晒干。

| 药材性状 | 本品树皮呈卷筒状或槽状，厚 2 ~ 5 mm。外表面灰棕色，稍粗糙，无横向裂纹，皮孔稀疏细小，灰白色，刮去栓皮呈棕红色或黄棕色。折断面有白色胶丝相连，稍有弹性。

| 功能主治 | 祛风活络，补腰肾，强筋骨。用于肾虚腰痛，扭伤，骨折，风湿痹痛，阳痿，高血压；外用于外伤出血。

| 用法用量 | 内服煎汤，9 ~ 15 g。外用适量，茎皮研末敷。

夹竹桃科 Apocynaceae 杜仲藤属 Parabarium

杜仲藤 *Parabarium micranthum* (A. DC.) Pierre

| 药 材 名 | 杜仲藤（药用部位：根皮、茎皮。别名：藤杜仲、红杜仲、土杜仲）。

| 形态特征 | 长达 50 m，直径 10～30 cm。茎皮红褐色，粗糙，密被皮孔，老茎皮有纵裂条纹，切面淡红色，无毛。叶椭圆形或卵状椭圆形，长 5～10 cm，宽 2～6 cm，先端短渐尖，基部阔楔形，叶背淡绿色，两面均无毛；侧脉 3～4 对，疏距；叶柄长 1.5～2.5 cm。聚伞花序顶生兼腋生，3 歧，长 6～12 cm，被微柔毛；花细小，淡黄色；花萼 5 深裂，外面被微毛；花冠近坛状，花冠筒喉部无副花冠，花冠裂片长圆状披针形，基部向右覆盖；雄蕊 5，着生于花冠筒基部，花丝短，花药披针状箭头形，先端达花冠喉部，基部具耳，腹部贴生于柱头上；花盘 5 裂。蓇葖果 2，叉开成线形，圆筒状，长达 23 cm，直径 4～8 mm，外果皮无明显斑点；种子压扁状，淡褐色，

先端具白色绢质种毛。

| **生境分布** | 生于海拔 200 ~ 1 000 m 的山地密林中，常见于山谷、水沟旁的湿润处，很少见于坡面林地。分布于湖南衡阳（衡山）、怀化（靖州、通道）等。

| **资源情况** | 野生资源较少。药材来源于野生。

| **采收加工** | 9 ~ 10 月采收，切片，晒干。

| **药材性状** | 本品树皮呈卷筒状或槽状，厚 1 ~ 2.5 mm。外表面带栓皮，灰棕色或灰黄色，有皱纹及横长皮孔，黄白色，刮去栓皮显红棕色，较平坦。内表面红棕色或黄棕色，有细纵纹。折断面有白色胶丝相连，稍有弹性。气微。

| **功能主治** | 祛风活络，补腰肾，强筋骨。用于肾虚腰痛，扭伤，骨折，风湿痹痛，阳痿，高血压；外用于外伤出血。

| **用法用量** | 内服煎汤，6 ~ 9 g；或浸酒。外用适量，捣敷；或研末撒。

夹竹桃科 Apocynaceae 帘子藤属 Pottsia

大花帘子藤 *Pottsia grandiflora* Markgr.

| 药 材 名 |

大花帘子藤（药用部位：根、茎。别名：乳汁藤）。

| 形态特征 |

攀缘灌木，长达 5 m，茎和枝条淡绿色，无毛，具乳汁，叶柄间具钻状腺体。叶薄纸质，卵圆形至椭圆状卵圆形，先端急尖，具尾，基部钝至圆，长 6.5 ~ 12.5 cm，宽 3 ~ 7 cm，两面无毛，叶面深绿色，叶背浅绿色。总状聚伞花序顶生或腋生，长达 18.5 cm，无毛，具长总花梗；苞片和小苞片叶状；花蕾圆筒形，上部膨大，呈圆锥状，先端钝；花冠紫红色或粉红色，长 12 mm，花冠筒圆筒形，长约 6 mm，直径约 2.5 mm，内外无毛，花冠裂片基部向右覆盖，裂片倒卵形，比花冠筒长，长约 7 mm。蓇葖果双生，下垂，线状长圆形，长达 25 cm，直径 6 mm，绿色，无毛，外果皮薄；种子长圆形，基部渐尖，先端具 1 簇白色绢质种毛；种毛长 4 cm。花期 4 ~ 8 月，果期 8 ~ 12 月。

| 生境分布 |

生于海拔 400 ~ 1 100 m 的山地疏林、山坡路旁灌丛或山谷密林中，常攀缘于树上。分

布于湖南湘西州（永顺）、永州（东安、道县）、郴州（永兴）等。

| **资源情况** | 野生资源较少。药材来源于野生。

| **采收加工** | 夏、秋季采收，洗净，切段，鲜用或晒干。

| **功能主治** | 苦、辛，微温。用于腰骨酸痛，贫血，产后虚弱。

| **用法用量** | 内服煎汤，13～25 g，鲜品150～200 g。

夹竹桃科 Apocynaceae 帘子藤属 Pottsia

帘子藤 *Pottsia laxiflora* (Bl.) O. Ktze.

| 药 材 名 | 帘子藤（药用部位：根、茎、乳汁。别名：花拐藤、腰骨藤、长角胶藤）。

| 形态特征 | 常绿攀缘灌木，长达9 m。枝条柔弱，平滑，无毛，具乳汁。叶薄纸质，长6～12 cm，宽3～7 cm，先端急尖成尾状，基部圆形或浅心形，两面无毛；叶面中脉凹入，侧脉扁平，叶背中脉和侧脉略凸起，侧脉每边4～6，斜曲上升，至边缘前网结。总状聚伞花序腋生和顶生，长8～25 cm，具长总花梗，多花；花萼短，裂片宽卵形，外面具短柔毛，内面具腺体；花冠紫红色或粉红色，花冠筒圆筒形，长4～5 mm，宽2.5 mm，无毛，花冠裂片向上展开，卵圆形，长约2 mm，宽1.5 mm。蓇葖果双生，线状长圆形，细而长，下垂，长达40 cm，直径3～4 mm，绿色，无毛，外果皮薄；种子线状长圆形，长1.5～2 cm，直径1.5 mm，先端具白色绢质种毛；

种毛长 2 ~ 2.5 cm。花期 4 ~ 8 月，果期 8 ~ 10 月。

| 生境分布 | 生于海拔 200 ~ 1 600 m 的山地疏林中、湿润的山谷密林中、山坡路旁或水沟边灌丛中，攀缘于树上。分布于湖南永州（零陵）等。

| 资源情况 | 野生资源稀少。药材来源于野生。

| 采收加工 | 全年均可采收，洗净，切片，晒干或鲜用。

| 功能主治 | 活络行血，祛风除湿。用于腰腿酸痛，贫血，风湿病，跌打损伤，痈疽，经闭。

| 用法用量 | 内服煎汤，10 ~ 20 g。

夹竹桃科 Apocynaceae 萝芙木属 Rauvolfia

萝芙木 *Rauvolfia verticillata* (Lour.) Baill.

| 药 材 名 | 萝芙木（药用部位：根。别名：鱼胆木、山马蹄、刀伤药）。

| 形态特征 | 灌木，高达 3 m，多枝。树皮灰白色。幼枝绿色，被稀疏的皮孔，直径约 5 mm；节间长 1 ~ 5 cm。叶膜质，3 ~ 4 叶轮生，稀对生，渐尖或急尖，基部楔形或渐尖，长 2.6 ~ 16 cm，宽 0.3 ~ 3 cm；中脉在叶面扁平或微凹，叶背凸起，侧脉弧曲上升，无皱纹。伞形聚伞花序生于上部小枝的腋间；花小，白色；花萼 5 裂，裂片三角形；花冠高脚碟状，花冠筒圆筒状，中部膨大，长 10 ~ 18 mm；雄蕊着生于花冠筒内面的中部，花药背部着生，花丝短而柔弱；花盘环状，长约为子房的 1/2。核果卵圆形或椭圆形，长约 1 cm，直径 0.5 cm，由绿色变暗红色，然后变成紫黑色；种子具皱纹。花期 2 ~ 10 月，果期 4 月至翌年春季。

| 生境分布 | 生于林边、丘陵地带的林中或溪边较潮湿的灌丛中。分布于湖南郴州（汝城）等。

| 资源情况 | 野生资源稀少。药材来源于野生。

| 采收加工 | 全年均可采收，除去泥土，晒干。

| 药材性状 | 本品呈圆柱形，略弯曲，长短不一，直径约3 cm，主根下常有分枝。表面灰棕色至灰棕黄色，有不规则纵沟和棱线，栓皮松软，极易脱落露出暗棕色皮部或灰黄色木部。质坚硬，不易折断，切断面皮部很窄，淡棕色。木部占极大部分，黄白色，具明显的年轮和细密的放射状纹理。气微，皮部极苦，木部味微苦。

| 功能主治 | 苦，寒；有小毒。镇静，降血压，活血止痛，清热解毒。用于高血压，头痛，眩晕，失眠，高热不退；外用于跌打损伤，毒蛇咬伤。

| 用法用量 | 内服煎汤，10 ~ 30 g。外用适量，鲜品捣敷。有胃病及气血虚寒者忌用。

夹竹桃科 Apocynaceae 毛药藤属 Sindechites

毛药藤 *Sindechites henryi* Oliv.

| 药 材 名 | 毛药藤根（药用部位：根。别名：土牛党七、黄经树、蔷薇根）。

| 形态特征 | 木质藤本。长达 8 m。具乳汁。叶薄纸质，长圆状披针形或卵状披针形，长 5.5 ~ 12.5 cm，宽 1.5 ~ 3.7 cm，先端渐尖，呈尾状，尾尖长 1 ~ 2 cm；叶柄长 4 ~ 10 mm，叶柄间及叶腋内具线状腺体。总状聚伞花序顶生或近顶生，着花多朵；花白色；花萼小，裂片卵圆形，外面无毛，花萼内面有 10 ~ 15 腺体，腺体先端 2 裂；花冠长 9 mm，花冠筒圆筒形，喉部膨大；雄蕊着生在花冠筒近喉部；子房由 2 离生心皮组成，藏于花盘之中；花盘不明显 5 裂，比子房短。蓇葖果双生，1 长 1 短，线状圆柱形；种子线状长圆形，先端具黄色绢质种毛。花期 5 ~ 7 月，果期 7 ~ 10 月。

| 生境分布 | 生于海拔 600 ~ 1 300 m 的山地疏林中、山腰路旁阳处灌丛中或山谷密林中的水沟旁。湖南各地均有分布。

| 资源情况 | 野生资源一般。药材来源于野生。

| 采收加工 | 秋季采挖,洗净,切片,晒干。

| 功能主治 | 微甘、微苦,凉。健脾补虚,清热解毒。用于消化不良,血虚乳少,口舌生疮,牙痛。

| 用法用量 | 内服煎汤,15 ~ 30 g。孕妇忌用。

夹竹桃科 Apocynaceae 络石属 Trachelospermum

紫花络石 *Trachelospermum axillare* Hook. f.

| 药 材 名 | 紫花络石（药用部位：全株）。

| 形态特征 | 粗壮木质藤本。茎直径1 cm，具多数皮孔。叶厚纸质，倒披针形、倒卵形或长椭圆形，长8～15 cm，宽3～4.5 cm；侧脉多至15对，在叶背明显；叶柄长3～5 mm。聚伞花序近伞形，腋生或有时近顶生，长1～3 mm；花梗长3～8 mm；花紫色；花蕾先端钝；花萼裂片紧贴于花冠筒上，卵圆形，钝尖，内有腺体约10；花冠高脚碟状，花冠筒长5 mm，花冠裂片倒卵状长圆形，长5～7 mm；雄蕊着生于花冠筒的基部，花药隐藏于其内；子房卵圆形，无毛；花盘的裂片与子房等长。蓇葖果圆柱状长圆形，平行贴生，无毛，略似镰状，通常端部合生，长10～15 cm，直径10～15 mm，外果皮无毛，具细纵纹；种子暗紫色，倒卵状长圆形或宽卵圆形，长

约15 mm，宽7 mm；种毛细丝状，长约5 cm。花期5～7月，果期8～10月。

| **生境分布** | 生于山谷及疏林中或水沟边。湖南有广泛分布。

| **资源情况** | 野生资源较丰富。药材来源于野生。

| **采收加工** | 夏、秋季采收，洗净，切段，晒干。

| **功能主治** | 祛风解表，活络止痛。用于感冒头痛，咳嗽，风湿痹痛，跌打损伤。

| **用法用量** | 内服煎汤，9～15 g；或研末，3～5 g；或浸酒。

Apocynaceae　Trachelospermum

贵州络石
Trachelospermum bodinieri (Lévl.) Woods. ex Rehd.

| 药 材 名 | 贵州络石（药用部位：藤茎）。

| 形态特征 | 攀缘灌木，除幼花被短柔毛外其余无毛。叶长圆形，长 5.5 ~ 6 cm，宽 1.7 ~ 2 cm，顶部渐尖，基部急尖；中脉两面凸起，侧脉两面扁平，纤细；叶腋内外均具腺体；叶柄长约 4 mm。聚伞花序圆锥状，顶生和腋生；花蕾顶部钝形；萼片渐尖；花冠白色，花冠筒长 4 ~ 6 mm，在近花喉部膨大，在花喉顶口缢缩，被短柔毛，花冠裂片长 6 ~ 10 mm，宽 1 ~ 1.5 mm；雄蕊着生于近花喉部，花药先端不伸出花喉，花丝短，被短柔毛；子房由 2 离生心皮组成，每心皮具胚珠多数，花柱丝状，柱头卵状；花盘环状 5 裂，围绕子房基部。花期 5 月。

| 生境分布 | 生于山地林中。分布于湖南郴州（临武）等。

| 资源情况 | 野生资源稀少。药材来源于野生。

| 采收加工 | 春、夏季采收，鲜用或切段晒干。

| 功能主治 | 苦，微寒。祛风，通络，止血，消瘀。用于风湿痹痛，筋脉拘挛，吐血，痈肿，跌打损伤，喉痹等。

| 用法用量 | 内服煎汤，6～15 g。外用适量，研末调敷；或鲜品捣敷。

夹竹桃科 Apocynaceae 络石属 Trachelospermum

短柱络石 *Trachelospermum brevistylum* Hand.-Mazz.

| 药 材 名 |

短柱络石（药用部位：茎。别名：羊角草、龙骨风、盖墙风）。

| 形态特征 |

木质藤本，较为柔弱，长约 2 m，具乳汁。叶薄纸质，狭椭圆形至椭圆状长圆形，长 5 ~ 10 cm，宽约 3 cm，先端近尾状渐尖，基部钝至宽锐尖，无毛；叶柄长 2 ~ 5 mm。花序顶生及腋生，短于叶，无毛；花梗长 5 ~ 7 mm；苞片披针形；花萼裂片卵状披针形，锐尖，长 1 ~ 2 mm，先端略展开，无毛；花白色，花冠筒长约 4.5 mm，基部直径约 1 mm，向花喉部渐细而具微毛，裂片斜倒卵形，长 6 ~ 7 mm，广展；雄蕊着生于花冠筒的基部，花药全部隐藏；子房长椭圆状，无毛，柱头近头状；花盘裂片离生，长及子房的 1/2。蓇葖果叉生，线状披针形，向先端渐尖，长 11 ~ 23.5 mm，直径 0.3 ~ 0.5 mm，外果皮黄棕色，无毛；种子长圆形，长 1 ~ 2.8 cm，直径 1.5 ~ 2.5 mm；种毛白色，绢质，长 2.5 ~ 3 cm。花期 4 ~ 7 月，果期 8 ~ 12 月。

| **生境分布** | 生于海拔 600 ~ 1 100 m 的山地空旷疏林中，缠绕于树上或石上。分布于湖南永州（新田）等。

| **资源情况** | 野生资源稀少。药材来源于野生。

| **采收加工** | 秋末冬初采收，切段，晒干。

| **功能主治** | 苦，微寒。祛风止痛，通络舒节。用于关节痛，肌肉痹痛，腰膝酸痛等；外用于刀伤肿痛。

| **用法用量** | 外用捣敷，5 ~ 20 g。

夹竹桃科 Apocynaceae 络石属 Trachelospermum

锈毛络石 *Trachelospermum dunnii* (Lévl.) Lévl.

| 药 材 名 | 锈毛络石（药用部位：嫩芽。别名：六角藤、大黑骨头、橡胶藤）。

| 形态特征 | 粗壮木质藤本，长达 15 m，幼嫩部分密被锈色柔毛，老时渐无毛。叶近革质，长圆形至椭圆状披针形，长 6～9 cm，宽 2～3 cm，端部渐尖，基部钝至略呈心形，叶面无毛或仅中脉有柔毛，叶背密被锈色柔毛；叶柄长 3～4 mm，密被锈色柔毛。聚伞花序近伞形，顶生及腋生；花梗长 1～1.5 cm；花白色，外面密被锈色柔毛；花萼裂片长圆状披针形，长 3～4 mm，略为展开，外面被锈色长柔毛；花冠筒长 5～6 mm，基部直径约 1.5 mm，在花喉部略紧缩，外面略被锈色长柔毛，内面在雄蕊着生处有微毛，花冠裂片斜倒卵状长圆形，长 8～9 mm；雄蕊着生于花冠筒近基部；子房卵珠状；花盘裂片离生，与子房等长。蓇葖果粗壮，2 个平行贴生，长约

9 cm，被绒毛；种子长约 1 cm，种毛长约 3 cm。花期 3 ~ 8 月，果期 7 ~ 12 月。

| 生境分布 | 生于海拔 320 ~ 550 m 的山地疏林中或路旁、溪边、山脚灌丛中。分布于湖南湘西州（保靖）等。

| 资源情况 | 野生资源稀少。药材来源于野生。

| 采收加工 | 全年均可采收，鲜用。

| 功能主治 | 活血散瘀。用于跌打损伤。

| 用法用量 | 外用适量，鲜品捣敷。

夹竹桃科 Apocynaceae 络石属 Trachelospermum

细梗络石 Trachelospermum gracilipes Hook. f.

| 药 材 名 | 细梗络石（药用部位：全株）。

| 形态特征 | 攀缘灌木。叶膜质，椭圆形或卵状椭圆形，长4～8.5 cm，宽1.5～4 cm；叶腋间和叶腋外的腺体长约1 mm；叶脉在叶面扁平，在叶背凸起，每边侧脉约10，斜曲上升至边缘前网结。花序顶生；总花梗长2.5～4 cm；花白色；花萼裂片紧贴在花冠筒上，裂片卵状披针形，花萼内面基部具10齿状腺体；花冠筒圆筒形，内面无毛，花冠裂片无毛；雄蕊着生在花冠喉部，花药先端露出花喉外；花盘环状，5裂，围绕于子房基部；子房由2离生心皮组成，无毛，每心皮具胚珠多颗，胚珠着生于腹缝线胎座上，顶部全缘。蓇葖果双生，叉开，线状披针形，长10～28 cm，宽3～4 mm，无毛，外果皮黄棕色；种子多数，红褐色，线状长圆形，长2～15 cm，宽

约 2 mm，先端被白色绢质种毛。花期 4 ~ 6 月，果期 8 ~ 10 月。

| **生境分布** | 生于山地路旁或山谷密林中，攀缘于树上或灌丛上。分布于湘西州（泸溪）等。

| **资源情况** | 野生资源稀少。药材来源于野生。

| **采收加工** | 秋末冬初采收，鲜用。

| **功能主治** | 活血散瘀。用于跌打损伤。

| **用法用量** | 外用适量，鲜品捣敷。

夹竹桃科 Apocynaceae 络石属 Trachelospermum

络石 *Trachelospermum jasminoides* (Lindl.) Lem.

| 药 材 名 |

络石（药用部位：全株。别名：石龙藤、万字花、万字茉莉）。

| 形态特征 |

常绿木质藤本，长达 10 m，具乳汁。茎赤褐色，圆柱形，有皮孔。叶革质，椭圆形至卵状椭圆形或宽倒卵形，叶面无毛，叶面中脉微凹，侧脉扁平，叶背中脉凸起，侧脉扁平或稍凸起；叶柄短。二歧聚伞花序腋生或顶生；花多朵组成圆锥状，白色，芳香；总花梗长 2 ~ 5 cm；花蕾先端钝；花冠筒圆筒形，中部膨大，外面无毛，内面在喉部及雄蕊着生处被短柔毛，长 5 ~ 10 mm，花冠裂片长 5 ~ 10 mm，无毛；雄蕊着生于花冠筒中部，花药箭头状，基部具耳，隐藏在花喉内；子房由 2 离生心皮组成，每心皮有胚珠多颗，胚珠着生于 2 并生的侧膜胎座上。蓇葖果双生，叉开，无毛，线状披针形；种子多颗，褐色，线形，长 1.5 ~ 2 cm，先端具白色绢质种毛；种毛长 1.5 ~ 3 cm。花期 3 ~ 7 月，果期 7 ~ 12 月。

| 生境分布 |

生于山野、溪边、路旁、林缘或杂木林中，

常缠绕于树上或攀缘于墙壁、岩石上。湖南各地均有分布。

| 资源情况 | 野生资源丰富。药材来源于野生。

| 采收加工 | 秋末冬初采收，切段，晒干或鲜用。

| 药材性状 | 本品茎呈圆柱形，弯曲，多分枝，长短不一，直径 1 ~ 5 mm；表面红褐色，有点状皮孔及不定根；质硬，断面淡黄白色，常中空。叶对生，有短柄；叶片展平后呈椭圆形或卵状披针形，长 1 ~ 8 cm，宽 0.7 ~ 3.5 cm；全缘，略反卷，上表面暗绿色或棕绿色，下表面色较淡，革质。气微，味微苦。

| 功能主治 | 苦，微寒。祛风活络，利关节，止血，止痛消肿，清热解毒。用于关节炎，肌肉痹痛，跌打损伤，产后腹痛等；外用于刀伤肿痛。

| 用法用量 | 内服煎汤，6 ~ 12 g。外用适量，鲜品捣敷。

夹竹桃科 Apocynaceae 蔓长春花属 Vinca

蔓长春花 *Vinca major* L.

| 药 材 名 | 蔓长春花（药用部位：藤茎）。

| 形态特征 | 蔓性半灌木，茎偃卧，花茎直立；除叶缘、叶柄、花萼及花冠喉部有毛外，其余均无毛。叶椭圆形，长 2～6 cm，宽 1.5～4 cm，先端急尖，基部下延；侧脉约 4 对；叶柄长约 1 cm。单花腋生；花梗长 4～5 cm；花萼裂片狭披针形，长约 9 mm；花冠蓝色，花冠筒漏斗状，花冠裂片倒卵形，长约 12 mm，宽约 7 mm，先端圆形；雄蕊着生于花冠筒中部以下，花丝短而扁平；子房由 2 心皮组成。蓇葖果长约 5 cm。花期 3～5 月。

| 生境分布 | 栽培于深厚、肥沃、湿润的土壤中。分布于湖南衡阳（石鼓、衡南、耒阳）、怀化（新晃）等。

| **资源情况** | 栽培资源较少。药材来源于栽培。

| **采收加工** | 秋季采收，晒干，切段。

| **功能主治** | 苦，寒。燥湿，杀虫，解毒，止痒，催乳，保胎。用于疥疮，肠出血，子宫出血，咯血，糖尿病等。

| **用法用量** | 内服煎汤，5～10g。外用适量，煎汤洗。

夹竹桃科 Apocynaceae 蔓长春花属 Vinca

花叶蔓长春花 *Vinca major* L. cv. 'Variegata'

| 药 材 名 |

花叶蔓长春花（药用部位：茎叶。别名：对叶常春藤、花叶常春藤、爬藤黄杨）。

| 形态特征 |

蔓性半灌木，茎偃卧，花茎直立；除叶缘、叶柄、花萼及花冠喉部有毛外，其余均无毛。叶椭圆形，长 2 ~ 6 cm，宽 1.5 ~ 4 cm，先端急尖，基部下延，叶缘白色，有黄白色斑点；侧脉约 4 对；叶柄长约 1 cm。单花腋生；花梗长 4 ~ 5 cm；花萼裂片狭披针形，长约 9 mm；花冠蓝色，花冠筒漏斗状，花冠裂片倒卵形，长约 12 mm，宽约 7 mm，先端圆形；雄蕊着生于花冠筒中部以下，花丝短而扁平；子房由 2 心皮组成。蓇葖果长约 5 cm。花期 3 ~ 5 月。

| 生境分布 |

栽培种。分布于湖南长沙（宁乡）、衡阳（石鼓）、岳阳（临湘）、常德（武陵）、郴州（汝城）等。

| 资源情况 |

栽培资源一般。药材来源于栽培。

| **采收加工** | 秋末冬初采收。

| **功能主治** | 用于子宫出血，咯血。

| **用法用量** | 内服煎汤，5 ~ 10 g。

萝藦科 Asclepiadaceae 乳突果属 Adelostemma

浙江乳突果 *Adelostemma microcentrum* Tsiang

| 药 材 名 |

浙江乳突果（药用部位：根、茎。别名：祛风藤）。

| 形态特征 |

缠绕藤本。茎纤细，被疏短柔毛。叶薄纸质，窄椭圆状长圆形或长圆状披针形，长3～7 cm，宽0.7～1.4 cm，先端渐尖，基部楔形至钝；叶柄长0.5 cm，被微毛，先端具丛生小腺体。聚伞花序假伞形状，比叶为短，着花4～6；花梗基部有数枚小苞片；花萼裂片长圆形，外面被短柔毛，花萼内面基部有5腺体；花冠黄色，近坛状，花冠筒中部以下膨大；花药先端具圆形膜质附属物，花粉块椭圆状长圆形，下垂；子房无毛，柱头盘状，先端圆。蓇葖果单生，基部有宿存的花萼裂片；种子长圆形，棕色，先端具白色绢质种毛。花期5～7月，果期7～10月。

| 生境分布 |

生于山地林下岩石边。分布于湘南等。

| 资源情况 |

野生资源稀少。药材来源于野生。

| 采收加工 | 秋季采收，洗净，晒干。

| 功能主治 | 健胃消食，理气止痛。用于食积腹胀，胃痛，消化不良。

| 用法用量 | 内服煎汤，6 ~ 10 g。

| 附　　注 | 本种的拉丁学名在 FOC 中被修订为 *Biondia microcentra* (Tsiang) P. T. Li。

萝藦科 Asclepiadaceae 马利筋属 Asclepias

马利筋 *Asclepias curassavica* L.

| 药 材 名 | 莲生桂子花（药用部位：全草）。

| 形态特征 | 多年生直立草本，高达 80 cm，全株有白色乳汁。茎淡灰色。叶膜质，披针形至椭圆状披针形，长 6 ~ 14 cm，宽 1 ~ 4 cm；叶柄长 0.5 ~ 1 cm。聚伞花序顶生或腋生，着花 10 ~ 20；花萼裂片披针形，被柔毛；花冠紫红色，裂片长圆形，长约 5 mm，宽约 3 mm，反折，副花冠生于合蕊冠上，5 裂，黄色，匙形，有柄，内有舌状片；花粉块长圆形，下垂，着粉腺紫红色。蓇葖果披针形；种子卵圆形，长约 6 mm，宽约 3 mm，先端具白色绢质种毛；种毛长约 2.5 cm。花期几乎全年，果期 8 ~ 12 月。

| 生境分布 | 生于岗地针叶林区。湖南各地均有分布。

| **资源情况** | 野生资源较少。药材来源于野生。

| **采收加工** | 夏、秋季采收，洗净，鲜用或晒干。

| **功能主治** | 苦，寒；有毒。归肺、心包、大肠经。清热解毒，活血止血，消肿止痛。用于扁桃体炎，肺炎，尿路感染，崩漏带下，创伤出血等。

| **用法用量** | 内服煎汤，6～9g。外用适量，鲜品捣敷；或干品研末敷。

萝藦科 Asclepiadaceae 吊灯花属 Ceropegia

宝兴吊灯花 Ceropegia paohsingensis Tsiang et P. T. Li

| 药 材 名 | 宝兴吊灯花（药用部位：全草）。

| 形态特征 | 多年生草本。茎缠绕，略肉质，除花外全部无毛。叶近肉质，卵形，长3～6 cm，宽1.5～2.5 cm，基部心形；叶柄纤细，上面具槽。聚伞花序腋生，着花1～2，开展；花萼5深裂，裂片披针形，略有缘毛，花萼内面基部具5小腺体；花冠近漏斗状，具白绿色及白紫红色斑点，无毛，花冠筒基部偏肿，中部紧缩，喉部膨大，裂片舌状，直立，副花冠着生于合蕊冠的基部，钟状，共有2轮，外轮有5小裂片，内轮有5伸长的舌状片，舌状片高出于合蕊柱；花粉块每室1，直立，偏肿，长圆形，其内角具1透明膜片，着粉腺中部以上膨大。花期4～8月。

| 生境分布 | 生于海拔 300 ～ 900 m 的山谷中。分布于湖南湘西州（花垣、永顺）等。

| 资源情况 | 野生资源较少。药材来源于野生。

| 采收加工 | 全年均可采收，鲜用或晒干。

| 功能主治 | 酸，平。清热解毒。用于无名肿毒，骨折，癫痫等。

| 用法用量 | 外用适量，捣敷。

萝藦科 Asclepiadaceae 鹅绒藤属 Cynanchum

紫花合掌消 Cynanchum amplexicaule (Sieb. et Zucc.) Hemsl. var. castaneum Makino

药材名

紫花合掌消（药用部位：根及根茎。别名：甜胆草、土胆草、合掌草）。

形态特征

直立多年生草本，高 50～100 cm，全株流白色乳液，除花萼、花冠被微毛外，余皆无毛。根须状。叶薄纸质，无柄，倒卵状椭圆形，先端急尖，基部下延近抱茎，上部叶小，下部叶大，小者长 1.5～2.5 cm，宽 7～10 mm，大者长 4～6 cm，宽 2～4 cm。多歧聚伞花序顶生及腋生，花直径约 5 mm；花冠紫色，副花冠 5 裂，扁平；花粉块每室 1，下垂。蓇葖果单生，刺刀形，长约 5 cm。花期 5～9 月，果期 7 月以后。

生境分布

生于海拔 100～1 000 m 的山坡草地或田边、湿草地及沙滩草丛中。分布于湖南株洲（渌口）、长沙（浏阳）等。

资源情况

野生资源稀少。药材来源于野生。

| 采收加工 | 全年均可采收，鲜用或晒干。

| 功能主治 | 辛、苦，平。消肿退毒，祛风行气。用于跌打损伤，四肢风湿病，蛇头疮，鹅掌风等。

| 用法用量 | 内服煎汤，25～50 g；或适量，与鸡蛋同蒸食。外用适量，捣敷或研末调敷。

萝藦科 Asclepiadaceae 鹅绒藤属 Cynanchum

白薇 Cynanchum atratum Bunge

| 药 材 名 |

白薇（药用部位：根及根茎。别名：薇草、白前、知微老）。

| 形态特征 |

直立多年生草本，高达 50 cm。根须状，有香气。叶卵形或卵状长圆形，长 5～8 cm，宽 3～4 cm，两面均被白色绒毛。伞形聚伞花序，无总花梗，生在茎的四周，着花 8～10；花深紫色，直径约 10 mm；花萼外面被绒毛，内面基部有小腺体 5；花冠辐状，外面被短柔毛，并具缘毛，副花冠 5 裂，裂片盾状，圆形，与合蕊柱等长，花药先端具 1 圆形的膜片；花粉块每室 1，下垂，长圆状膨胀；柱头扁平。蓇葖果单生，中间膨大，长约 9 cm，直径 5～10 mm；种子扁平；种毛白色，长约 3 cm。花期 4～8 月，果期 6～8 月。

| 生境分布 |

生于丘陵、河边、干荒地及草丛。湖南各地均有分布。

| 资源情况 |

野生资源较丰富。药材来源于野生。

| 采收加工 | 春、秋季采挖，除去杂质，洗净，润透，切段，干燥。

| 药材性状 | 本品根茎粗短，有结节，多弯曲；上面有圆形的茎痕，下面及两侧簇生多数细长的根。根长 10 ~ 25 cm，直径 0.1 ~ 0.2 cm。表面棕黄色。质脆，易折断，断面皮部黄白色，木部黄色。气微，味微苦。

| 功能主治 | 苦、咸，寒。归胃、肝、肾经。清热凉血，利尿通淋，解毒疗疮。用于温邪伤营发热，阴虚发热，骨蒸劳热，产后血虚发热，热淋，血淋，痈疽肿毒。

| 用法用量 | 内服煎汤，7.5 ~ 15 g；或入丸、散剂。

萝藦科 Asclepiadaceae 鹅绒藤属 Cynanchum

牛皮消 *Cynanchum auriculatum* Royle ex Wight.

| 药 材 名 | 牛皮消（药用部位：根。别名：飞来鹤、隔山消）。

| 形态特征 | 蔓性半灌木。宿根肥厚，呈块状。茎圆形，被微柔毛。叶对生，膜质，被微毛，宽卵形至卵状长圆形。聚伞花序伞房状，着花 30。蓇葖果双生，披针形，长 8 cm，直径 1 cm；种子卵状椭圆形；种毛白色绢质。花期 6 ~ 9 月，果期 7 ~ 11 月。

| 生境分布 | 生于山坡林缘及路旁灌丛中或河流、水沟边的潮湿地中。湖南有广泛分布。

| 资源情况 | 野生资源较丰富。药材来源于野生。

| 采收加工 | 春、秋季采挖，洗净，切片，晒干。

| 药材性状 | 本品根呈块状，稍弯曲，长7～15 cm，直径1～4 cm。表面浅棕色，有明显的纵皱纹及横长皮孔，栓皮脱落处土黄色或浅黄棕色，具网状纹理。质坚硬，断面类白色，粉性，具鲜黄色放射状纹理。气微，味微甘后苦。

| 功能主治 | 甘、微辛，温。养阴清热，润肺止咳。用于神经衰弱，复合性胃和十二指肠溃疡，肾炎，水肿，食积腹痛，疳积，痢疾；外用于毒蛇咬伤。

| 用法用量 | 内服煎汤，3～12 g，后下。

萝藦科 Asclepiadaceae 鹅绒藤属 Cynanchum

蔓剪草
Cynanchum chekiangense M. Cheng ex Tsiang et P. T. Li

| 药 材 名 | 蔓剪草（药用部位：根）。

| 形态特征 | 多年生草本，全株近无毛。根须状。单茎直立，端部蔓生，缠绕。叶薄纸质，对生或在中间2对叶甚为靠近，卵状椭圆形，长10～28 cm，宽4～15 cm，叶面略被微毛；叶柄长2～2.5 mm。伞形聚伞花序腋间生；花序梗长达5 mm，具微毛；花直径约11 mm；花萼裂片具缘毛；花冠深红色，副花冠比合蕊冠短或与合蕊冠等长，裂片三角状卵形，先端钝；花粉块椭圆形，下垂。蓇葖果经常单生，线状披针形，长达10 cm，直径约1 mm，向端部渐狭，无毛；种子卵形，基部圆形，先端截形；种毛白色绢质，长约3.5 cm。花期5月，果期6月。

| 生境分布 | 生于丘陵岗地和山谷、溪旁的灌丛中。分布于湖南永州（蓝山）等。

| 资源情况 | 野生资源稀少。药材来源于野生。

| 采收加工 | 春、秋季采挖，洗净，切片，晒干或鲜用。

| 功能主治 | 辛，温。散瘀消肿，杀虫。用于跌打损伤，疥疮等。

| 用法用量 | 内服煎汤，6～9 g。外用适量，捣敷；或取汁敷。

萝藦科 Asclepiadaceae 鹅绒藤属 Cynanchum

刺瓜 *Cynanchum corymbosum* Wight

| 药 材 名 | 刺瓜（药用部位：全株。别名：小刺瓜、野苦瓜）。

| 形态特征 | 多年生草质藤本。块根粗壮。叶薄纸质，卵形或卵状长圆形，长 4.5 ~ 8 cm，宽 3.5 ~ 6 cm，先端短尖，基部心形，叶面深绿色，叶背苍白色；侧脉约 5 对。伞房状或总状聚伞花序腋生，着花约 20；花萼被柔毛，5 深裂；花冠绿白色，近辐状，副花冠大形，杯状或高钟状，先端具 10 齿，5 圆形齿和 5 锐尖的齿互生；花粉块每室 1，下垂。蓇葖果大形，纺锤状，具弯刺，向端部渐尖，中部膨胀，长 9 ~ 12 cm，中部直径 2 ~ 3 cm；种子卵形，长约 7 mm；种毛白色绢质，长约 3 cm。花期 5 ~ 10 月，果期 8 月至翌年 1 月。

| 生境分布 | 生于山地溪边、河边的灌丛中及疏林潮湿处。分布于湖南邵阳（邵东）、怀化（通道）等。

| 资源情况 | 野生资源较少。药材来源于野生。

| 采收加工 | 全年均可采收，除去杂质，切段，晒干。

| 功能主治 | 甘、淡，平。益气，催乳，解毒。用于乳汁不足，神经衰弱，慢性肾小球肾炎。

| 用法用量 | 内服煎汤，25～50 g。

萝藦科 Asclepiadaceae 鹅绒藤属 Cynanchum

山白前 *Cynanchum fordii* Hemsl.

| 药 材 名 | 山白前（药用部位：根）。

| 形态特征 | 缠绕藤本。茎被2列柔毛。叶对生，长圆形或卵状长圆形，长3.5～4.5 cm，宽1.5～2 cm，先端短渐尖，基部截形，两面均被散生柔毛，脉上较密；叶柄上端有丛生腺体。伞房状聚伞花序腋生，长约4 cm，花直径约7 mm；花萼裂片卵状三角形，边缘有毛；花冠黄白色，无毛，裂片长圆形，长约9 mm，宽约3 mm；花粉块每室1，下垂；柱头略凸起，具2浅裂。蓇葖果单生，无毛，披针形，长5～5.5 cm，直径约1 cm，向端部长渐尖；种子扁卵形；种毛白色绢质，长约2.5 cm。花期5～8月，果期8～12月。

| 生境分布 | 生于低山丘陵、山地林缘、山谷疏林下或路边灌丛中的向阳处。湖南有广泛分布。

| 资源情况 | 野生资源一般。药材来源于野生。

| 采收加工 | 秋季采挖,洗净,晒干。

| 功能主治 | 辛、苦,凉。清热消肿,生肌,止痛。用于咳嗽,痈疮。

| 用法用量 | 内服煎汤,3~9g。

萝藦科 Asclepiadaceae 鹅绒藤属 Cynanchum

芫花叶白前 Cynanchum glaucescens (Decne.) Hand.-Mazz.

| 药 材 名 | 白前（药用部位：根及根茎）。

| 形态特征 | 直立矮灌木，高达 50 cm；茎具 2 列柔毛。叶无毛，长圆形或长圆状披针形，长 1 ~ 5 cm，宽 0.7 ~ 1.2 cm，近无柄。伞形聚伞花序生于腋内或腋间，比叶短，着 10 余花；花萼 5 深裂，内面基部有腺体 5；花冠黄色，辐状，副花冠浅杯状，裂片 5，肉质，卵形，龙骨状内向，端部倾倚于花药；花粉块每室 1，下垂；柱头扁平。蓇葖果单生，纺锤形，长约 6 cm，直径约 1 cm；种子扁平，宽约 5 mm；种毛白色绢质，长约 2 cm。花期 5 ~ 11 月，果期 7 ~ 11 月。

| 生境分布 | 生于丘陵岗地、江边河岸、沙石间及阔叶林区。分布于湖南邵阳（武冈）、张家界（慈利）等。

| **资源情况** | 野生资源较少。药材来源于野生。

| **采收加工** | 秋季采挖，洗净，晒干。

| **药材性状** | 本品根茎较短小或略呈块状；表面灰绿色或灰黄色，节间长 1 ~ 2 cm；质较硬。根稍弯曲，直径约 1 mm，分枝少。

| **功能主治** | 辛、苦，微温。归肺经。降气，消痰，止咳。用于肺气壅实，咳嗽痰多，胸满喘急。

| **用法用量** | 内服煎汤，3 ~ 10 g。

萝藦科 Asclepiadaceae 鹅绒藤属 Cynanchum

竹灵消 *Cynanchum inamoenum* (Maxim.) Loes

| 药 材 名 |

老君须（药用部位：根及根茎。别名：婆婆针线包）。

| 形态特征 |

直立草本，基部分枝甚多。根须状。茎干后中空。叶薄膜质，广卵形，长4～5 cm，宽1.5～4 cm，有边毛；侧脉约5对。伞形聚伞花序于近顶部互生，着花8～10；花黄色，长和直径均为约3 mm；花萼裂片披针形，急尖，近无毛；花冠辐状，无毛，裂片卵状长圆形，钝头，副花冠较厚，裂片三角形，短急尖；花药先端具1圆形的膜片；花粉块每室1，下垂，花粉块柄短，近平行，着粉腺近椭圆形；柱头扁平。蓇葖果双生，稀单生，狭披针形，向端部长渐尖，长约6 cm，直径约5 mm。花期5～7月，果期7～10月。

| 生境分布 |

生于海拔100～1700 m的山地疏林、灌丛中或山顶、山坡草地上。分布于湖南郴州（宜章）、怀化（会同、洪江）等。

| 资源情况 | 野生资源较少。药材来源于野生。

| 采收加工 | 夏、秋季采挖，洗净，晒干或鲜用。

| 药材性状 | 本品根茎粗短，多分枝，略呈块状，长2～3 cm，直径5～10 mm，上面有多数密集的茎痕或残存茎基，下面簇生多数细长的根。根细圆柱形，多弯曲，表面黄棕色，稍有皱纹；质脆，易折断，断面略平坦，黄白色，中央具细小的黄色木心。气微，味淡。

| 功能主治 | 苦、微辛，平。清热凉血，利胆，解毒。用于阴虚发热，虚劳久嗽，咯血，胁肋胀痛，呕恶，泻痢，产后虚烦，瘰疬，无名肿毒，蛇虫、疯狗咬伤等。

| 用法用量 | 内服煎汤，10～15 g。外用适量，鲜品捣敷。

萝藦科 Asclepiadaceae 鹅绒藤属 Cynanchum

毛白前 Cynanchum mooreanum Hemsl.

| 药 材 名 | 毛白薇（药用部位：全株）、毛白薇根（药用部位：根）。

| 形态特征 | 柔弱缠绕藤本。茎密被柔毛。叶对生，卵状心形至卵状长圆形，长 2 ~ 4 cm，宽 1.5 ~ 3 cm；叶柄长 1 ~ 2 cm，被黄色短柔毛。伞形聚伞花序腋生，着花 7 ~ 8；花序梗、花梗、花萼外面均被黄色柔毛；花长约 7 mm，直径约 1 cm；花冠紫红色，裂片长圆形，副花冠杯状，5 裂，裂片卵圆形，钝头；花粉块每室 1，下垂；子房无毛，柱头基部五角形，先端扁平。蓇葖果单生，披针形，向端部渐尖，长 7 ~ 9 cm，直径约 1 cm；种子暗褐色，不规则长圆形；种毛白色绢质。花期 6 ~ 7 月，果期 8 ~ 10 月。

| 生境分布 | 生于海拔 200 ~ 700 m 的山坡、灌丛中或丘陵地疏林中。分布于湖

南益阳（桃江、安化）、娄底（娄星）等。

| 资源情况 | 野生资源较少。药材来源于野生。

| 采收加工 | 毛白薇：全年均可采收，洗净。
　　　　　　毛白薇根：春、秋季采挖，洗净，切片，晒干。

| 功能主治 | 毛白薇：外用于疥疮。
　　　　　　毛白薇根：辛、苦，平。归肝、脾经。清热解表，行气健脾，活血通络。用于感冒，中暑，疳积及月经不调等。

| 用法用量 | 毛白薇：外用适量，煎汤涂；或煎汤洗。
　　　　　　毛白薇根：内服煎汤，10 ~ 15 g。

萝藦科 Asclepiadaceae 鹅绒藤属 Cynanchum

朱砂藤 Cynanchum officinale (Hemsl.) Tsiang et Zhang

| 药 材 名 | 朱砂藤（药用部位：根。别名：托腰散、隔山消、朱砂莲）。

| 形态特征 | 藤状灌木。主根圆柱状，单生或自顶部起 2 分叉。嫩茎具单列毛。叶对生，薄纸质，卵形或卵状长圆形，长 5 ~ 12 cm，基部宽 3 ~ 7.5 cm；叶柄长 2 ~ 6 cm。聚伞花序腋生，长 3 ~ 8 cm，着花约 10 朵；花萼裂片外面具微毛，花萼内面基部具腺体 5 枚；花冠淡绿色或白色，副花冠肉质，深 5 裂；花粉块每室 1 个，长圆形，下垂；子房无毛，柱头略为隆起，先端 2 裂。蓇葖通常仅 1 发育，长达 11 cm，直径约 1 cm；种子长圆状卵形；种毛白色绢质，长约 2 cm。花期 5 ~ 8 月，果期 7 ~ 10 月。

| 生境分布 | 生于山坡、路边、水边、灌丛中及疏林下。湖南有广泛分布。

| **资源情况** | 野生资源一般。药材来源于野生。

| **采收加工** | 秋、冬季采收，洗净，晒干。

| **功能主治** | 苦，温。归胃、肝经。祛风除湿，理气止痛。用于风湿痹痛，腰痛，胃痛，跌打损伤。

| **用法用量** | 内服煎汤，3 ~ 6 g。

萝藦科 Asclepiadaceae 鹅绒藤属 Cynanchum

徐长卿 Cynanchum paniculatum (Bunge) Kitagawa

| 药 材 名 | 徐长卿（药用部位：根及根茎）。

| 形态特征 | 多年生直立草本，高达 1 m。茎常不分枝，无毛或下部被糙硬毛。叶对生，窄披针形或线形，长 5 ~ 13 cm，宽 0.5 ~ 1 cm，先端长渐尖，两面无毛或被微柔毛，具缘毛；叶柄长约 3 cm。聚伞花序圆锥形，顶生或近顶生，长达 7 cm，花序梗长 2.5 ~ 4 cm；花梗长 0.5 ~ 1 cm；花萼内面有时具腺体；花冠黄绿色，近辐状，无毛，花冠筒短，裂片卵形，长 4 ~ 5.5 mm，副花冠 5 深裂，裂片肉质，卵状长圆形，内面基部龙骨状增厚；花药先端附属物半圆形，花粉块长圆形；柱头稍呈脐状凸起。种子长圆形，长约 5 mm；种毛长 1.5 ~ 3 cm。

| 生境分布 | 生于向阳山坡及草丛中。湖南有广泛分布。

| 资源情况 | 野生资源一般。药材来源于野生。

| 采收加工 | 秋季采挖,除去杂质,洗净,阴干。

| **药材性状** | 本品根茎呈不规则柱状，有盘节，长 0.5 ~ 3.5 cm，直径 2 ~ 4 mm；有的根茎先端带残茎，细圆柱形，长约 2 cm，直径 1 ~ 2 mm，断面中空；根茎节处着生多数根。根呈细长圆柱形，弯曲，长 10 ~ 16 cm，直径 1 ~ 1.5 mm；表面淡黄白色至淡棕黄色或棕色，具微细的纵皱纹，并有纤细的须根。质脆，易折断，断面粉性，皮部类白色或黄白色，形成层环淡棕色，木部细小。气香，味微辛，性凉。

| **功能主治** | 辛，温。归肝、胃经。祛风，化湿，止痛，止痒。用于风湿痹痛，胃痛胀满，牙痛，腰痛，跌扑伤痛，风疹，湿疹。

| **用法用量** | 内服煎汤，3 ~ 12 g。

萝藦科 Asclepiadaceae 鹅绒藤属 Cynanchum

柳叶白前 Cynanchum stauntonii (Decne.) Schltr. ex Lévl.

| 药 材 名 | 白前（药用部位：根及根茎）。

| 形态特征 | 直立半灌木，高约1 m，无毛，分枝或不分枝。须根纤细，于节上丛生。叶对生，纸质，狭披针形，长6~13 cm，宽3~5 mm，两端渐尖；中脉在叶背显著，侧脉约6对；叶柄长约5 mm。伞形聚伞花序腋生；花序梗长达1 cm；小苞片众多；花萼5深裂，内面基部腺体不多；花冠紫红色，辐状，内面具长柔毛，副花冠裂片盾状，隆肿，比花药短；花粉块每室1，长圆形，下垂；柱头微凸，被花药的薄膜所包。蓇葖果单生，长披针形，长达9 cm，直径6 mm。花期5~8月，果期9~10月。

| 生境分布 | 生于低海拔的山谷湿地、水旁，半浸在水中。湖南各地均有分布。

| **资源情况** | 野生资源丰富。药材来源于野生。

| **采收加工** | 秋季至春季发芽前采收，除去地上部分，洗净，晒干。

| **药材性状** | 根茎呈细长圆柱形，有分枝，稍弯曲，长4～15 cm，直径1.5～4 mm；表面黄白色或黄棕色，节明显，节间长1.5～4.5 cm，先端有残茎；质脆，断面中空。节处簇生的根纤细弯曲，长可达10 cm，直径不及1 mm，多次分枝，呈毛须状，常盘曲成团。气微，味微甜。

| **功能主治** | 辛、苦，微温。归肺经。降气，消痰，止咳。用于肺气壅实，咳嗽痰多，胸满喘急。

| **用法用量** | 内服煎汤，3～10 g。

萝藦科 Asclepiadaceae 鹅绒藤属 Cynanchum

地梢瓜 Cynanchum thesioides (Freyn) K. Schum.

药材名

地梢瓜（药用部位：全株）。

形态特征

直立半灌木。地下茎单轴横生；茎自基部多分枝。叶对生或近对生，线形，长3～5 cm，宽2～5 mm，叶背中脉隆起。伞形聚伞花序腋生；花萼外面被柔毛；花冠绿白色，副花冠杯状，裂片三角状披针形，渐尖，高过药隔的膜片。蓇葖果纺锤形，先端渐尖，中部膨大，长5～6 cm，直径约2 cm；种子扁平，暗褐色，长约8 mm；种毛白色绢质，长约2 cm。花期5～8月，果期8～10月。

生境分布

生于山坡、沙丘或干旱山谷、荒地、田边等。分布于湖南郴州（安仁）等。

资源情况

野生资源较少。药材来源于野生。

采收加工

夏、秋季采收，切段晒干或鲜用。

| **功能主治** | 甘，凉。补肺气，清热降火，生津止渴，消炎止痛。用于虚火上炎，咽喉疼痛，气阴不足，神疲健忘，虚烦口渴，乳汁不足。

| **用法用量** | 内服煎汤，15 ~ 30 g。

萝藦科 Asclepiadaceae 鹅绒藤属 Cynanchum

蔓生白薇 Cynanchum versicolor Bunge

| 药 材 名 | 白薇（药用部位：根及根茎。别名：白花牛皮消）。

| 形态特征 | 半灌木，全株被绒毛。茎上部缠绕，下部直立。叶对生，纸质，宽卵形或椭圆形，长7～10 cm，宽3～6 cm。聚伞花序腋生，着10余花；花萼外面被柔毛，内面基部5腺体极小，裂片狭披针形；花冠初呈黄白色，渐变为黑紫色，枯干时呈暗褐色，钟状辐形，副花冠极低，裂片三角形；花药近菱状四方形；花粉块每室1，长圆形，下垂；柱头略凸起，先端不明显2裂。蓇葖果单生，宽披针形，长约5 cm，直径约1 cm；种子宽卵形，暗褐色，长约5 mm，宽约3 mm；种毛白色绢质，长约2 cm。花期5～8月，果期7～9月。

| 生境分布 | 生于花岗岩石山上的灌丛中及溪流旁。分布于湖南岳阳（岳阳、平江）、怀化（通道）等。

| 资源情况 | 野生资源较少。药材来源于野生。

| 采收加工 | 晚秋至早春采挖，洗净，鲜用或晒干。

| 功能主治 | 辛、甘，微温。清热，凉血，利尿通淋，解毒疗疮。用于阴虚内热，风湿灼热多眠，肺热咯血，温疟，产后虚烦，血厥，血虚发热，热淋，血淋，风湿痛，瘰疬，痈疽肿毒。

| 用法用量 | 内服煎汤，3～15 g；或适量，入丸、散剂。外用适量，研末外贴；或鲜品捣敷。

萝藦科 Asclepiadaceae 鹅绒藤属 Cynanchum

隔山消 *Cynanchum wilfordii* (Maxim.) Hemsl.

药材名

隔山消（药用部位：块根。别名：无梁藤、隔山撬）。

形态特征

多年生草质藤本。肉质根近纺锤形，灰褐色，长约10 cm，直径约2 cm。茎被单列毛。叶对生，薄纸质，卵形，长5～6 cm，宽2～4 cm。聚伞花序半球形，着花15～20；花长约2 mm，直径约5 mm；花萼外面被柔毛；花冠淡黄色，辐状，裂片长圆形，内面被长柔毛，副花冠比合蕊柱短，裂片近四方形；花粉块每室1，长圆形，下垂；花柱细长，柱头略凸起。蓇葖果单生，披针形，向端部长渐尖，基部紧狭，长约12 cm，直径约1 cm；种子暗褐色，卵形，长约7 mm；种毛白色绢质，长约2 cm。花期5～9月，果期7～10月。

生境分布

生于山坡、山谷、灌丛中或路边草地。湖南有广泛分布。

资源情况

野生资源一般。药材来源于野生。

| 采收加工 | 秋季采收，洗净，晒干。

| 功能主治 | 甘、苦，温。健脾消食，理气止痛。用于脾虚食少，消化不良，脾胃气滞，脘腹胀痛，泄泻、痢疾等。

| 用法用量 | 内服煎汤，6～12 g；或研末吞服，1～3 g。

萝藦科 Asclepiadaceae 马兰藤属 Dischidanthus

马兰藤 Dischidanthus urceolatus (Decne.) Tsiang

| 药 材 名 | 马兰藤（药用部位：全株）。

| 形态特征 | 柔弱藤本。茎灰褐色，被 2 列柔毛。叶薄革质，卵圆形至卵圆状披针形，长 1.5 ~ 5 cm，宽 1.5 ~ 4 cm；叶柄长 0.4 ~ 1.5 cm，被短柔毛。聚伞花序腋生，着花 8 ~ 10；花萼裂片卵圆形；花冠绿色，坛状，副花冠位于花冠裂片的弯缺处，加厚；花药先端具内折的膜片，花粉块长圆状，直立；子房无毛，柱头圆锥状。蓇葖果双生，线状圆柱形，长 8 cm，直径 5 mm；种子长圆形，长 6 mm，宽 2 mm，有边缘，先端具白色绢质种毛；种毛长 3.5 cm。花期 3 ~ 9 月，果期 5 月至翌年 2 月。

| **生境分布** | 生于山地杂林中或灌丛中。分布于湖南邵阳（邵阳）、永州（江华）等。

| **资源情况** | 野生资源较少。药材来源于野生。

| **采收加工** | 全年均可采收，洗净，切段，晒干。

| **功能主治** | 辛，温。归肾经。祛风除湿。用于风寒湿痹阻关节，日久化热，局部红肿，重痛不已。

| **用法用量** | 内服煎汤，3～9 g。

萝藦科 Asclepiadaceae 南山藤属 Dregea

苦绳 Dregea sinensis Hemsl.

| 药 材 名 | 白浆藤（药用部位：全株。别名：奶浆藤、白丝藤、小木通）。

| 形态特征 | 攀缘木质藤本。茎具皮孔，幼枝具褐色绒毛。叶纸质，卵状心形或近圆形，长 5 ~ 11 cm，宽 4 ~ 6 cm，叶面被短柔毛，老后毛渐脱落，叶背被绒毛；叶柄长 1.5 ~ 4 cm，被绒毛，先端具丛生小腺体。伞形聚伞花序腋生，着花多达 20；花萼裂片卵圆形至卵状长圆形，花萼内面基部有 5 腺体；花冠内面紫红色，外面白色，辐状，裂片卵圆形；副花冠裂片肉质，肿胀，端部内角锐尖；花药先端具膜片；子房无毛，心皮离生，柱头圆锥状，基部五角形，先端 2 裂。蓇葖果狭披针形，外果皮具波纹，被短柔毛；种子扁平，先端具白色绢质种毛，种毛长 2 cm。花期 4 ~ 8 月，果期 7 ~ 10 月。

| 生境分布 | 生于海拔 500 ~ 2 000 m 的山地疏林中或灌丛中。湖南有广泛分布。

| 资源情况 | 野生资源较少。药材来源于野生。

| 采收加工 | 夏、秋季采收，切段，晒干或鲜用。

| 功能主治 | 微苦，平。祛风除湿，止咳化痰，解毒活血。用于风湿痹痛，咳嗽痰喘，跌打骨折，痈疮疔肿，乳汁不通。

| 用法用量 | 内服煎汤，9 ~ 15 g；或浸酒。外用适量，鲜品捣敷。

Asclepiadaceae *Heterostemma*

醉魂藤 *Heterostemma alatum* Wight

| 药 材 名 |

醉魂藤（药用部位：根）。

| 形态特征 |

纤细攀缘木质藤本，长达4m。茎有纵纹及2列柔毛。叶纸质，宽卵形或长卵圆形，长8～15cm，宽5～8cm；叶柄长2～5cm，粗壮，被柔毛。聚伞花序腋生，着花10～15；苞片和小苞片卵形；花直径1cm；花萼裂片卵形，基部有小腺体；花冠黄色，辐状，外面被微毛，副花冠5，星芒状；花药方形；子房长圆形，柱头平坦；蓇葖果双生，线状披针形，长10～15cm，直径5～10mm，外果皮灰色，具纵条纹；种子宽卵形，褶叠状，深褐色，先端具白色绢质种毛；种毛长3cm。花期4～9月，果期6月至翌年2月。

| 生境分布 |

生于山谷水旁林中的阴湿处。分布于湖南湘西州（吉首、花垣）等。

| 资源情况 |

野生资源稀少。药材来源于野生。

| 采收加工 | 秋季采挖,洗净,晒干或鲜用。

| 功能主治 | 辛,平。归肝、肾经。祛风湿,解胎毒,截疟。用于脚气麻木,酸痛无力,胎毒疮疹,疟疾。

| 用法用量 | 内服煎汤,3~6g。外用适量,煎汤洗;或油煎涂搽。

萝藦科 Asclepiadaceae 牛奶菜属 Marsdenia

牛奶菜 Marsdenia sinensis Hemsl.

| 药 材 名 | 牛奶菜（药用部位：全株）。

| 形态特征 | 粗壮木质藤本，全株被绒毛。叶卵圆状心形，长 8 ~ 12 cm，宽 5 ~ 7.5 cm；侧脉 5 ~ 6 对，弧形上升，到边缘网结；叶柄长约 2 cm。伞形聚伞花序腋生，长 1 ~ 3 cm，着花 10 ~ 20；花萼内面基部有 10 余个腺体；花冠白色或淡黄色，长约 5 mm，内面被绒毛，副花冠短，高仅达雄蕊的 1/2；花药先端具卵圆形膜片；花粉块每室 1，直立，肾形；柱头基部圆锥状，先端 2 裂。蓇葖果纺锤状，向两端渐尖，长约 10 cm，直径 2.5 cm，外果皮被黄色绒毛；种子卵圆形，扁平，长约 5 mm；种毛长约 4 cm。花期夏季，果期秋季。

| 生境分布 | 生于山谷疏林中。湖南有广泛分布。

| **资源情况** | 野生资源较少。药材来源于野生。

| **采收加工** | 夏、秋季采收，除去杂质，切段，晒干。

| **功能主治** | 甘，温。补肾强筋，健脾益气。用于肾虚腰痛，风湿劳伤，脾胃虚弱，缺乳等。

| **用法用量** | 内服煎汤，15 ～ 30 g。

萝藦科 Asclepiadaceae 牛奶菜属 Marsdenia

蓝叶藤 Marsdenia tinctoria R. Br.

| 药 材 名 | 蓝叶藤（药用部位：茎皮。别名：肖牛耳藤、肖牛耳菜）。

| 形态特征 | 攀缘灌木，长达 5 m。叶长圆形或卵状长圆形，长 5 ~ 12 cm，宽 2 ~ 5 cm，先端渐尖，基部近心形，鲜时蓝色，干后亦呈蓝色，老时无毛。聚伞圆锥花序近腋生，长 3 ~ 7 cm；花黄白色，干时呈蓝黑色；花冠圆筒状钟形，花冠喉部里面有刷毛，副花冠由 5 长圆形的裂片组成；花粉块狭长圆形，每室 1，直立。蓇葖果具茸毛，圆筒状披针形，长达 10 cm，直径约 1 cm；种毛长 1 cm，黄色绢质。花期 3 ~ 5 月，果期 8 ~ 12 月。

| 生境分布 | 生于潮湿杂木林中。分布于湖南永州（江永、江华）等。

| **资源情况** | 野生资源较少。药材来源于野生。

| **采收加工** | 秋季采收，晒干。

| **功能主治** | 辛、苦，温。祛风除湿，化瘀散结。用于风湿骨痛，肝肿大。

| **用法用量** | 内服煎汤，3～9 g。

萝藦科 Asclepiadaceae 萝藦属 Metaplexis

华萝藦 *Metaplexis hemsleyana* Oliv.

| 药 材 名 |

华萝藦（药用部位：全株）。

| 形态特征 |

草质藤本，长5m。茎被单列短柔毛，节上毛密。叶膜质，卵状心形，长5～11cm，宽2.5～10cm；叶柄长4.5～5cm，先端具丛生小腺体。聚伞花序总状，腋生，具6～16花；花序梗长4～6cm，疏被柔毛；花梗长0.5～1cm，被微柔毛；花萼裂片卵状披针形；花冠直径0.9～1.2cm，花冠筒短，裂片宽长圆形；柱头窄圆锥状，稍伸出。蓇葖果长圆形，长7～8cm，直径2cm，外果皮粗糙，被微毛；种子宽长圆形，长6mm，宽4mm，有膜质边缘，先端具白色绢质种毛；种毛长3cm。花期7～9月，果期9～12月。

| 生境分布 |

生于山地林谷、路旁或山脚湿润地的灌丛中。分布于湘西等。

| 资源情况 |

野生资源较丰富。药材来源于野生。

| **采收加工** | 夏、秋季采收，除去杂质，切段，晒干。

| **功能主治** | 补肾强壮。用于肾亏遗精，少乳，肢力劳伤。

| **用法用量** | 内服煎汤，15 ～ 30 g。

萝藦科 Asclepiadaceae 萝藦属 Metaplexis

萝藦 Metaplexis japonica (Thunb.) Makino

| 药 材 名 | 萝藦（药用部位：全草。别名：白环藤、羊婆奶）。

| 形态特征 | 多年生蔓性草本，长达2m以上，折断后有乳白色液体流出，全体被柔毛。地下茎易繁殖，常缠绕他物上升。叶对生，卵状心形，长6～10 cm，宽4～8 cm。总状花序腋生；总花梗长3～9 cm；花多数，密生于先端；花萼绿色，5深裂；花冠绿白色，内带淡紫色，5裂，裂片披针形，反卷，副花冠低，呈环形；雄蕊5，花药箭形；雌蕊1，子房上位，由2离生心皮组成，花柱2，合成柱状，伸出花药外，柱头2裂。蓇葖果呈角状，长9～12 cm，成熟时淡褐色；种子多数，扁卵形，边缘呈翅状，上端着生白色绢丝状毛。花期7～8月。果期9～10月。

| 生境分布 | 生于山坡及路旁。湖南各地均有分布。

| 资源情况 | 野生资源丰富。药材来源于野生。

| 采收加工 | 7～8月采收，鲜用或洗净，润透，切段，晒干。

| 功能主治 | 甘、辛，平。补益精气，通乳，解毒。用于虚损劳伤，阳痿，带下，乳汁不通，丹毒疮肿。

| 用法用量 | 内服煎汤，25～100 g。外用适量，捣敷。

萝藦科 Asclepiadaceae 杠柳属 Periploca

青蛇藤 Periploca calophylla (Wight) Falc.

| 药 材 名 | 乌骚风（药用部位：茎。别名：黑乌骨）。

| 形态特征 | 藤状灌木，具乳汁。幼枝灰白色，老枝黄褐色，密被皮孔。叶近革质，椭圆状披针形，长 4.5 ~ 6 cm，宽 1.5 cm，叶面深绿色，叶背淡绿色。聚伞花序腋生，长 2 cm，着花达 10 朵；苞片卵圆形；花萼裂片卵圆形；花冠深紫色，辐状，副花冠环状，着生于花冠基部，具 5 ~ 10 裂；雄蕊着生于花冠基部，花丝离生，花药彼此相连并贴生于柱头上；花粉器匙形，基部黏盘卵圆形，贴生于柱头上；心皮离生，胚珠多个，花柱短，柱头短圆锥状，先端 2 裂。蓇葖果双生，长箸状，长 12 cm，直径 5 mm；种子长圆形，先端具白色绢质种毛。花期 4 ~ 5 月，果期 8 ~ 9 月。

生境分布	生于山谷杂树林中。分布于湖南湘西州（吉首、花垣、古丈、永顺、保靖）等。
资源情况	野生资源一般。药材来源于野生。
采收加工	秋、冬季采收，晒干，切段。
药材性状	本品藤茎呈长圆柱形，长短不等，直径0.6～1.5 cm。表面黑褐色，粗糙，皱缩；有多数横裂纹和圆点状棕色皮孔，并常有灰白色地衣斑块。质坚韧，折断面不平坦，皮部较薄，木部淡黄色，密布细小孔洞，中央有小型髓部。无臭，味苦。
功能主治	辛、微苦，温。归肺、肾经。祛风除湿，活血止痛。用于风寒湿痹，肢体麻木，腰痛，跌打损伤。
用法用量	内服煎汤，9～12 g；或浸酒。外用适量，浸酒搽。

萝藦科 Asclepiadaceae 杠柳属 Periploca

黑龙骨 Periploca forrestii Schltr.

| 药 材 名 |

黑龙骨（药用部位：全株。别名：滇杠柳）。

| 形态特征 |

藤状灌木，长达10 m，具乳汁，多分枝，全株无毛。叶革质，披针形，长3.5～7.5 cm，宽5～10 mm。聚伞花序腋生，着花1～3；花序梗和花梗柔细；花小，直径约5 mm，黄绿色；花冠近辐状，花冠筒短，裂片长圆形，副花冠丝状，被微毛；花粉器匙形，四合花粉藏于载粉器内；雄蕊着生于花冠基部，花丝背部与副花冠裂片合生，花药彼此贴生，包围并黏在柱头上；心皮离生，胚珠多个，柱头圆锥状。蓇葖果双生，长圆柱形，长达11 cm，直径5 mm；种子长圆形，扁平，先端具白色绢质种毛。花期3～4月，果期6～7月。

| 生境分布 |

生于山地疏林向阳处、阴湿的杂木林下或灌丛中。分布于湖南湘西州（龙山）、常德（石门）等。

| 资源情况 |

野生资源较少。药材来源于野生。

| 采收加工 | 全年均可采收，洗净，切片，晒干。

| 功能主治 | 苦，凉；有小毒。舒筋通络，祛风除湿，活血，消炎。用于跌打损伤，风湿关节痛，风湿痹痛，月经不调，口腔炎，乳腺炎，闭经，乳痈，骨折。

| 用法用量 | 外用煎汤洗，3～5 g；或研末调敷。

萝藦科 Asclepiadaceae 黑鳗藤属 Stephanotis

假木通 *Stephanotis chunii* Tsiang

| 药 材 名 |

假木通（药用部位：叶）。

| 形态特征 |

藤状灌木。嫩枝被微毛，节间长 10 ~ 15 cm。叶纸质，卵形或宽卵状长圆形，长 7 ~ 10.5 cm，宽 4 ~ 6.5 cm；叶柄长 1 ~ 2 cm，被短柔毛，先端具丛生腺体。聚伞花序腋生，着多至 11 花；花序梗长 1 ~ 1.5 cm；花梗长 1.5 cm；花萼裂片长圆形，花萼内面基部具多个腺体；花冠白色，高脚碟状，有香味，含有丰富的黑色液汁，花冠筒圆筒形，长 7 ~ 8 mm，内面具 5 行 2 列粗毛；合蕊柱比花冠筒短；花药先端膜片长圆形，在柱头先端黏闭，副花冠小，着生于雄蕊背面，5 片，裂片扁平；子房无毛，心皮 2 离生，胚珠每室多个，花柱短，柱头膨大。花期 5 ~ 6 月。

| 生境分布 |

生于山地潮湿密林中，攀缘于大树上。分布于湖南邵阳（邵阳）、怀化（麻阳）等。

| 资源情况 |

野生资源较少。药材来源于野生。

| 采收加工 | 夏季采收，晒干。

| 药材性状 | 本品多皱缩，完整者展平后呈卵形或卵状长圆形，上面灰绿色，下面色稍浅，叶脉在下面凸出；叶柄长 1～2 cm，先端有数个棕色小腺体。厚纸质。气微，味苦、微涩。以叶大、完整者为佳。

| 功能主治 | 甘、辛，温。补血，活血，下乳。用于月经不调，痛经，产后血虚，乳汁不足。

| 用法用量 | 内服煎汤，6～15 g。

萝藦科 Asclepiadaceae 黑鳗藤属 Stephanotis

黑鳗藤 Stephanotis mucronata (Blanco) Merr.

| 药 材 名 | 黑鳗藤（药用部位：根）。

| 形态特征 | 藤状灌木，长达 10 m。茎被 2 列柔毛。枝被短柔毛。叶纸质，卵圆状长圆形；叶柄长 2 ~ 3 cm，先端具丛生腺体。聚伞花序假伞形，腋生或腋外生，着花 2 ~ 4；花序梗长 1.5 ~ 2 cm；花梗长 2 ~ 3 cm；花萼裂片长圆形，钝头；花冠白色，含紫色液汁，花冠筒圆筒形，长 2 cm，内面基部具 5 行 2 列毛，花冠裂片镰形，长 3 cm，宽 5 mm；合蕊柱比花冠筒短，副花冠 5；花药先端膜片长卵圆形，黏闭于柱头；子房卵圆形，心皮离生，柱头膨大。蓇葖果长披针形；种子长圆形，先端具白色绢质种毛；种毛长约 2.5 cm。花期 5 ~ 6 月，果期 9 ~ 10 月。

| 生境分布 | 生于海拔 500 m 以下的山地疏、密林中，攀缘于大树上。分布于湖南永州（江永）、怀化（沅陵）等。

| 资源情况 | 野生资源稀少。药材来源于野生。

| 采收加工 | 7～9月采挖，洗净，扎把阴干，用时切片。

| 功能主治 | 补虚益气，调经。用于产后虚弱，经闭，腰骨酸痛。

| 用法用量 | 内服煎汤，10～15 g。

萝藦科 Asclepiadaceae 弓果藤属 Toxocarpus

毛弓果藤 *Toxocarpus villosus* (Blume) Decne.

| 药 材 名 | 毛弓果藤（药用部位：全株）。

| 形态特征 | 藤状灌木，幼嫩部分被锈色绒毛。叶对生，厚纸质，卵形至椭圆状长圆形，长 5 ~ 11.5 cm，宽 2 ~ 6 cm，叶背被锈色长柔毛。聚伞花序腋生，不规则 2 歧；花序梗长 3 ~ 10 cm，被锈色绒毛；花黄色，长 1.5 cm；花蕾近喙状；花冠辐状，花冠筒短，裂片披针状长圆形，长 8 ~ 10 mm，宽 2 mm，副花冠裂片的先端钻状，比花药短；花粉块每室 2，直立；花柱长圆柱状，柱头高出花药。蓇葖果近圆柱状，长约 8 cm，直径 1 cm，有时仅有 1 发育；种子众多，线形，有边缘，长 10 mm，宽 2 mm；种毛长约 2 cm。花期 4 月，果期 6 月。

| 生境分布 | 生于丘陵地带的疏林中。分布于湖南怀化（麻阳）、郴州（桂东）等。

| 资源情况 | 野生资源较少。药材来源于野生。

| 采收加工 | 全年均可采收，鲜用。

| 功能主治 | 苦、辛，凉。祛瘀止痛。用于跌打损伤，肿毒。

| 用法用量 | 外用适量，鲜品捣敷。

萝摩科 Asclepiadaceae 娃儿藤属 Tylophora

七层楼 *Tylophora floribunda* Miq.

| 药 材 名 | 双飞蝴蝶（药用部位：根及根茎。别名：老君须、三十六根）。

| 形态特征 | 多年生缠绕藤本，具乳汁，全株无毛。根须状。茎纤细，分枝多。叶卵状披针形，长3～5 cm，宽1～2.5 cm，密被小乳头状突起；侧脉明显；叶柄纤细，长约5 cm。聚伞花序广展，腋生或腋外生，比叶长；花序梗曲折，每曲度生有1～2回伞房式花序；花淡紫红色，直径约2 cm；花萼裂片长圆状披针形；花冠辐状，裂片卵形，副花冠裂片卵形；花粉块每室1，近球状；柱头盘状五角形，先端具小突起。蓇葖果双生，线状披针形，长5 cm，直径4 cm；种子近卵形，棕褐色，先端具白色绢质种毛；种毛长2 cm。花期5～9月，果期8～12月。

| 生境分布 | 生于海拔 500 m 以下阳光充足的灌丛中或疏林中。湖南各地均有分布。

| 资源情况 | 野生资源较丰富。药材来源于野生。

| 采收加工 | 9 ~ 11 月采挖，洗净，晒干或鲜用。

| 药材性状 | 本品根茎簇生，多数细长。根圆柱形，表面黄白色或淡黄色，稍皱缩，质脆，易折断，断面黄白色。气香，味辛、辣、麻。

| 功能主治 | 辛,温;有小毒。祛风化痰,活血止痛,解毒消肿。用于咳喘痰多,白喉,小儿惊风,风湿痹痛,跌打损伤,骨折,毒蛇咬伤,痈肿疮疖,赤眼,口腔炎,水肿,肝脾肿大。

| 用法用量 | 内服煎汤,3~9g。外用,适量,鲜品捣敷。

萝藦科 Asclepiadaceae 娃儿藤属 Tylophora

通天连 Tylophora koi Merr.

| 药 材 名 |

通天连（药用部位：全株）。

| 形态特征 |

攀缘灌木，全株无毛。叶薄纸质，长圆形或长圆状披针形，小叶的基部圆形、钝或截形，大叶的基部心形或浅心形；叶柄长 8 ~ 15 cm，扁平。聚伞花序腋生或腋外生；花序梗长 4 ~ 11 cm；花梗纤细；花黄绿色，直径 4 ~ 6 cm；花萼 5 深裂，裂片长圆形；花冠近辐状，花冠筒短，裂片长圆形，具不明显的 4 ~ 5 脉纹，副花冠裂片卵形，贴生于合蕊冠的基部，肉质隆肿；花粉块每室 1；柱头略凸起，端部不明显 2 裂。蓇葖果单生，线状披针形，长 4 ~ 9 cm，直径 5 cm；种子卵圆形，顶部具白色绢质种毛；种毛长 1.5 cm。花期 6 ~ 9 月，果期 7 ~ 12 月。

| 生境分布 |

生于海拔 1 000 m 以下的山谷潮湿密林中或灌丛中，常攀缘于树上。分布于湖南郴州（桂东）等。

| **资源情况** | 野生资源较少。药材来源于野生。

| **采收加工** | 秋、冬季采收，洗净，切段，晒干或鲜用。

| **功能主治** | 苦，凉。清热解毒，活血消肿。用于感冒发热，痈疮疖肿，毒蛇咬伤，跌打损伤。

| **用法用量** | 内服煎汤，1.5 ~ 3 g。外用适量，鲜品捣敷。

萝藦科 Asclepiadaceae 娃儿藤属 Tylophora

娃儿藤 Tylophora ovata (Lindl.) Hook. ex Steud.

| 药 材 名 | 三十六荡（药用部位：全株）。

| 形态特征 | 攀缘灌木。须根丛生。茎上部缠绕。茎、叶、花梗及花萼外面均被锈黄色柔毛。叶卵形，长 2.5 ~ 6 cm，宽 2 ~ 5.5 cm。聚伞花序丛生于叶腋，不规则 2 歧，着花多朵；花小，淡黄色或黄绿色，直径 5 cm；花萼裂片卵形，有缘毛；花冠辐状，裂片长圆状披针形，副花冠裂片卵形，贴生于合蕊冠上，背部肉质隆肿；花粉块每室 1，圆球状，平展；子房由 2 离生心皮组成；柱头五角状，先端扁平。蓇葖果双生，圆柱状披针形，长 4 ~ 7 cm，直径 0.7 ~ 1.2 cm；种子卵形，长 7 cm，先端截形，具白色绢质种毛；种毛长 3 cm。花期 4 ~ 8 月，果期 8 ~ 12 月。

| 生境分布 | 生于海拔 900 m 以下的山地灌丛中及山谷或向阳的疏密杂树林中。湖南有广泛分布。

| 资源情况 | 野生资源一般。药材来源于野生。

| 采收加工 | 全年均可采收，洗净，切片，鲜用或晒干。

| 功能主治 | 辛，温；有小毒。祛风化痰，解毒散瘀。用于小儿惊风，中暑腹痛，哮喘痰咳，咽喉肿痛，胃痛，牙痛，风湿疼痛，跌打损伤。

| 用法用量 | 内服煎汤，5 ~ 15 g。外用适量，鲜品捣敷。

萝藦科 Asclepiadaceae 娃儿藤属 Tylophora

贵州娃儿藤 Tylophora silvestris Tsiang

| 药 材 名 | 贵州娃儿藤（药用部位：全株）。

| 形态特征 | 攀缘灌木。茎灰褐色，节间长 8 ~ 9 cm。叶近革质，长圆状披针形；基脉 3，侧脉每边 1 ~ 2，边缘外卷；叶柄长 5 cm，被微毛。聚伞花序腋生，比叶短，不规则 2 歧，着 10 余花；花蕾卵圆状；花紫色；花萼 5 深裂，内面基部具 5 腺体；花冠辐状，花冠筒长 0.5 cm，直径 1 cm，裂片卵形，钝头，长 2.5 cm，宽 2 cm，向右覆盖，副花冠裂片卵形，肉质肿胀；花药侧向紧压，花粉块每室 1；子房无毛，柱头盘状五角形。蓇葖果披针形，长 7 cm，直径 0.5 cm；种子先端具白色绢质种毛。花期 3 ~ 5 月，果期 5 月后。

| 生境分布 | 生于海拔 500 m 以下的山地密林中及路旁旷野地。分布于湖南邵阳（邵东）、怀化（麻阳、沅陵）、张家界（慈利）、湘西州（古丈、永顺、凤凰）、衡阳（衡东）、常德（石门）等。

| 资源情况 | 野生资源较丰富。药材来源于野生。

| 采收加工 | 全年均可采收，洗净，切片，晒干或鲜用。

| 功能主治 | 辛，温；有小毒。祛风化痰，解毒散瘀。用于小儿惊风，中暑腹痛，哮喘咳痰，咽喉肿痛，胃痛，牙痛，风湿疼痛，跌打损伤。

| 用法用量 | 内服煎汤，5 ~ 10 g。外用适量，鲜品捣敷。

茜草科 Rubiaceae 水团花属 Adina

水团花 *Adina pilulifera* (Lam.) Franch. ex Drake

| 药 材 名 | 水团花（药用部位：地上部分。别名：青龙珠、穿鱼柳）。

| 形态特征 | 常绿灌木至小乔木，高达 5 m。叶对生，厚纸质，椭圆形至椭圆状披针形；叶柄长 2 ~ 6 cm；托叶 2 裂，早落。头状花序腋生，花冠 4 ~ 6 cm，花序轴单生，不分枝；总花梗长 3 ~ 4.5 cm，中部以下有轮生小苞片 5；花萼管基部有毛，上部有疏散的毛，萼裂片线状长圆形或匙形；花冠白色，窄漏斗状，花冠裂片卵状长圆形；雄蕊 5，花丝短，着生于花冠喉部；子房 2 室，每室有胚珠多颗，花柱伸出，球形或卵圆球形。果序直径 8 ~ 10 cm；小蒴果楔形，长 2 ~ 5 cm；种子长圆形，两端有狭翅。花期 6 ~ 7 月。

| 生境分布 | 生于海拔 200 ~ 350 m 的山谷疏林下或旷野路旁、溪边、水畔。湖

南各地均有分布。

| 资源情况 | 野生资源丰富。药材来源于野生。

| 采收加工 | 全年均可采收，洗净，切碎，鲜用或晒干。

| 药材性状 | 本品茎、枝圆柱形。叶纸质，皱缩或破碎。头状花序球形，单生于叶腋，白色；花冠窄漏斗状，被微柔毛；花柱丝状，伸出花冠管外。气微、味苦。

| 功能主治 | 苦、涩，凉。清热祛湿，散瘀止痛。用于痢疾，肠炎，浮肿，痈肿疮毒，湿疹，溃疡不敛，创伤出血。

| 用法用量 | 内服煎汤，15～30 g。外用适量，煎汤洗；或捣敷。

茜草科 Rubiaceae 水团花属 Adina

细叶水团花 *Adina rubella* Hance

| 药 材 名 | 水杨梅（药用部位：地上部分。别名：水杨柳、小叶水团花）。

| 形态特征 | 落叶小灌木，高 1 ~ 3 m。小枝延长，具赤褐色微毛；顶芽不明显，被开展的托叶包裹。叶对生，近无柄，薄革质，卵状披针形或卵状椭圆形，全缘，长 2.5 ~ 4 cm，宽 8 ~ 12 cm；侧脉 5 ~ 7 对，被稀疏或稠密短柔毛；托叶小，早落。头状花序不计花冠直径 4 ~ 5 cm，单生，顶生或兼有腋生；总花梗略被柔毛；小苞片线形或线状棒形；花萼管疏被短柔毛，裂片匙形或匙状棒形；花冠管长 2 ~ 3 cm，5 裂，花冠裂片三角状，紫红色。果序直径 8 ~ 12 cm；小蒴果长卵状楔形，长 3 cm。花果期 5 ~ 12 月。

| 生境分布 | 生于溪边、河边、沙滩等湿润处。湖南各地均有分布。

| **资源情况** | 野生资源丰富。药材来源于野生。

| **采收加工** | 全年均可采收，除去杂质，鲜用或晒干。

| **功能主治** | 苦、涩，凉。清利湿热，解毒消肿。用于暑热水泻，疳积，牙根肿，疮疱。

| **用法用量** | 内服煎汤，15～30 g。外用适量，鲜品捣敷；或煎汤含漱。

茜草科 Rubiaceae 茜树属 Aidia

香楠 *Aidia canthioides* (Champ. ex Benth.) Masam.

| 药 材 名 | 香楠（药用部位：茎叶）。

| 形态特征 | 无刺灌木或乔木。叶纸质或薄革质，对生，长圆状椭圆形、长圆状披针形或披针形，长 4.5 ~ 18.5 cm，宽 2 ~ 8 cm，先端渐尖至尾状渐尖；侧脉 3 ~ 7 对，在下面明显，在上面平或稍凹下；托叶阔三角形，长 3 ~ 8 mm，先端短或长尖，脱落。聚伞花序腋生，有花数朵至十余朵，紧缩成伞形花序状；花萼外面被紧贴的锈色疏柔毛，萼管陀螺形；花冠高脚碟形，白色或黄白色，喉部被长柔毛，花冠管圆筒形，花冠裂片 5，长圆形，先端短尖，开放时外反。浆果球形，有紧贴的锈色疏毛或无毛，先端有环状的萼檐残迹；种子 6 ~ 7，压扁，有棱。花期 4 ~ 6 月，果期 5 月至翌年 2 月。

| 生境分布 | 生于海拔50～1500 m的山坡、山谷溪边、丘陵的灌丛中或林中。分布于湖南怀化（会同）、湘西州（永顺、保靖）、郴州（安仁）等。

| 资源情况 | 野生资源较少。药材来源于野生。

| 采收加工 | 全年均可采收，鲜用或晒干。

| 功能主治 | 行气活血。用于跌打损伤。

| 用法用量 | 内服煎汤，6～10 g。外用适量，鲜品捣敷。

茜草科 Rubiaceae 茜树属 Aidia

茜树 *Aidia cochinchinensis* Lour.

| 药 材 名 | 茜树（药用部位：叶。别名：山黄皮、多罗、铁木）。

| 形态特征 | 无刺灌木或乔木，高 2 ～ 15 m。叶革质或纸质，对生，椭圆状长圆形、长圆状披针形或狭椭圆形，长 6 ～ 21.5 cm，宽 1.5 ～ 8 cm，上面稍光亮，下面脉腋内的小窝孔中常簇生短柔毛；侧脉 5 ～ 10 对。聚伞花序与叶对生或生于无叶的节上，具多花，长 2 ～ 7 cm，宽 5 ～ 10 cm，有短柔毛或无毛；苞片和小苞片披针形，长约 2 mm；花萼无毛，萼管杯形，檐部扩大；花冠黄色或白色，有时红色，外面无毛，喉部密被淡黄色长柔毛，花冠裂片 4，稀 5，长圆形，先端短尖。浆果球形，紫黑色，顶部有或无环状的萼檐残迹；种子多数。花期 3 ～ 6 月，果期 5 月至翌年 2 月。

| 生境分布 | 生于海拔 50 ~ 1 600 m 的丘陵、山坡、山谷溪边的灌丛中或林中。湖南有广泛分布。

| 资源情况 | 野生资源较丰富。药材来源于野生。

| 采收加工 | 全年均可采收,鲜用或晒干。

| 功能主治 | 疏风清热,解毒。用于感冒发热,咳嗽气喘,尿路感染。

| 用法用量 | 内服煎汤,9 ~ 15 g。外用适量,鲜品捣敷。

茜草科 Rubiaceae 丰花草属 Borreria

阔叶丰花草 Borreria latifolia (Aubl.) K. Schum.

| 药 材 名 |

阔叶丰花草（药用部位：全草）。

| 形态特征 |

披散、粗壮草本，被毛。茎和枝均为明显的四棱形，棱上具狭翅。叶椭圆形或卵状长圆形，长度变化大，边缘波浪形；托叶膜质，被粗毛，顶部有数条长于鞘的刺毛。花数朵丛生于托叶鞘内，无梗；小苞片略长于花萼；萼管圆筒形，被粗毛，萼檐4裂；花冠漏斗形，浅紫色，长3～6 mm，里面被疏散柔毛，基部具1毛环，顶部4裂；花柱长5～7 mm，柱头2，裂片线形。蒴果椭圆形，被毛，成熟时从顶部纵裂至基部，隔膜不脱落或1分果爿的隔膜脱落；种子近椭圆形，干后浅褐色或黑褐色，有小颗粒。花果期5～7月。

| 生境分布 |

生于废墟和荒地上。分布于湖南株洲（荷塘、醴陵）、衡阳（蒸湘、衡山）、常德（鼎城）、郴州（汝城）、永州（江永）等。

| 资源情况 |

野生资源一般。药材来源于野生。

| **采收加工** | 夏、秋季采收，除去杂质，鲜用或晒干。

| **功能主治** | 苦，凉。活血祛瘀，消肿解毒。用于跌打损伤，骨折，痈疽肿毒，毒蛇咬伤。

| **用法用量** | 内服煎汤，10 ~ 15 g。外用适量，捣敷。

茜草科 Rubiaceae 丰花草属 Borreria

丰花草 *Borreria stricta* (L. f.) G. mey.

| 药 材 名 | 丰花草（药用部位：全草）。

| 形态特征 | 直立、纤细草本，高 15 ~ 60 cm。茎单生，很少分枝，四棱形，粗糙，节间延长。叶近无柄，革质。花多朵丛生成球状，生于托叶鞘内；萼管长约 1 cm，萼檐 4 裂，裂片线状披针形；花冠近漏斗形，长 2.5 cm，白色，先端略红，花冠管极狭，顶部 4 裂，裂片线状披针形，长 1.5 cm；花丝长 1 ~ 1.5 cm，花药长圆形；花柱纤细，长 2.5 cm，柱头扁球形，粗糙。蒴果长圆形或近倒卵形，长 2 cm，直径 1 ~ 1.5 cm，成熟时从顶部开裂至基部；种子狭长圆形，长 1.3 ~ 2.2 cm，直径 0.5 cm，干后褐色，具光泽并具横纹。花果期 10 ~ 12 月。

| 生境分布 | 生于低海拔的草地和草坡。分布于湖南长沙（望城）、湘潭（韶山）、常德（汉寿）、益阳（赫山）及永州（蓝山）等。

| 资源情况 | 野生资源一般。药材来源于野生。

| 采收加工 | 夏、秋季采收，除去杂质，鲜用或晒干。

| 功能主治 | 苦，凉。活血祛瘀，消肿解毒。用于跌打损伤，骨折，痈疽肿毒，毒蛇咬伤。

| 用法用量 | 内服煎汤，10 ~ 15 g。外用适量，捣敷。

茜草科 Rubiaceae 风箱树属 Cephalanthus

风箱树 *Cephalanthus tetrandrus* (Roxb.) Ridsd. et Bakh. f.

| 药 材 名 | 风箱树根（药用部位：根）、风箱树叶（药用部位：叶）、风箱树花（药用部位：花序。别名：假杨梅、珠花树）。

| 形态特征 | 落叶灌木或小乔木。叶对生或轮生，近革质，卵形至卵状披针形，长 10 ~ 15 cm，宽 3 ~ 5 cm；叶柄长 5 ~ 10 cm；托叶阔卵形，长 3 ~ 5 cm。头状花序顶生或腋生；总花梗长 2.5 ~ 6 cm；小苞片棒形；花萼管长 2 ~ 3 cm，萼裂片 4，先端钝，密被短柔毛，边缘裂口处常有黑色腺体 1；花冠白色，花冠管长 7 ~ 12 cm，外面无毛，内面有短柔毛，花冠裂片长圆形，裂口处通常有 1 黑色腺体；柱头棒形，伸出花冠外。果序直径 10 ~ 20 cm；坚果长 4 ~ 6 cm，顶部有宿存萼檐；种子褐色，具翅状苍白色假种皮。花期春末夏初。

| 生境分布 | 生于稍背阴的水沟旁或溪畔。湖南各地均有分布。

| 资源情况 | 野生资源较丰富。药材来源于野生。

| 采收加工 | 风箱树根、风箱树叶：全年均可采收，洗净，鲜用或晒干。
风箱树花：夏、秋季采摘，除去总花梗及杂质，阴干。

| 药材性状 | 风箱树根：本品圆柱形，稍扭曲，多分枝，大小不等。表面灰黄色，有纵沟纹，栓皮易脱落。体轻，质韧，不易折断，断面纤维性，皮部黄棕色，木部棕黄色。气微，味微苦。

| 功能主治 | 风箱树根：苦，凉。清热解毒，止血生肌，散瘀止痛，祛痰止咳。用于流行性感冒，上呼吸道感染，肺炎，腮腺炎，乳腺炎，肝炎，睾丸炎，尿路感染；外用于跌打损伤，疖肿，骨折。

风箱树叶：清热解毒，散瘀消肿。用于肠炎，痢疾，风火牙痛，疔疮肿毒；外用于跌打损伤，骨折外伤出血，烫伤。

风箱树花：清热利湿，收敛止泻。用于肠炎，泄泻，细菌性痢疾。

| 用法用量 | 风箱树根：内服煎汤，30 ~ 60 g；或浸酒。外用适量，煎汤含漱；或研末撒；或调敷。

风箱树叶：内服煎汤，10 ~ 15 g。外用适量，捣敷；或研末调敷。

风箱树花：内服煎汤，15 ~ 20 g。

茜草科 Rubiaceae 流苏子属 Coptosapelta

流苏子 *Coptosapelta diffusa* (Champ. ex Benth.) Van Steenis

| 药 材 名 | 流苏子（药用部位：根。别名：流苏子根、牛老药）。

| 形态特征 | 藤本或攀缘灌木。枝多数，节明显。叶卵形、卵状长圆形至披针形，长 2 ~ 9.5 cm，宽 0.8 ~ 3.5 cm；叶柄长 2 ~ 5 cm，有硬毛。花单生于叶腋，对生；花萼长 2.5 ~ 3.5 mm，萼管卵形，檐部 5 裂；花冠白色或黄色，高脚碟状，外面被绢毛，花冠管圆筒形，裂片 5，长圆形，开放时反折；雄蕊 5，花丝短，花药线状披针形，伸出；花柱长约 13 mm，无毛，柱头纺锤形，伸出。蒴果稍扁球形，中间有 1 浅沟，淡黄色，果皮硬，木质，顶部有宿存萼裂片；果柄纤细，长 2 cm；种子多数，近圆形，薄而扁，棕黑色，边缘流苏状。花期 5 ~ 7 月，果期 5 ~ 12 月。

| **生境分布** | 生于海拔 100 ~ 1 450 m 的山地或丘陵的林中或灌丛中。湖南各地均有分布。

| **资源情况** | 野生资源丰富。药材来源于野生。

| **采收加工** | 秋季采挖，除去杂质，洗净，晒干。

| **功能主治** | 辛、苦，凉。祛风除湿，止痒。用于皮炎，湿疹瘙痒，荨麻疹，风湿痹痛，疮疥。

| **用法用量** | 外用适量，煎汤熏洗。

Rubiaceae *Damnacanthus*

短刺虎刺 *Damnacanthus giganteus* (Mak.) Nakai

| 药 材 名 | 短刺虎刺（药用部位：根。别名：黄脚鸡、老鼠胎）。

| 形态特征 | 具短刺灌木，高 0.5 ~ 2 m。根肉质、链珠状；幼枝常具 4 棱。叶革质，披针形或长圆状披针形，全缘，具反卷线；托叶生于叶柄间，早落。花成对腋生于短总梗上，常仅 1 对；苞片小，鳞片状；花梗长约 2 mm；花萼钟状，长 2 ~ 3 mm，檐部 4 裂，裂齿三角形；花冠白色，革质，管状漏斗形，长 15 ~ 18 mm，檐部 4 裂，裂片卵形或卵状三角形；雄蕊 4，着生于花冠喉部，基着，外露；子房 4 室，花柱外伸，顶部裂成 4 裂条。核果红色，近球形，直径 5 ~ 8 mm；种子近球形，角质。花期 3 ~ 5 月，果熟期 11 月至翌年 1 月。

| 生境分布 | 生于山地疏、密林下和灌丛中。分布于湖南常德（桃源）、益阳（赫

山、安化)、怀化(靖州)、湘西州(永顺)等。

| **资源情况** | 野生资源一般。药材来源于野生。

| **采收加工** | 秋季采挖,洗净,切片,晒干。

| **功能主治** | 甘、苦,平。补益气血,收敛止血。用于肾虚,神经衰弱,阳痿等。

| **用法用量** | 内服煎汤,15 ~ 25 g。

茜草科 Rubiaceae 虎刺属 Damnacanthus

虎刺 Damnacanthus indicus Gaertn. f.

| 药 材 名 | 虎刺（药用部位：全株。别名：刺虎、伏牛花）。

| 形态特征 | 具刺灌木，高 0.3 ~ 1 m。根肉质链珠状。茎下部少分枝，上部密具多回二叉分枝。大小叶对相间，卵形、心形或圆形，全缘；托叶生于叶柄间，易脱落。花两性，1 ~ 2 生于叶腋；花梗长 1 ~ 8 mm，基部两侧各具苞片 1；苞片小，披针形或线形；花萼钟状，绿色或具紫红色斑纹，宿存；花冠白色，管状漏斗形，长 0.9 ~ 1 cm，内面自喉部至花冠管上部密被毛，檐部 4 裂，裂片椭圆形；雄蕊 4，着生于花冠管上部，花丝短，花药紫红色；子房 4 室，每室具胚珠 1。核果红色，近球形，直径 4 ~ 6 mm。花期 3 ~ 5 月，果实成熟期冬季至翌年春季。

| **生境分布** | 生于山地和丘陵的疏、密林下和石岩灌丛中。湖南各地均有分布。

| **资源情况** | 野生资源较丰富。药材来源于野生。

| **采收加工** | 全年均可采收，洗净，鲜用或晒干。

| **功能主治** | 苦、甘，平。祛风利湿，活血消肿。用于风湿痹痛，痰饮咳嗽，水肿，黄疸，经闭，荨麻疹，跌打损伤等。

| **用法用量** | 内服煎汤，15～25 g，鲜品 50～100 g；或适量，入散剂。外用适量，鲜品捣敷、捣汁涂；或干品研末撒。

茜草科 Rubiaceae 虎刺属 Damnacanthus

柳叶虎刺 Damnacanthus labordei (Lévl.) Lo

| 药 材 名 | 柳叶虎刺（药用部位：根）。

| 形态特征 | 无刺小灌木，高 0.4 ~ 2 m。根肉质链珠状。枝具 4 棱。叶薄纸质，长 5 ~ 21 cm，宽 0.6 ~ 2.1 cm；叶柄长 3 ~ 6 cm，无毛；托叶生于叶柄间，早落。花 1 ~ 2 对生于叶腋的短总梗上；苞片小，鳞片状；花梗长约 2 cm；花萼钟状，长约 1.5 cm，宿存；花冠管状漏斗形，革质，白色，长约 12 cm，檐部具裂片 4，卵形；雄蕊 4，着生于花冠管上部，花丝短，花药蕾时长圆形，开裂后近线形，背着，内藏或顶部外露；子房 4 室，每室具胚珠 1，花柱内藏或外伸，顶部 4 深裂，开放时外卷。核果红色，近球形，直径约 8 cm。花期 2 ~ 3 月，果熟期 9 ~ 12 月。

| 生境分布 | 生于海拔 800 ~ 1 800 m 的山地疏、密林下或灌丛中。分布于湖南衡阳（常宁）、郴州（桂东）等。

| 资源情况 | 野生资源较少。药材来源于野生。

| 采收加工 | 秋季采挖，洗净，切片，晒干。

| 功能主治 | 苦、甘，平。祛风利湿，活血消肿。用于痰饮咳嗽，肺痈，水肿，痞块，黄疸，荨麻疹，跌打损伤。

| 用法用量 | 内服煎汤，15 ~ 25 g；或入散剂。外用适量，捣敷；或捣汁涂；或研末撒。

茜草科 Rubiaceae 虎刺属 Damnacanthus

四川虎刺 Damnacanthus officinarum Huang

| 药 材 名 |

四川虎刺（药用部位：根）。

| 形态特征 |

无刺灌木，高 1 ~ 2.5 m，具链珠状肉质根。嫩枝略扁。叶革质，全缘，具反卷线；叶柄长约 5 cm；托叶生于叶柄间，三角形，早落。花通常 1 对，着生于叶腋和顶部叶腋的总梗上；苞片小，鳞片状；花梗长约 2 cm；花萼杯状，长 2 ~ 3 cm，顶波状；未盛开花冠淡绿色，长 10 ~ 12 cm，内面喉部密被柔毛，檐部 4 裂；雄蕊 4，着生于花冠管中部，花药长圆形，长约 2.2 cm，背着，花丝长约 3 cm；子房 4 室，花柱内藏，顶部具 4 裂条。核果红色，近球形，直径 6 ~ 7 cm；分核 2 ~ 4，三棱形，内具种子 1。花期冬季至翌年春季，果熟期 10 ~ 12 月。

| 生境分布 |

生于海拔 700 ~ 900 m 的山地灌丛中或林下。分布于湖南怀化（辰溪）、湘西州（古丈）等。

| 资源情况 |

野生资源较少。药材来源于野生。

| 采收加工 |　秋季采挖，洗净，切片，晒干。

| 功能主治 |　辛，温。归肾经。强腰补肾。用于腰痛、阴疮、白浊、阳痿。

| 用法用量 |　内服煎汤，15 ~ 30 g。

茜草科 Rubiaceae 狗骨柴属 Diplospora

狗骨柴 Diplospora dubia (Lindl.) Masam.

| 药 材 名 | 狗骨柴（药用部位：根。别名：狗骨子、白鸡金）。

| 形态特征 | 灌木或乔木，高 1 ~ 12 m。叶革质，卵状长圆形，长 4 ~ 19.5 cm，宽 1.5 ~ 8 cm；侧脉纤细，5 ~ 11 对；叶柄长 4 ~ 15 cm；托叶长 5 ~ 8 cm，下部合生。花腋生，密集成束或组成具总花梗、稠密的聚伞花序；总花梗短，有短柔毛；花梗长约 3 cm，有短柔毛；萼管长约 1 cm，萼檐稍扩大，顶部 4 裂；花冠白色或黄色，花冠管长约 3 cm，花冠裂片长圆形，向外反卷；雄蕊 4，花丝长 2 ~ 4 cm，与花药近等长；花柱长约 3 cm，柱头具 2 分枝，线形，长约 1 cm。浆果近球形，成熟时红色，顶部有萼檐残迹；种子 4 ~ 8，近卵形，暗红色。花期 4 ~ 8 月，果期 5 月至翌年 2 月。

| 生境分布 | 生于海拔40～1 500 m的山坡、山谷沟边、丘陵、旷野的林中或灌丛中。湖南各地均有分布。

| 资源情况 | 野生资源较丰富。药材来源于野生。

| 采收加工 | 夏、秋季采挖，洗净，鲜用或切片晒干。

| 功能主治 | 苦，凉，归肝经。清热解毒，消肿散结。用于瘰疬，背痛，头疖，跌打肿痛。

| 用法用量 | 内服煎汤，30～60 g。外用适量，鲜品捣敷。

茜草科 Rubiaceae 狗骨柴属 Diplospora

毛狗骨柴 *Diplospora fruticosa* Hemsl.

| 药 材 名 | 毛狗骨柴（药用部位：根。别名：小狗骨柴）。

| 形态特征 | 灌木或乔木。嫩枝有短柔毛。叶纸质或薄革质，长圆形、长圆状披针形或狭椭圆形，全缘，叶脉上和脉腋内常有疏短柔毛；叶柄长 4 ~ 13 cm，常有短刚毛；托叶基部合生，披针形，被柔毛。伞房状的聚伞花序腋生，具多花，总花梗很短；花有短花梗；花萼被短柔毛，长约 3 cm，萼管陀螺形，萼檐浅 4 裂，裂片三角形；花冠白色，稀为黄色，长 6 ~ 7 cm，花冠喉部被柔毛，裂片长圆形，外反；雄蕊伸出；花柱长 2.5 ~ 3.5 cm，柱头 2 裂，伸出。果实近球形，直径 5 ~ 7 cm，成熟时红色；果柄长 0.3 ~ 1 cm。花期 3 ~ 5 月，果期 6 月至翌年 2 月。

| 生境分布 | 生于海拔 220 ~ 2 000 m 的山谷或溪边的林中或灌丛中。分布于湖南怀化（会同）、湘西州（吉首、花垣、永顺）、衡阳（衡东）、常德（石门）等。

| 资源情况 | 野生资源一般。药材来源于野生。

| 采收加工 | 夏、秋季采挖，洗净，鲜用或切片晒干。

| 功能主治 | 苦，凉。归肝经。清热解毒，消肿散结。用于瘰疬，背痈，头疖，跌打肿痛。

| 用法用量 | 内服煎汤，30 ~ 60 g。外用适量，鲜品捣敷。

茜草科 Rubiaceae 香果树属 Emmenopterys

香果树 *Emmenopterys henryi* Oliv.

| 药 材 名 | 香果树（药用部位：树皮）。

| 形态特征 | 落叶大乔木，高达 30 m，胸径达 1 m。树皮灰褐色，鳞片状。小枝有皮孔，粗壮。叶纸质或革质，阔椭圆形、阔卵形或卵状椭圆形，全缘；侧脉 5～9 对，在下面凸起；叶柄长 2～8 cm；托叶大，早落。圆锥状聚伞花序顶生；花芳香；花梗长约 4 cm；萼管长约 4 cm，变态的叶状萼裂片白色、淡红色或淡黄色，纸质或革质；花冠漏斗形，白色或黄色，长 2～3 cm，被黄白色绒毛，裂片近圆形，长约 7 cm，宽约 6 cm；花丝被绒毛。蒴果长圆状卵形或近纺锤形，长 3～5 cm，直径 1～1.5 cm，有细纵棱；种子多数，小而有阔翅。花期 6～8 月，果期 8～11 月。

| 生境分布 | 生于海拔 430 ~ 1 630 m 的山谷林中，喜湿润而肥沃的土壤。分布于湖南衡阳（衡山）、邵阳（武冈）、怀化（洪江）、湘西州（吉首、花垣、永顺、凤凰、保靖）、娄底（涟源）、长沙（浏阳）等。

| 资源情况 | 野生资源较少。药材来源于野生。

| 采收加工 | 全年均可采收，切片，晒干。

| 功能主治 | 甘、辛，温。归胃经。温中和胃，降逆止呕。用于反胃，呕吐，呃逆。

| 用法用量 | 内服煎汤，6 ~ 15 g。

茜草科 Rubiaceae 拉拉藤属 Galium

拉拉藤 *Galium aparine* L. var. *echinospermum* (Wallr.) Cuf.

| 药 材 名 | 拉拉藤（药用部位：全草）。

| 形态特征 | 多枝、蔓生或攀缘状草本，通常高30～90 cm。茎有4棱。棱上、叶缘、叶脉上均有倒生的小刺毛。叶纸质或近膜质，6～8轮生，近无柄。聚伞花序腋生或顶生，具少至多花，花小，4基数，有纤细的花梗；花萼被钩毛；花冠黄绿色或白色，辐状，裂片长圆形，镊合状排列；子房被毛，花柱2裂至中部，柱头头状。果实干燥，有1或2近球状的分果爿，肿胀，密被钩毛；果柄直，较粗；每一爿有1平凸的种子。花期3～7月，果期4～11月。

| 生境分布 | 生于海拔20～1 500 m的山坡、旷野、沟边、河滩、田中、林缘、草地。分布于湖南衡阳（耒阳）、怀化（会同、芷江、溆浦）、湘

西州（泸溪）、娄底（涟源）等。

| **资源情况** | 野生资源较丰富。药材来源于野生。

| **采收加工** | 夏、秋季采收，鲜用或切段晒干。

| **功能主治** | 甘、苦，寒。清热解毒，消肿止痛，利尿，散瘀。用于淋浊，尿血，跌打损伤，肠痈，疖肿，中耳炎等。

| **用法用量** | 内服煎汤，15～30 g，鲜品100～200 g。外用适量，捣敷；或煎汤熏洗。

茜草科 Rubiaceae 拉拉藤属 Galium

六叶葎 *Galium asperuloides* Edgew. ssp. *hoffmeisteri* (Klotzsch) Hara

| 药 材 名 |

六叶葎（药用部位：全草）。

| 形态特征 |

一年生草本，高10～60 cm，有红色丝状的根。茎直立，具4棱，具疏短毛或无毛。叶片薄纸质或膜质，常4～6轮生，长圆状倒卵形，长1～3.2 cm，宽4～13 mm，先端钝圆而具凸尖，两面散生糙伏毛，边缘有时有刺状毛，具1中脉，近无柄或有短柄。聚伞花序顶生和生于上部叶腋，具少花，2～3次分枝，常广歧式叉开；总花梗长可达6 cm，无毛；苞片常成对，小，披针形；花小；花冠白色或黄绿色，裂片卵形；雄蕊伸出；花柱顶部2裂。果爿近球形，单生或双生，密被钩毛；果柄长达1 cm。花期4～8月，果期5～9月。

| 生境分布 |

生于海拔920～1 600 m的山坡、沟边、河滩、草地的草丛中或灌丛中及林下。分布于湖南邵阳（洞口）、张家界（永定、武陵源）、益阳（赫山、南县）、娄底（新化）、湘西州（保靖、龙山）、长沙（浏阳）等。

| **资源情况** | 野生资源丰富。药材来源于野生。

| **采收加工** | 秋季采收，除去杂质，晒干。

| **功能主治** | 甘、苦，凉。清热解毒，利尿通淋。用于肺热咳嗽，肺痈，虚热烦渴，热淋，水肿，小便不利。

| **用法用量** | 内服煎汤，25 ~ 50 g。

茜草科 Rubiaceae 拉拉藤属 Galium

四叶葎 *Galium bungei* Steud.

| 药 材 名 | 四叶葎（药用部位：全草。别名：四叶七、小锯锯藤）。

| 形态特征 | 多年生丛生直立草本，高 5 ～ 50 cm，有红色丝状根。茎具 4 棱，不分枝或稍分枝。叶纸质，4 轮生，叶形变化较大，1 脉。聚伞花序顶生和腋生；总花梗纤细，常 3 歧分枝，再形成圆锥状花序；花小；花梗纤细，长 1 ～ 7 cm；花冠黄绿色或白色，辐状，直径 1.4 ～ 2 cm，无毛，花冠裂片卵形或长圆形，长 0.6 ～ 1 cm。果爿近球状，直径 1 ～ 2 cm，通常双生，有小疣点、小鳞片或短钩毛；果柄纤细，常比果实长。花期 4 ～ 9 月，果期 5 月至翌年 1 月。

| 生境分布 | 生于山地、丘陵、旷野、田间、沟边的林中、灌丛中或草地上。湖南各地均有分布。

| 资源情况 | 野生资源丰富。药材来源于野生。

| 采收加工 | 夏、秋季采收，鲜用或晒干。

| 功能主治 | 甘，平。清热解毒，利尿，消肿。用于尿路感染，赤白带下，痢疾，痈肿，跌打损伤。

| 用法用量 | 内服煎汤，25～50 g。外用适量，鲜品捣敷。

茜草科 Rubiaceae 拉拉藤属 Galium

阔叶四叶葎 *Galium bungei* Steud. var. *trachyspermum* (A. Gray) Cuif.

| 药 材 名 | 阔叶四叶葎（药用部位：全草）。

| 形态特征 | 多年生丛生直立草本，高5～50 cm，有红色丝状根。茎具4棱，不分枝或稍分枝。叶纸质，4轮生，阔椭圆形、倒卵形或阔披针形，长1～1.8 cm，宽5～12 mm。花常密生成头状，总花梗纤细，常3歧分枝；花小；花梗纤细，长1～7 cm；花冠黄绿色或白色，辐状，直径1.4～2 cm，无毛，花冠裂片卵形或长圆形，长0.6～1 cm。果爿近球状，直径1～2 cm，通常双生，有小疣点、小鳞片或短钩毛；果柄纤细，常比果实长。花期4～5月，果期4～7月。

| 生境分布 | 生于海拔10～740 m的山地、旷野、溪边的林中或草地上。分布于湖南湘西州（吉首）等。

| **资源情况** | 野生资源稀少。药材来源于野生。

| **采收加工** | 夏、秋季采收，鲜用或晒干。

| **功能主治** | 清热解毒，利尿，止血，消食。用于痢疾，尿路感染，疳积，带下，咯血；外用于蛇头疔。

| **用法用量** | 内服煎汤，25 ~ 50 g。外用适量，鲜品捣敷。

茜草科 Rubiaceae 拉拉藤属 Galium

狭叶四叶葎 Galium bungei Steud. var. angustifolium (Loesen.) Cuf.

| 药 材 名 | 四叶草（药用部位：全草。别名：风车草、四方草、四角金）。

| 形态特征 | 多年生丛生直立草本。高5～50 cm，有红色丝状根。茎具4棱，常无毛或节上有微毛。叶纸质，4叶轮生，叶均为狭披针形或线状披针形，长1～3 cm，宽1～6 mm。聚伞花序顶生和腋生，稠密或稍疏散；总花梗纤细，常3歧分枝，再形成圆锥状花序；花小；花梗纤细，长1～7 mm；花冠黄绿色或白色，辐状，直径1.4～2 mm，无毛，花冠裂片卵形或长圆形，长0.6～1 mm。果爿近球状，直径1～2 mm，通常双生，有小疣点、小鳞片或短钩毛，稀无毛；果柄纤细，常比果实长，长可达9 mm。花期6～7月，果期8～10月。

| 生境分布 | 生于海拔320～2 000 m的山地、溪旁的林下、灌丛或草地。湖南各地均有分布。

| 资源情况 | 野生资源一般。药材来源于野生。

| 采收加工 | 夏季花期采收，鲜用或晒干。

| 功能主治 | 甘、苦，平。清热解毒，利尿消肿。用于尿路感染，赤白带下，痢疾，痈肿，跌打损伤，毒蛇咬伤。

| 用法用量 | 内服煎汤，15～30 g。外用适量，鲜品捣敷。

茜草科 Rubiaceae 拉拉藤属 Galium

显脉拉拉藤 *Galium kinuta* Nakai et Hara

| 药 材 名 | 显脉拉拉藤（药用部位：全草）。

| 形态特征 | 多年生草本。高 20 ~ 60 cm。茎直立，有 4 角棱，通常无毛，在节上有短柔毛。叶较薄，纸质或薄纸质，4 叶轮生，披针形或卵状披针形至卵形，长 2 ~ 8 cm，宽 0.4 ~ 2 cm，下面有时有棕色小条纹，具 3 脉。圆锥花序式聚伞花序通常顶生，具多花而疏；苞片线形或卵形；花冠白色或紫红色，裂片 4，卵形，先端渐尖，具 3 脉，无毛；雄蕊 4，短，着生在花冠喉部；花柱 2 裂至基部，短，柱头头状，子房球形，无毛。果实无毛，直径 2.5 mm，果爿近球形，双生或单生；果柄纤细。花期 6 ~ 7 月，果期 8 ~ 9 月。

| 生境分布 | 生于海拔 550 ~ 2 100 m 的山坡林下、水旁岩石、空旷草地。分布于湘西、湘北等。

| 资源情况 | 野生资源较少。药材来源于野生。

| 采收加工 | 夏、秋季采收，晒干或鲜用。

| 功能主治 | 苦，寒。清热解毒，消肿止痛。用于肺热咳嗽，外伤出血，经闭瘀阻，跌打损伤等。

| 用法用量 | 内服煎汤，10 ~ 15 g。外用适量，鲜品捣敷。

Rubiaceae Galium

林猪殃殃 *Galium paradoxum* Maxim.

| 药 材 名 | 林猪殃殃(药用部位:全草)。

| 形态特征 | 多年生矮小草本。高 4 ~ 25 cm。有红色丝状根。茎柔弱,直立,通常不分枝。叶膜质,4 叶轮生,极稀为 5 叶,其中 2 叶较大,其余小叶常缩小成托叶状,在茎下部有时具 2 叶,叶片卵形或近圆形至卵状披针形,长 0.7 ~ 3 cm,宽 0.5 ~ 2.3 cm,基部钝圆而急剧下延成柄,两面有倒伏的刺状硬毛;叶柄长短不一,在下部的最长。聚伞花序顶生和生于上部叶腋,常 3 歧分枝,分枝常叉开,有少花,每分枝有 1 ~ 2 花;花萼密被黄棕色钩毛;花冠白色,辐状,直径 2.5 ~ 3 mm,裂片卵形,稍钝。果爿单生或双生,近球形,密被黄棕色钩毛。花期 5 ~ 8 月,果期 6 ~ 9 月。

| 生境分布 | 生于海拔1 280～2 000 m的山谷阴湿地、水边、林下、草地。湖南各地均有分布。

| 资源情况 | 野生资源较少。药材来源于野生。

| 采收加工 | 夏季采收，鲜用或晒干。

| 功能主治 | 苦，微寒。清热解毒，消肿止痛，利尿，散瘀。用于水肿，小便不利，风热感冒，疔肿，毒蛇咬伤，跌打损伤。

| 用法用量 | 内服煎汤，15～30 g。外用适量，鲜品捣敷。

茜草科 Rubiaceae 拉拉藤属 Galium

小叶猪殃殃 *Galium trifidum* L.

| 药 材 名 | 小叶猪殃殃（药用部位：全草。别名：细叶四叶葎、三瓣猪殃殃、细叶猪殃殃）。

| 形态特征 | 多年生丛生草本，高 15 ~ 50 cm。茎纤细，具 4 角棱，多分枝，常交错纠结，近无毛。叶小，纸质，通常 4 或有时 5 ~ 6 轮生，倒披针形，长 3 ~ 14 mm，宽 1 ~ 4 mm，先端圆或钝，基部渐狭，1 脉。聚伞花序腋生和顶生，长 1 ~ 2 cm，具 3 或 4 花；总花梗纤细；花小，直径约 2 mm；花冠白色，辐状，花冠裂片 3，稀 4，卵形；雄蕊 3；花柱长 0.5 mm，顶部 2 裂。果实小，果爿近球状，双生或单生，直径 1 ~ 2.5 mm，干时黑色，光滑；果柄纤细而稍长，长 2 ~ 10 mm。花果期 3 ~ 8 月。

| 生境分布 | 生于海拔 300～1 300 m 的旷野、沟边、山地林下、草坡、灌丛、沼泽地。分布于湖南邵阳（隆回）、湘西州（花垣、保靖）等。

| 资源情况 | 野生资源较少。药材来源于野生。

| 采收加工 | 全年均可采收，鲜用。

| 功能主治 | 甘、酸，平。清热解毒，活血化瘀。用于跌打损伤，痈疮。

| 用法用量 | 外用适量，鲜品捣敷。

茜草科 Rubiaceae 拉拉藤属 *Galium*

蓬子菜 *Galium verum* L.

| 药 材 名 | 蓬子菜（药用部位：全草。别名：黄牛衣、铁尺草、月经草）。

| 形态特征 | 多年生近直立草本，基部稍木质，高 25 ~ 45 cm；茎具 4 角棱，被短柔毛或糙秕状毛。叶纸质，6 ~ 10 轮生，线形，长 1.5 ~ 3 cm，宽 1 ~ 1.5 mm，先端短尖，边缘极反卷，常卷成管状，1 脉，无柄。聚伞花序顶生和腋生，较大，具多花，结成长 15 cm、宽 12 cm 的圆锥花序状；总花梗密被短柔毛；花小，稠密；花冠黄色，辐状，直径约 3 mm，花冠裂片卵形或长圆形；花药黄色，花丝长约 0.6 mm；花柱长约 0.7 mm，顶部 2 裂。果实小，果爿双生，近球状，直径约 2 mm，无毛。花期 4 ~ 8 月，果期 5 ~ 10 月。

| 生境分布 | 生于山地、河滩、旷野、沟边、草地、灌丛或林下。分布于湖南永

州（江永）等。

| **资源情况** | 野生资源较少。药材来源于野生。

| **采收加工** | 夏、秋季采收，鲜用或晒干。

| **功能主治** | 微辛、苦，微寒。归肺、肝、肾经。清热解毒，活血通经，祛风止痒。用于肝炎，腹水，咽喉肿痛，疮疖肿毒，跌打损伤，经闭，带下，毒蛇咬伤，荨麻疹，稻田性皮炎。

| **用法用量** | 内服煎汤，10～15 g。外用适量，捣敷；或熬膏涂。

茜草科 Rubiaceae 栀子属 Gardenia

栀子 *Gardenia jasminoides* Ellis

| 药 材 名 |

栀子（药用部位：成熟果实。别名：山栀子、红枝子、黄栀子）。

| 形态特征 |

灌木。高 0.3 ~ 3 m；嫩枝常被短毛；枝圆柱形，灰色。叶对生，少 3 轮生，革质，稀纸质，叶形多样，通常为长圆状披针形、倒卵状长圆形、倒卵形或椭圆形，长 3 ~ 25 cm，宽 1.5 ~ 8 cm，先端渐尖、骤长渐尖或短尖而钝，基部楔形或短尖，两面常无毛，上面亮绿色，下面色较暗，侧脉 8 ~ 15 对，在下面凸起，在上面平；叶柄长 0.2 ~ 1 cm；托叶膜质。花芳香，通常单生于枝顶，花梗长 3 ~ 5 mm；萼管倒圆锥形或卵形，长 8 ~ 25 mm，有纵棱，萼檐管形，膨大，顶部 5 ~ 8 裂，通常 6 裂，裂片披针形或线状披针形，长 10 ~ 30 mm，宽 1 ~ 4 mm，果时增长，宿存；花冠白色或乳黄色，高脚碟状，喉部有疏柔毛，花冠管狭圆筒形，长 3 ~ 5 cm，宽 4 ~ 6 mm，顶部 5 ~ 8 裂，通常 6 裂，裂片广展，倒卵形或倒卵状长圆形，长 1.5 ~ 4 cm，宽 0.6 ~ 2.8 cm；花丝极短，花药线形，长 1.5 ~ 2.2 cm，伸出；花柱粗厚，长约 4.5 cm，柱头纺锤形，伸出，

长 1 ~ 1.5 cm，宽 3 ~ 7 mm，子房直径约 3 mm，黄色，平滑。果实卵形、近球形、椭圆形或长圆形，黄色或橙红色，长 1.5 ~ 7 cm，直径 1.2 ~ 2 cm，有翅状纵棱 5 ~ 9，顶部的宿存萼片长达 4 cm，宽达 6 mm；种子多数，扁，近圆形而稍有棱角，长约 3.5 mm，宽约 3 mm。花期 3 ~ 7 月，果期 5 月至翌年 2 月。

| 生境分布 | 生于岗地、丘陵、山谷、山坡、溪边的灌丛或林中。湖南各地均有分布。

| 资源情况 | 野生资源丰富。栽培资源丰富。药材来源于野生和栽培。

| 采收加工 | 9 ~ 11 月当果皮由绿色转为黄绿色时采收，除去果柄和杂质，蒸至上汽或置于沸水中略烫，取出，干燥。

| 药材性状 | 本品呈长卵圆形或椭圆形，长 1.5 ~ 3.5 cm，直径 1 ~ 1.5 cm。表面红黄色或棕红色，有翅状纵棱 5 ~ 9。先端残存萼片，基部稍尖，有残留果柄。果皮薄而脆，略有光泽；内表面色较浅，有光泽，具 2 ~ 3 隆起的假隔膜。种子多数，扁卵圆形，集结成团，深红色或红黄色，表面密具细小的疣状突起。气微，味微酸而苦。

| 功能主治 | 苦，寒。归心、肺、三焦经。泻火除烦，清热利湿，凉血解毒。用于热病心烦，湿热黄疸，淋证涩痛，血热吐衄，目赤肿痛，火毒疮疡；外用于扭挫伤痛。

| 用法用量 | 内服煎汤，6 ~ 10 g。外用适量，研末调敷。

茜草科 Rubiaceae 栀子属 Gardenia

白蟾 *Gardenia jasminoides* Ellis var. *fortuniana* (Lindl.) Hara

| 药 材 名 | 白蝉（药用部位：花、果实。别名：大花栀子、栀子花）。

| 形态特征 | 灌木。幼枝绿色，有垢状毛。叶革质，对生或3叶轮生，托叶生于叶柄内，基部常合生；叶片长椭圆形或倒卵状披针形，长6～12 cm，宽2～5 cm。花型较大，直径约7 cm，重瓣，白色，芳香，单生；萼管卵形或倒圆锥形，有棱；花冠高脚碟状，长4～7 cm；雄蕊5～11，着生于花冠喉部，花丝极短；花柱粗厚，柱头扁宽。果实黄色，革质或带肉质，卵圆形或圆柱形，有5～7纵棱，先端有宿存的萼裂片。花期5～7月，果期9～11月。

| 生境分布 | 栽培种。湖南有广泛分布。

| **资源情况** | 栽培资源一般。药材来源于栽培。

| **采收加工** | 6～7月采摘，鲜用或晒干。

| **功能主治** | 果实，清热解毒，凉血，止血。花，用于产后子宫收缩疼痛。

| **用法用量** | 内服适量，代茶饮。

茜草科 Rubiaceae 栀子属 Gardenia

狭叶栀子 Gardenia stenophylla Merr.

| 药 材 名 | 山枝子（药用部位：果实）。

| 形态特征 | 灌木。叶薄革质，狭披针形或线状披针形，长 3 ~ 12 cm，宽 0.4 ~ 2.3 cm；叶柄长 1 ~ 5 mm；托叶膜质，脱落。花单生于叶腋或小枝顶部，芳香，盛开时直径达 4 ~ 5 cm，具长约 5 mm 的花梗；萼管倒圆锥形，结果时增长；花冠白色，高脚碟状，花冠管长 3.5 ~ 6.5 cm，宽 3 ~ 4 mm；花丝短，花药线形，伸出；花柱长 3.5 ~ 4 cm，柱头棒形，顶部膨大。果实长圆形，长 1.5 ~ 2.5 cm，直径 1 ~ 1.3 cm，有纵棱，成熟时黄色或橙红色，顶部有增大的宿存萼裂片。花期 4 ~ 8 月，果期 5 月至翌年 1 月。

| 生境分布 | 生于海拔 90 ~ 800 m 的山谷、溪边林中、灌丛中或旷野河边，常见于

岩石上。栽培于疏松、肥沃、排水良好、轻黏性的酸性土壤中。湖南有广泛分布。

| **资源情况** | 野生资源较丰富。栽培资源一般。药材来源于野生和栽培。

| **采收加工** | 9～11月果实成熟呈红黄色时采收，除去果柄和杂质，蒸至上汽或置于沸水中略烫，取出，干燥。

| **功能主治** | 清热利尿，凉血，解毒。用于热病心烦，肝火目赤，头痛，湿热黄疸，淋证，血痢尿血，口舌生疮，疮疡肿毒，扭伤肿痛。

| **用法用量** | 内服煎汤，6～10 g。

茜草科 Rubiaceae 耳草属 Hedyotis

剑叶耳草 *Hedyotis caudatifolia* Merr. et Metcalf

| 药 材 名 |

剑叶耳草（药用部位：全株。别名：长尾耳草、少年红、千年茶）。

| 形态特征 |

直立灌木，全株无毛。老枝圆柱形，嫩枝绿色，具浅纵纹。叶对生，革质，披针形，上面绿色，下面灰白色，长6～13 cm，宽1.5～3 cm；叶柄长10～15 mm；侧脉每边4；托叶阔卵形。聚伞花序排成疏散的圆锥花序式；花4基数，具短梗；萼管陀螺形，萼檐裂片卵状三角形，与花萼等长；花冠白色或粉红色，里面被长柔毛，花冠管管形，裂片披针形；柱头2，略被细小硬毛。蒴果长圆形或椭圆形，直径约2 mm，光滑无毛，成熟时开裂为2果爿，果爿腹部直裂，内有种子数粒；种子小，近三角形，干后黑色。花期5～6月。

| 生境分布 |

生于丛林下比较干旱的砂壤土中或悬崖石壁上，有时亦见于黏质土壤的草地上。分布于湖南邵阳（新宁）、郴州（北湖、宜章、汝城）、永州（东安、蓝山）等。

| 资源情况 | 野生资源一般。药材来源于野生。

| 采收加工 | 夏、秋季采收,鲜用或切碎晒干。

| 药材性状 | 本品茎圆柱形,上部略四棱形。叶对生,多皱缩,完整者展平后呈披针形,长 4 ~ 10 cm,基部楔形。聚伞花序 3 歧分枝,顶生或生于上部叶腋;苞片披针形;萼管陀螺状;花冠漏斗状,类白色或淡紫色,长 6 ~ 10 mm,裂片披针形。蒴果椭圆形,长 4 mm,多开裂为 2 果瓣,具宿存萼。气微,味淡。

| 功能主治 | 甘,平。归肺、肝、脾经。止咳化痰,健脾消积。用于支气管哮喘,支气管炎,肺痨咯血,疳积,跌打损伤,外伤出血。

| 用法用量 | 内服煎汤,10 ~ 15 g。外用适量,捣敷;或煎汤洗。

茜草科 Rubiaceae 耳草属 Hedyotis

金毛耳草 *Hedyotis chrysotricha* (Palib.) Merr.

| 药 材 名 | 黄毛耳草（药用部位：全草）。

| 形态特征 | 多年生披散草本，高约 30 cm，被金黄色硬毛。叶对生，具短柄，薄纸质，阔披针形、椭圆形或卵形，长 20～28 mm，宽 10～12 mm；侧脉每边 2～3，极纤细；叶柄长 1～3 mm；托叶短合生。聚伞花序腋生，有花 1～3，被金黄色疏柔毛；花萼被柔毛，萼管近球形，长约 13 mm，萼檐裂片披针形；花冠白色或紫色，漏斗形，长 5～6 mm，上部深裂，裂片线状长圆形；雄蕊内藏，花丝极短或缺；花柱中部有髯毛，柱头棒形，2 裂。果实近球形，直径约 2 mm，被扩展硬毛，成熟时不开裂，内有种子数粒。花期几乎全年。

| 生境分布 | 生于山谷杂木林下或山坡灌丛中。湖南各地均有分布。

| **资源情况** | 野生资源丰富。药材来源于野生。

| **采收加工** | 夏、秋季采收，去除杂质，洗净，鲜用；或润软，切段，干燥，筛去灰屑。

| **药材性状** | 本品茎近圆柱形，灰绿色，被黄色疏柔毛。叶皱缩或破碎，灰绿色，被黄色疏柔毛。花小，1～3生于叶腋，近无梗。蒴果不开裂。气微，味微苦。

| **功能主治** | 辛、苦，平。清热利湿，消肿解毒。用于湿热黄疸，泄泻，痢疾，带状疱疹，肾炎性水肿，跌打肿痛，毒蛇咬伤，疮疖肿毒，血崩，带下，外伤出血等。

| **用法用量** | 内服煎汤，50～100 g；或浸酒。外用适量，捣敷。

茜草科 Rubiaceae 耳草属 Hedyotis

伞房花耳草 *Hedyotis corymbosa* (L.) Lam.

| 药 材 名 | 水线草（药用部位：全草）。

| 形态特征 | 一年生柔弱披散草本，高 10 ~ 40 cm；茎和枝方柱形，分枝多。叶对生，近无柄，膜质，线形，长 1 ~ 2 cm，宽 1 ~ 3 mm，先端短尖，基部楔形；托叶膜质，鞘状，先端有数条短刺。花序腋生，伞房花序式排列，有花 2 ~ 4；苞片微小，钻形；花 4 基数；萼管球形；花冠白色或粉红色，管形，花冠裂片长圆形，短于花冠管；雄蕊生于花冠管内，花丝极短，花药内藏；花柱长 1.3 mm，柱头 2 裂，裂片略阔，粗糙。蒴果膜质，球形，直径 1.2 ~ 1.8 mm，顶部平，成熟时顶部室背开裂；种子每室 10 以上，有棱，种皮平滑，干后深褐色。花果期几乎全年。

| 生境分布 | 生于水田和田埂或湿润的草地上。分布于湖南株洲（石峰）、衡阳（衡山）等。

| 资源情况 | 野生资源一般。药材来源于野生。

| 采收加工 | 夏、秋季采收，洗净鲜用；或切段，晒干。

| 功能主治 | 清热解毒。用于疟疾，肠痈，肿毒，烫伤。

| 用法用量 | 内服煎汤，25～50 g。外用适量，煎汤洗。

茜草科 Rubiaceae 耳草属 Hedyotis

白花蛇舌草 *Hedyotis diffusa* Willd.

| 药 材 名 | 白花蛇舌草（药用部位：全草。别名：蛇舌草、蛇舌癀、蛇针草）。

| 形态特征 | 一年生无毛纤细披散草本，高 20 ~ 50 cm。叶对生，无柄，膜质，线形，长 1 ~ 3 cm，宽 1 ~ 3 mm；中脉在上面下陷，侧脉不明显；托叶基部合生，顶部具芒尖。花 4 基数，单生或双生于叶腋；花梗略粗壮，长 2 ~ 5 mm；萼管球形，长 1.5 mm，萼檐裂片长圆状披针形，具缘毛；花冠白色，管形，长 3.5 ~ 4 mm，喉部无毛，花冠裂片卵状长圆形；雄蕊生于花冠喉部，花药突出，长圆形，与花丝等长或略长于花丝；花柱长 2 ~ 3 mm，柱头 2 裂，有乳头状凸点。蒴果膜质，扁球形，直径 2 ~ 2.5 mm；种子每室约 10，具棱，干后深褐色，有深而粗的窝孔。花期春季。

| 生境分布 | 生于水田、田埂和湿润的旷地。湖南各地均有分布。

| 资源情况 | 野生资源丰富。药材来源于野生。

| 采收加工 | 夏、秋季采收，洗净，鲜用或晒干。

| 药材性状 | 全草扭缠成团状，灰绿色至灰棕色。主根1，直径2～4 mm，须根纤细，淡灰棕色。茎细而卷曲，质脆，易折断，中央有白色髓部。叶多破碎，极皱缩，易脱落，托叶长1～2 mm。花腋生。气微，味淡。

| 功能主治 | 微苦，寒。归胃、大肠、小肠经。清热解毒，利湿通淋。用于肺热喘咳，咽喉肿痛，肠痈，疖肿疮疡，毒蛇咬伤，热淋涩痛，水肿，痢疾，肠炎，湿热黄疸，恶性肿瘤。

| 用法用量 | 内服煎汤，5～60 g。外用适量，煎汤洗。

茜草科 Rubiaceae 耳草属 Hedyotis

粗毛耳草 *Hedyotis mellii* Tutch.

| 药 材 名 |

卷毛耳草（药用部位：全草）。

| 形态特征 |

直立粗壮草本，高 30 ~ 90 cm，茎和枝近方柱形，幼时被毛，老时光滑。叶对生，纸质，卵状披针形，长 5 ~ 9 cm，两面均被疏短毛；侧脉每边 3 ~ 4，明显；托叶阔三角形，先端锥尖或 3 裂。花序顶生和腋生，为聚伞花序，具多花，稠密，排成圆锥花序式；花 4 基数，与花梗均被干后呈黄褐色的短硬毛；萼管杯形，萼檐裂片卵状披针形，短尖；花冠长 6 ~ 7 mm，花冠管短，里面被绒毛，花冠裂片披针形，先端外反；花药长圆形；花柱长，突出，柱头头状，2 浅裂。蒴果椭圆形，疏被短硬毛，脆壳质，成熟时开裂为 2 果爿；种子数粒，具棱，黑色。花期 6 ~ 7 月。

| 生境分布 |

生于山地丛林或山坡上。分布于湘中、湘南等。

| 资源情况 |

野生资源较丰富。药材来源于野生。

| 采收加工 | 全年均可采收，鲜用或切段晒干。

| 功能主治 | 甘，平。祛风，清热，消食，止血，解毒。用于刀伤出血，毒蛇咬伤，乳腺炎，痢疾，小儿伤食发热等。

| 用法用量 | 内服煎汤，15 ~ 20 g。

茜草科 Rubiaceae 耳草属 Hedyotis

纤花耳草 *Hedyotis tenelliflora* Blume Bijdr.

| 药 材 名 | 石枫药（药用部位：全草）。

| 形态特征 | 柔弱披散多分枝草本，高 15 ~ 40 cm，全株无毛。叶对生，无柄，薄革质，线形或线状披针形，长 2 ~ 5 cm，宽 2 ~ 4 mm，干后边缘反卷；中脉在上面压入，侧脉不明显；托叶长 3 ~ 6 mm，基部合生。花无梗，1 ~ 3 簇生于叶腋内；苞片针形，长约 1 mm，边缘有小齿；萼管倒卵状，萼檐裂片 4，线状披针形，具缘毛；花冠白色，漏斗形，长 3 ~ 3.5 mm，裂片长圆形，先端钝；雄蕊着生于花冠喉部，花药伸出，长圆形，两端钝；花柱长约 4 mm，柱头 2 裂。蒴果卵形或近球形，成熟时仅顶部开裂；种子每室多数，微小。花期 4 ~ 11 月。

| 生境分布 | 生于田边、路旁或旷野草丛中。分布于湖南衡阳（雁峰、石鼓、蒸湘）、

邵阳（洞口）、郴州（宜章）、永州（东安）、株洲（渌口）、怀化（沅陵）等。

| 资源情况 | 野生资源一般。药材来源于野生。

| 采收加工 | 夏、秋季采收，洗净，鲜用；或切段，晒干。

| 药材性状 | 本品多缠绕成团状，黑色。茎多分枝，上部锐四棱形。叶对生，条形至条状披针形；托叶顶部分裂成数条刚毛状刺。花无花梗，1～3簇生于叶腋；花冠白色，漏斗状，裂片长圆形。蒴果卵形，长约2.5 mm，先端开裂，具宿存萼。气微，味淡。

| 功能主治 | 微苦，平。归肺、肝、胃、大肠经。清热解毒，活血止痛。用于肺热咳嗽，慢性肝炎，阑尾炎，痢疾，风火牙痛，小儿疝气，跌打损伤，蛇咬伤。

| 用法用量 | 内服煎汤，15～30 g。外用适量，捣敷。

茜草科 Rubiaceae 耳草属 Hedyotis

长节耳草 *Hedyotis uncinella* Hook. et Arn

| 药 材 名 |

长节耳草（药用部位：全草）。

| 形态特征 |

直立多年生草本，除花冠喉部和萼檐裂片外，全部无毛。茎单生，粗壮，四棱形，节间距离长。叶对生，纸质，卵状长圆形或长圆状披针形，长3.5～7.5 cm，宽1～3 cm；托叶三角形，基部合生。花序顶生和腋生，密集成头状，直径12～15 mm，无总花梗；花4基数；萼管近球形，长约3 mm；花冠白色或紫色，花冠裂片长圆状披针形，比管短，先端近短尖；雄蕊生于花冠喉部，花丝极短，花药内藏，线形，两端平截；花柱长2 mm，柱头2裂。蒴果阔卵形，顶部平，成熟时开裂为2果爿，果爿腹部直裂；种子数粒，具棱，浅褐色。花期4～6月。

| 生境分布 |

生于干旱旷地上。湖南有广泛分布。

| 资源情况 |

野生资源较少。药材来源于野生。

| 采收加工 | 夏、秋季采收，洗净，鲜用；或切段，晒干。

| 药材性状 | 茎略具4棱，节间长6～11 cm。叶对生，多皱缩，完整者展平后呈矩圆状披针形或矩圆状卵形，长3～7 cm；托叶三角形，基部合生；叶柄短。花序顶生和腋生，密集成头状；花4基数；萼管倒圆锥形，裂片披针形；花冠类白色，裂片披针形；雄蕊着生于花冠喉部。蒴果倒卵形，开裂为2果瓣，具宿存萼。气微，味淡。

| 功能主治 | 辛、甘、微苦，平。归胃经。祛风除湿，健脾消积。用于风湿性关节炎，疳积，泄泻，痢疾，牙疳，皮肤瘙痒。

| 用法用量 | 内服煎汤，15～20 g。外用适量，捣敷。

茜草科 Rubiaceae 龙船花属 Ixora

龙船花 Ixora chinensis Lam.

| 药 材 名 | 龙船花（药用部位：花。别名：卖子木、红绣球、山丹）。

| 形态特征 | 灌木，高 0.8 ~ 2 m。小枝深褐色，有光泽，老枝灰色，具线条。叶对生，披针形，长 6 ~ 13 cm，宽 3 ~ 4 cm；中脉在上面扁平成略凹入，在下面凸起，侧脉纤细，明显；托叶长 5 ~ 7 mm。花序顶生，具多花，具短总花梗；总花梗长 5 ~ 15 mm，与分枝均呈红色，基部有 2 小型叶承托；花萼管长 1.5 ~ 2 mm，花萼 4 裂；花冠红色或红黄色，盛开时长 2.5 ~ 3 cm，顶部 4 裂；花丝极短，花药长圆形，基部 2 裂；花柱短伸出花冠管，柱头 2。果实近球形，双生，成熟时红黑色；种子长、宽均为 4 ~ 4.5 mm，上面凸，下面凹。花期 5 ~ 7 月。

| 生境分布 | 生于海拔 200 ~ 800 m 的山地灌丛中、疏林下及村落附近的山坡、旷野路旁。分布于湖南长沙（望城）、衡阳（珠晖、衡南）、邵阳（大祥）、岳阳（临湘）、怀化（辰溪）等。

| 资源情况 | 野生资源较丰富。药材来源于野生。

| 采收加工 | 全年均可采收，鲜用或晒干。

| 药材性状 | 本品花序卷曲成团，展平后呈伞房花序，具短梗，有红色的分枝；花萼 4 裂，萼齿远较萼筒短；花冠 4 浅裂，裂片近圆形，红褐色，肉质，花冠筒扭曲，红褐色；雄蕊与花冠裂片同数，着生于花冠喉部。气微，味微苦。

| 功能主治 | 甘、淡，凉。归肝经。清热凉血，散瘀止痛。用于高血压，月经不调，闭经，跌打损伤，疮疡疖肿。

| 用法用量 | 内服煎汤，10 ~ 15 g。外用适量，捣敷。

茜草科 Rubiaceae 粗叶木属 Lasianthus

粗叶木 *Lasianthus chinensis* (Champ.) Benth.

| 药 材 名 | 鸡屎树（药用部位：根。别名：白果鸡屎树）。

| 形态特征 | 灌木或小乔木。枝粗壮，被褐色短柔毛。叶薄革质或厚纸质，长圆形或长圆状披针形，长 12 ~ 25 cm，宽 2.5 ~ 6 cm，中脉粗大，在下面凸起；叶柄粗壮，长 8 ~ 12 mm，被黄色绒毛；托叶三角形，长约 2.5 mm，被黄色绒毛。花无梗，常 3 ~ 5 簇生于叶腋，无苞片；萼管卵圆形或近阔钟形，密被绒毛，萼檐 4 裂，裂片卵状三角形；花冠白色，有时带紫色，近管状，被绒毛，裂片 6，披针状线形，有 1 刺状长喙；雄蕊 6，着生于花冠喉部，花丝极短，花药线形；子房 6 室，柱头线形。核果近卵球形，成熟时蓝色或蓝黑色，具 6 分核。花期 5 月，果期 9 ~ 10 月。

| 生境分布 | 生于林下草地或路边草丛中。分布于湖南郴州（桂东）等。

| 资源情况 | 野生资源稀少。药材来源于野生。

| 采收加工 | 秋后采挖，洗净，切片，晒干。

| 功能主治 | 甘、涩，平。祛风胜湿，活血止痛。用于风寒湿痹，筋骨疼痛。

| 用法用量 | 内服煎汤，15～30 g。

茜草科 Rubiaceae 粗叶木属 Lasianthus

日本粗叶木 *Lasianthus japonicus* Miq.

| 药 材 名 | 污毛粗叶木（药用部位：根。别名：铁骨银参）。

| 形态特征 | 灌木，枝和小枝无毛或嫩部被柔毛。叶近革质或纸质，长圆形或披针状长圆形，长 9 ~ 15 cm，宽 2 ~ 3.5 cm，先端骤尖或骤然渐尖，基部短尖，上面无毛或近无毛，下面脉上被贴伏的硬毛；侧脉每边 5 ~ 6，小脉网状，罕近平行；叶柄长 7 ~ 10 mm，被柔毛或近无毛；托叶小，被硬毛。花无梗，常 2 ~ 3 簇生在一腋生、很短的总梗上，有时无总梗；苞片小；花萼钟状，长 2 ~ 3 mm，被柔毛，萼齿三角形，短于萼管；花冠白色，管状漏斗形，长 8 ~ 10 mm，外面无毛，里面被长柔毛，裂片 5，近卵形。核果球形，直径约 5 mm，具 5 分核。

| 生境分布 | 生于海拔 200 ~ 1 800 m 的林下。湖南有广泛分布。

| 资源情况 | 野生资源较丰富。药材来源于野生。

| 采收加工 | 秋后采挖，洗净，切片，晒干。

| 功能主治 | 辛、微甘，温。归肝经。行气活血，祛湿强筋，止痛。用于跌打损伤，风湿关节痛，腰肌劳损。

| 用法用量 | 内服煎汤，15～30 g。外用适量，捣敷。

茜草科 Rubiaceae 粗叶木属 Lasianthus

榄绿粗叶木
Lasianthus japonicus Miq. var. *lancilimbus* (Merr.) Lo

| 药 材 名 | 榄绿粗叶木（药用部位：根）。

| 形态特征 | 灌木，枝和小枝无毛或嫩部被柔毛。叶近革质或纸质，披针形，基部短尖，上面无毛或近无毛，下面中脉上无毛；侧脉每边 5 ~ 6，小脉网状，罕近平行；叶柄长 7 ~ 10 mm，被柔毛或近无毛；托叶小，被硬毛。花无梗，常 2 ~ 3 簇生在一腋生、很短的总梗上，有时无总梗；苞片小；花萼钟状，长 2 ~ 3 mm，被柔毛，萼齿三角形，短于萼管；花冠白色，管状漏斗形，长 8 ~ 10 mm，外面无毛，里面被长柔毛，裂片 5，近卵形。核果球形，直径约 5 mm，具 5 分核。花期 5 ~ 8 月，果期 9 ~ 10 月。

| 生境分布 | 生于海拔 300 ~ 1 500 m 的林下。湖南有广泛分布。

| 资源情况 | 野生资源较丰富。药材来源于野生。

| 采收加工 | 秋后采挖,洗净,切片,晒干。

| 功能主治 | 辛、微甘,温。归肝经。行气活血,祛湿强筋,止痛。用于跌打损伤,风湿关节痛,腰肌劳损。

| 用法用量 | 内服煎汤,15～30 g。外用适量,捣敷。

茜草科 Rubiaceae 野丁香属 Leptodermis

野丁香 Leptodermis potanini Batal.

| 药 材 名 | 野丁香（药用部位：根）。

| 形态特征 | 灌木。枝浅灰色，嫩枝常淡红色，有2列柔毛。叶疏生或稍密生，较薄，卵形或披针形，有时长圆形或椭圆形，或阔长圆形，先端钝至近圆，有短尖头，基部楔形，全缘，两面被白色短柔毛，下面苍白，通常几近光秃；侧脉每边3～4，在叶下面凸起，网脉明显；叶柄短。聚伞花序顶生，具3花，极少退化至1或2花，中央的花无梗，两侧的花有梗；花梗红色，有2列硬毛或柔毛；萼管狭倒圆锥形，上部和萼裂片均密被硬毛或柔毛，裂片5或6，狭三角形，先端短尖，被缘毛，直；花冠漏斗形，花冠管外面多少被柔毛或近无毛，内面上部及喉部密被硬毛，冠檐伸展。蒴果自顶5裂至基部，其裂片冠以宿存萼裂片。花期5月，果期秋、冬季。

| 生境分布 | 生于海拔 800 ~ 1 500 m 的山坡灌丛中。分布于湖南张家界（武陵源）等。

| 资源情况 | 野生资源稀少。药材来源于野生。

| 采收加工 | 全年均可采收，洗净，晒干。

| 功能主治 | 涩、微苦，凉。归肝、肾经。活血调经，消炎止痛。

| 用法用量 | 内服煎汤，15 ~ 30 g。外用适量，捣敷。

茜草科 Rubiaceae 巴戟天属 Morinda

羊角藤 Morinda umbellata L. ssp. obovata Y. Z. Ruan.

| 药 材 名 | 羊角藤根（药用部位：根）。

| 形态特征 | 藤本，攀缘或缠绕。老枝具细棱，蓝黑色。叶纸质或革质，倒卵形或倒卵状披针形，长6～9 cm，宽2～3.5 cm，全缘，上面常具蜡质，光亮；叶柄长4～6 mm，被不明显粒状疏毛；托叶筒状，干膜质。花序伞状排列于枝顶；头状花序直径6～10 mm，具花6～12；花4～5基数，无花梗；花冠白色，呈钟状，长约4 mm，檐部4～5裂；雄蕊与花冠裂片同数；通常无花柱，柱头圆锥状，2裂，子房下部与花萼合生，2～4室，每室具1胚珠。聚花核果成熟时红色，近球形；核果具分核2～4；种子角质，棕色，与分核同形。花期6～7月，果熟期10～11月。

| **生境分布** | 攀缘于海拔 300 ~ 1 200 m 的山地林下、溪旁、路旁等疏阴或密阴的灌木上。湖南各地均有分布。

| **资源情况** | 野生资源较丰富。药材来源于野生。

| **采收加工** | 全年均可采收，洗净，鲜用或晒干。

| **功能主治** | 辛、微甘，温。归肾经。祛风除湿，补肾止血。用于风湿关节痛，肾虚腰痛，阳痿，胃痛。

| **用法用量** | 内服煎汤，50 ~ 100 g。

茜草科 Rubiaceae 玉叶金花属 Mussaenda

楠藤 Mussaenda erosa Champ.

| 药 材 名 | 大茶根（药用部位：茎叶）。

| 形态特征 | 攀缘灌木。叶对生，纸质，长圆形、卵形至长圆状椭圆形，长6～12 cm，宽3.5～5 cm；侧脉4～6对；托叶长三角形，2深裂。伞房状多歧聚伞花序顶生，花序梗较长，花疏生；苞片线状披针形；花萼管椭圆形，裂片线状披针形；花叶阔椭圆形，长4～6 cm，宽3～4 cm；花冠橙黄色，花冠管外面有柔毛，喉部内面密被棒状毛，花冠裂片卵形，内面有黄色小疣突。浆果近球形或阔椭圆形，直径8～10 mm，顶部有萼檐脱落后的环状疤痕；果柄长3～4 mm。花期4～7月，果期9～12月。

| 生境分布 | 常攀缘于疏林乔木的树冠上。分布于湖南郴州（宜章）、永州（东

安）等。

| **资源情况** | 野生资源较少。药材来源于野生。

| **采收加工** | 夏、秋季采收，洗净，鲜用或晒干。

| **功能主治** | 微甘，凉。清热解毒。用于疥疮，疮疡肿毒，烫火伤。

| **用法用量** | 内服煎汤，15～30 g。外用适量，捣汁涂；或煎汤洗。

Rubiaceae 玉叶金花属 Mussaenda

黐花
Mussaenda esquirolii Lévl.

| 药 材 名 | 大叶白纸扇（药用部位：茎叶、根）。

| 形态特征 | 直立或攀缘灌木。嫩枝密被短柔毛。叶对生，薄纸质，广卵形或广椭圆形，长 10 ~ 20 cm，宽 5 ~ 10 cm，上面淡绿色，下面浅灰色，脉上毛较稠密；叶柄长 1.5 ~ 3.5 cm，有毛；托叶卵状披针形。聚伞花序顶生，花疏散；苞片托叶状，较小，小苞片线状披针形，渐尖；花萼管陀螺形，被贴伏的短柔毛，萼裂片近叶状，白色，披针形；花叶倒卵形，短渐尖，长 3 ~ 4 cm，近无毛；花冠黄色，花冠管长 1.4 cm，花冠裂片卵形，内面密被黄色小疣突；雄蕊着生于花冠管中部，花药内藏；柱头 2 裂，略伸出花冠外。浆果近球形，直径约 1 cm。花期 5 ~ 7 月，果期 7 ~ 10 月。

| 生境分布 | 生于海拔400 m左右的山地疏林下或路边。湖南各地均有分布。

| 资源情况 | 野生资源丰富。药材来源于野生。

| 采收加工 | 夏季采收茎叶，全年均可采收根，洗净，切碎，晒干或鲜用。

| 功能主治 | 苦、微甘，凉。归肺、胃、大肠经。清热解毒，解暑利湿。用于感冒，中暑高热，咽喉肿痛，痢疾，泄泻，小便不利，无名肿毒，毒蛇咬伤。

| 用法用量 | 内服煎汤，10~30 g。外用适量，捣敷。

茜草科 Rubiaceae 玉叶金花属 Mussaenda

粗毛玉叶金花 *Mussaenda hirsutula* Miq.

| 药 材 名 | 粗毛玉叶金花（药用部位：叶）。

| 形态特征 | 攀缘灌木。小枝密被锈色或灰色柔毛。叶对生，膜质，椭圆形或长圆形，有时近卵形，长7～13 cm，宽2.5～4 cm或超过4 cm，先端短尖或渐尖，基部楔形，两面被稀疏的柔毛，下面及脉上毛较密；侧脉6～7对；叶柄长3～5 mm，密被柔毛；托叶2深裂或2全裂，裂片披针形，密被柔毛。聚伞花序顶生和生于上部叶腋，被贴伏的灰黄色长绒毛；花萼管椭圆形，长4～5 mm，密被柔毛；花冠黄色，外面被短硬毛，花冠管内有橙黄色棒状毛。浆果椭圆状；果柄被毛。花期4～6月，果期7月至翌年1月。

| 生境分布 | 生于海拔340 m的山谷、溪边和旷野灌丛中，常攀缘于林中树冠上。

分布于湖南永州（道县）、怀化（洪江）等。

| **资源情况** | 野生资源稀少。药材来源于野生。

| **采收加工** | 夏季采收，切碎，晒干或鲜用。

| **功能主治** | 清热解毒，解暑利湿。用于感冒，咽喉肿痛，痢疾，无名肿毒。

| **用法用量** | 内服煎汤，6～15 g。外用适量，捣敷。

茜草科 Rubiaceae 玉叶金花属 Mussaenda

玉叶金花 *Mussaenda pubescens* W. T. Aiton

| 药 材 名 | 玉叶金花（药用部位：茎叶。别名：蝴蝶藤、生肌藤、大凉藤）。

| 形态特征 | 攀缘灌木。嫩枝被短柔毛。叶对生或轮生，膜质或薄纸质，卵状长圆形或卵状披针形，长5～8cm，宽2～2.5cm；叶柄长3～8mm，被柔毛；托叶三角形。聚伞花序顶生，花密集；苞片线形；花萼管陀螺形，被柔毛，萼裂片线形；花叶阔椭圆形，长2.5～5cm，宽2～3.5cm，有纵脉5～7；花冠黄色，花冠管长约2cm，花冠裂片长圆状披针形，内面密生金黄色小疣突；花柱短，内藏。浆果近球形，长8～10mm，直径6～7.5mm，疏被柔毛，顶部有萼檐脱落后的环状疤痕，干时黑色；果柄长4～5mm，疏被毛。花期6～7月。

| 生境分布 | 生于灌丛、溪谷、山坡或村旁。湖南各地均有分布。

| 资源情况 | 野生资源丰富。药材来源于野生。

| 采收加工 | 全年均可采收，除去杂质，鲜用或晒干。

| 药材性状 | 本品茎呈圆柱形，直径3～7 mm，表面棕色，具细纵纹、点状皮孔及叶痕。质坚硬，断面黄白色或淡黄绿色，髓部明显，白色。气微，味淡。

| 功能主治 | 甘、微苦，凉。归肝、脾经。清热疏风，凉血解毒。用于感冒，支气管炎，扁桃体炎，肾炎。

| 用法用量 | 内服煎汤，25～50 g。

茜草科 Rubiaceae 腺萼木属 Mycetia

华腺萼木 *Mycetia sinensis* (Hemsl.) Craib

| 药 材 名 |

华腺萼木（药用部位：根。别名：腺萼木、甜茶）。

| 形态特征 |

灌木或亚灌木。高通常20～50 cm，很少近1 m。叶近膜质，长圆状披针形或长圆形，同一节上的叶多少不等大，长8～20 cm，宽3～5 cm，先端渐尖，基部楔尖或稍下延，通常干时苍白色或淡灰绿色，侧脉每边多达20；叶柄长通常不超过2 cm，被柔毛；托叶长圆形或倒卵形，长5～12 mm，先端钝或圆，有脉纹。聚伞花序顶生，单生或2～3簇生，有花多朵；苞片似托叶，基部穿茎，边缘常条裂，很少近全缘，基部有黄色具柄的腺体；花梗长1～2.5 mm；萼管半球状，裂片草质；花冠白色，狭管状，外面无毛，檐部5裂。果实近球形，成熟时白色。花期7～8月，果期9～11月。

| 生境分布 |

生于密林下的沟溪边或林中路旁。分布于湘东、湘南等。

| **资源情况** | 野生资源较少。药材来源于野生。

| **采收加工** | 秋季采挖,洗净,晒干。

| **功能主治** | 除湿利水。用于小便不利。

| **用法用量** | 内服煎汤,15 ~ 20 g。

茜草科 Rubiaceae 新耳草属 Neanotis

薄叶新耳草 *Neanotis hirsuta* (L. f.) Lewis

| 药 材 名 | 小沙锅草（药用部位：全草）。

| 形态特征 | 匍匐草本，下部常生不定根。茎柔弱，具纵棱。叶卵形或椭圆形，长2～4 cm，宽1～1.5 cm，先端短尖；叶柄长4～5 mm；托叶膜质，基部合生。花序腋生或顶生，有花1至数朵，常聚集成头状，有长5～10 mm、纤细、不分枝的总花梗；花白色或浅紫色；萼管管形，萼檐裂片线状披针形；花冠漏斗形，长4～5 mm，裂片阔披针形；花柱略伸出，柱头2浅裂。蒴果扁球形，直径2～2.5 mm，顶部平，宿存萼檐裂片长约1.2 mm；种子微小，平凸，有小窝孔。花果期7～10月。

| 生境分布 | 生于林下或溪旁湿地上。分布于湖南衡阳（衡山）、怀化（靖州）等。

| **资源情况** | 野生资源较少。药材来源于野生。

| **采收加工** | 夏、秋季采收，除去杂质，洗净，晒干。

| **功能主治** | 辛、苦，寒。清热明目，祛痰利尿。用于目赤肿痛，尿频，尿痛。

| **用法用量** | 内服煎汤，10 ~ 15 g。

茜草科 Rubiaceae 新耳草属 Neanotis

臭味新耳草 *Neanotis ingrata* (Wall. ex Hook. f.) W. H. Lewis

| 药 材 名 | 臭味新耳草（药用部位：全草。别名：一柱香）。

| 形态特征 | 多年生草本，高 0.7 ~ 1 m，全株有臭味。茎有明显的直棱或槽，少分枝或不分枝，直立或下部卧地，无毛或在节上被毛。叶卵状披针形，稀为卵形或长椭圆形，长 4 ~ 9 cm，宽 1.4 ~ 3.4 cm，先端渐尖，基部渐狭，边具缘毛，两面均被疏柔毛，干后常变黑色；中脉在下面平坦，侧脉纤细，每边 7 ~ 9，不大明显；托叶顶部分裂为数条刚毛状、长 10 ~ 15 mm 的裂片，具缘毛。多歧聚伞花序顶生或近顶生，有总花梗；花无梗或具短梗；花盛开时花萼长 2.5 mm，萼檐裂片外反，长于萼管，披针形，边具缘毛；花冠白色，长 4 ~ 5 mm，宽 4 mm，裂片长圆形，先端钝；雄蕊和花柱均伸出花冠管。蒴果近扁球状，通常无毛，每室有种子数粒；种子小，黑褐色，平凸，有

小疣点。花期 6 ~ 9 月。

| **生境分布** | 生于海拔 1 000 m 以上的山坡林内或河谷两岸的草坡上。分布于湖南邵阳（邵阳）等。

| **资源情况** | 野生资源较少。药材来源于野生。

| **采收加工** | 全年均可采收，洗净晒干或鲜用。

| **功能主治** | 辛，凉。清热解毒，散瘀活血。用于赤眼红肿，无名肿毒，跌打损伤，蛇咬伤。

| **用法用量** | 内服煎汤，10 ~ 15 g。外用适量，捣敷；或煎汤洗。

茜草科 Rubiaceae 新耳草属 Neanotis

广东新耳草 Neanotis kwangtungensis (Merr. et F. P. Metcalf) W. H. Lewis

| 药 材 名 |

广东新耳草（药用部位：全草）。

| 形态特征 |

匍匐草本。茎无毛，具棱，常在下部的节上生根。叶椭圆形，长4～6.5 cm，宽约2 cm，先端渐尖，基部短尖，无毛或在上面散生短柔毛，边缘具极短而稀疏的缘毛；叶脉不明显，侧脉每边5～9，略明显，下面平坦；叶柄纤细，长6～10 mm；托叶先端分裂为数条线形、长2～3 mm的裂片。花序腋生和生于小枝先端；花具短梗，无毛，萼管杯形，长1～2 mm，萼檐裂片阔三角形与萼管近等长；花冠长3 mm，管长约1 mm，裂片长圆形，长2 mm，具明显的脉纹；雄蕊生于花冠喉部，花丝短，花药长圆形，两端钝；花柱内藏，柱头2裂。果实近球形，具短柄，有狭披针形、外反的宿存萼檐裂片。花果期8～9月。

| 生境分布 |

生于潮湿的缓坡或溪流两边的林下。分布于湖南郴州（宜章、桂东）等。

| **资源情况** | 野生资源较少。药材来源于野生。

| **采收加工** | 全年均可采收，洗净晒干或鲜用。

| **功能主治** | 清热解毒。外用于外伤出血。

| **用法用量** | 外用适量，晒干，研末，麻油调擦。

茜草科 Rubiaceae 薄柱草属 Nertera

薄柱草 *Nertera sinensis* Hemsl.

| 药 材 名 | 薄柱草（药用部位：全草）。

| 形态特征 | 簇生小草，无毛。茎纤细，柔弱，长5～10 cm，近匍匐，节上生根。叶小，具柄，纸质，长圆状披针形，长7～16 mm，宽3.5～5 mm，先端短尖或微锐尖，基部楔形，两面均有微小秕鳞；叶柄长1.3 mm，叶脉纤细；托叶三角形，基部阔，与叶柄合生，顶部长尖，先端钝。花小，直径1.3 mm，单朵顶生，无花梗，具总苞；总苞小，杯形，有2尖头；萼檐裂片细小，截头形；花冠浅绿色，辐形，顶部4裂，裂片钝；雄蕊4，伸出花冠管；花柱2，深裂。核果深蓝色，球形，直径约2 mm，内有小核4。花期7～8月。

| 生境分布 | 生于海拔500～1 300 m的山坡、路旁、沟边、河边岩石上。分布于

湖南郴州（汝城）、永州（东安）、怀化（洪江）、湘西州（龙山）、衡阳（常宁）等。

| **资源情况** | 野生资源较丰富。药材来源于野生。

| **采收加工** | 秋季采收，洗净，鲜用或晒干。

| **功能主治** | 苦，凉。清热解毒。用于烧伤，烫伤，感冒咳嗽。

| **用法用量** | 内服煎汤，6～15 g。外用适量，鲜品捣汁涂；或干叶研末撒。

茜草科 Rubiaceae 蛇根草属 Ophiorrhiza

广州蛇根草 *Ophiorrhiza cantoniensis* Hance

| 药 材 名 | 朱砂草（药用部位：全草。别名：紫金莲）。

| 形态特征 | 草本或亚灌木。茎基部匍地，节上生根，上部直立。叶片纸质，长圆状椭圆形，长 12 ~ 16 cm；叶柄长 1.5 ~ 4 cm，压扁；托叶早落。花序顶生，圆锥状或伞房状，有极多花，疏松；花二型，花柱异长。长柱花的花萼被短柔毛，萼管陀螺状；花冠白色或微红，近管状，里面中部有 1 环白色长柔毛，裂片 5，近三角形，盛开时反折；雄蕊 5，花丝短；花盘高凸，2 全裂；花柱与花冠管近等长，2 裂，裂片圆卵形。短柱花的花萼、花冠和花盘均同长柱花；雄蕊生于花冠喉部下方；柱头裂片披针形。蒴果僧帽状；种子很多，细小而有棱角。花期冬、春季，果期春、夏季。

| 生境分布 | 生于密林下沟谷边。分布于湖南邵阳（绥宁、新宁）、怀化（沅陵）、湘西州（古丈、永顺、凤凰、保靖）等。

| 资源情况 | 野生资源较少。药材来源于野生。

| 采收加工 | 秋季采收全草，洗净，晒干。

| 功能主治 | 淡，平。消炎，止泻。用于肠炎，泄泻。

| 用法用量 | 内服煎汤，15～30 g。

茜草科 Rubiaceae 蛇根草属 Ophiorrhiza

中华蛇根草 *Ophiorrhiza chinensis* Lo

| 药 材 名 | 中华蛇根草（药用部位：全草）。

| 形态特征 | 草本或亚灌木状。叶纸质，披针形至卵形，长 3.5 ~ 12 cm，全缘；叶柄长 1 ~ 4 cm；托叶早落。花序顶生，具多花，总梗长 1.5 ~ 3.5 cm，螺状，密被极短柔毛；花二型，花柱异长。长柱花的萼管近陀螺形，有 5 棱，裂片 5；花冠白色或微染紫红色，管状漏斗形，近中部有 1 圈稠密的白色长柔毛，裂片 5；雄蕊 5，生于花冠管中部稍下，花丝极短；花柱长 16 ~ 18 mm，柱头 2 深裂，裂片粗厚。短柱花的花冠中部无毛环；雄蕊生于喉部下方；花柱长 3.5 ~ 4 mm，柱头裂片薄，长圆形。果序粗壮，分枝达 5 ~ 6 cm；果柄粗壮，通常长 3 ~ 4 mm；种子小，多数，有棱角。花期冬、春季，果期春、夏季。

| 生境分布 | 生于阔叶林下的潮湿沃土中。分布于湖南邵阳（邵阳）、张家界（武陵源）、郴州（临武、汝城）、永州（东安、道县）、怀化（中方、辰溪、麻阳）、湘西州（吉首、花垣）等。

| 资源情况 | 野生资源较丰富。药材来源于野生。

| 采收加工 | 夏、秋季采收，洗净，鲜用或晒干。

| 功能主治 | 淡，平。止咳祛痰，活血调经。用于肺结核咯血，气管炎，月经不调；外用于扭挫伤。

| 用法用量 | 内服煎汤，10 ~ 30 g。外用适量，捣敷。

茜草科 Rubiaceae 蛇根草属 Ophiorrhiza

日本蛇根草 Ophiorrhiza japonica Bl.

| 药 材 名 | 蛇根草（药用部位：全草。别名：散血草）。

| 形态特征 | 草本；茎下部匍地生根，上部直立，近圆柱状，有 2 列柔毛。叶片纸质，卵形，长 4 ~ 8 cm，宽 1 ~ 3 cm；叶柄压扁，1 ~ 2 cm。花序顶生，具多花，总梗长 1 ~ 2 cm；花二型，花柱异长。长柱花的小苞片披针状线形；萼管陀螺状，有 5 棱；花冠白色或粉红色，近漏斗形，裂片 5，三角状卵形，长 2.5 ~ 3 mm，喙状，里面被鳞片状毛，背面有翅；雄蕊 5，着生在花冠管中部之下，花药线形，长 2.5 ~ 3 mm；花柱长 9 ~ 11 mm，柱头 2 裂，裂片近圆形，不伸出。短柱花的雄蕊生于喉部下方，花药长 2.5 mm，不伸出；花柱长约 3 mm，柱头裂片披针形。蒴果近僧帽状。花期冬、春季，果期春、夏季。

| 生境分布 | 生于常绿阔叶林下的沟谷沃土中。湖南各地均有分布。

| 资源情况 | 野生资源较丰富。药材来源于野生。

| 采收加工 | 夏、秋季采收,洗净,鲜用或晒干。

| 药材性状 | 本品长 10 ~ 20 cm。茎圆柱形,基部节上具少数须根;幼枝具棱,红色。叶对生,红色或淡红紫色,多皱缩,展开后呈狭卵形,长 2.5 ~ 8 cm,宽 1 ~ 3 cm,具长 1 ~ 2 cm 的纤细叶柄。聚伞花序顶生,二叉分枝;花冠筒状漏斗形,5 裂。蒴果扁倒三角形,红紫色。气无,味淡。以枝条粗壮、叶多、色淡红紫色者为佳。

| 功能主治 | 淡,平。活血散瘀,祛痰,调经,止血。用于支气管炎,劳伤咳嗽,月经不调,跌打损伤,风湿筋骨痛,扭伤等。

| 用法用量 | 内服煎汤,15 ~ 30 g。外用适量,捣敷。

茜草科 Rubiaceae 鸡矢藤属 *Paederia*

耳叶鸡矢藤 *Paederia cavaleriei* H. Lévl.

| 药 材 名 | 耳叶鸡矢藤（药用部位：全株）。

| 形态特征 | 缠绕灌木。茎、枝圆柱形，被锈色绒毛。叶近膜质，卵形、长圆状卵形至长圆形，长6～18 cm，宽2.5～10 cm，先端长渐尖，基部圆形或截头状心形，两面均被锈色绒毛，下面被毛稍密；侧脉每边5～10，两面皆明显，横脉近平行，松散，不明显；叶柄被毛，长2～8 cm；托叶三角状披针形，长6～10 mm，外面被绒毛，内面无毛或有柔毛。花具短梗，聚集成小头状，有小苞片，此小头状花再排成腋生或顶生的复总状花序，长7～18 cm，具总花梗；萼管倒卵形，长1.8 mm，无毛或被毛，萼檐裂片5，三角形，长约1 mm，无毛或被毛；花冠管状，上部稍膨大，长8 mm，外面被粉

末状绒毛，裂片5，极短，长约5 mm，外反。成熟的果实球形，直径4.5～5 mm，光滑，草黄色，冠以三角形的宿存萼檐裂片和隆起的花盘；小坚果无翅，浅黑色。花期6～7月，果期10～11月。

| 生境分布 | 生于海拔300～1 400 m的山地灌丛。分布于湖南长沙（望城）、株洲（渌口、荷塘、石峰）等。

| 资源情况 | 野生资源较少。药材来源于野生。

| 采收加工 | 夏季采收，洗净，晒干。

| 功能主治 | 祛风利湿，消食化积，止咳，止痛。用于风湿疼痛，跌打损伤，消化不良，气管炎。

| 用法用量 | 内服煎汤，15～25 g；或浸酒。外用适量，捣敷；或煎汤洗。

茜草科 Rubiaceae 鸡矢藤属 Paederia

白毛鸡矢藤 *Paederia pertomentosa* Merr. ex Li

| 药 材 名 | 广西鸡矢藤（药用部位：茎叶）。

| 形态特征 | 亚灌木或草质藤本，长约 3.5 m，茎、枝和叶下面密被短绒毛。茎圆柱形，直径 2 mm。叶纸质，卵状椭圆形，长 6 ~ 11 cm，宽 2.5 ~ 5 cm，先端渐尖，基部浑圆；侧脉两边各 8；叶柄长 2 ~ 5 cm。花序腋生和顶生，长 15 ~ 30 cm，着生于中轴上的花密集成团伞式，近轮生，有短梗；花 5 基数；花冠裂片张开呈蔷薇状；萼檐裂片短三角形，短尖；花冠管外面密被小柔毛，长 5 mm，裂片卵形，长 1 ~ 1.2 mm。成熟的果实球形，禾草色，有光泽；小坚果半球形，直径 3 ~ 4 mm，干后黑色。花期 6 ~ 7 月，果期 10 ~ 11 月。

| 生境分布 | 生于低海拔或石灰岩山地的矮林内。分布于湖南株洲（石峰）、郴

州（北湖）、湘潭（湘乡）、怀化（沅陵）、娄底（涟源）等。

| 资源情况 | 野生资源较少。药材来源于野生。

| 采收加工 | 夏、秋季采收，晒干或鲜用。

| 功能主治 | 甘，微凉，气臭。清肝热，化气消积，去大肠湿热。用于小儿惊风、喘咳不息，疳积，遗尿，食积腹痛，皮肤瘙痒等。

| 用法用量 | 内服煎汤，15 ~ 30 g。外用煎汤洗，50 ~ 100 g。

茜草科 Rubiaceae 鸡矢藤属 Paederia

鸡矢藤 Paederia scandens (Lour.) Merr.

| 药 材 名 | 鸡屎藤（药用部位：全株）。

| 形态特征 | 藤本。茎长3～5m，无毛。叶对生，纸质或近革质，卵形、卵状长圆形至披针形；侧脉每边4～6，纤细；叶柄长1.5～7cm；托叶长3～5mm，无毛。圆锥形聚伞花序腋生和顶生，分枝对生，末次分枝上着生的花常呈蝎尾状排列；小苞片披针形；萼管陀螺形，长1～1.2mm，萼檐裂片5，裂片三角形；花冠浅紫色，花冠管长7～10mm，外面被粉末状柔毛，里面被绒毛，顶部5裂，裂片长1～2mm，先端急尖而直；花药背着，花丝长短不齐。果实球形，成熟时近黄色，有光泽，平滑，直径5～7mm，顶冠以宿存的萼檐裂片和花盘；小坚果无翅，浅黑色。花期5～7月。

| 生境分布 | 生于海拔200～2 000 m的山坡、林中、林缘、沟谷边灌丛中或缠绕在灌木上。湖南各地均有分布。 |

| 资源情况 | 野生资源丰富。药材来源于野生。 |

| 采收加工 | 夏季采收，晒干。 |

| 功能主治 | 甘、酸，平。归心、肝、脾、肾经。祛风利湿，消食化积，止咳，止痛。用于风湿筋骨痛，跌打损伤，外伤性疼痛，腹泻，痢疾，消化不良，疳积，肺痨咯血，肝胆、胃肠绞痛，黄疸型肝炎，支气管炎，放射反应引起的白细胞减少症，农药中毒；外用于皮炎，湿疹及疮疡肿毒。 |

| 用法用量 | 内服煎汤，15～30 g。外用适量，捣敷。 |

茜草科 Rubiaceae 鸡矢藤属 Paederia

毛鸡矢藤 Paederia scandens (Lour.) Merr. var. tomentosa (Bl.) Hand.-Mazz.

| 药 材 名 | 白鸡屎藤（药用部位：全株。别名：臭皮藤、臭茎子、迎风子）。

| 形态特征 | 藤本。茎长 3 ~ 5 m；小枝被柔毛或绒毛。叶对生，纸质或近革质，卵形、卵状长圆形至披针形，上面被柔毛或无毛，下面被小绒毛或近无毛；叶柄长 1.5 ~ 7 cm；托叶长 3 ~ 5 mm。圆锥形聚伞花序腋生和顶生，分枝对生，常被小柔毛；小苞片披针形；萼管陀螺形，长 1 ~ 1.2 mm，萼檐裂片 5，裂片三角形；花冠浅紫色，花冠管长 7 ~ 10 mm，外面常有海绵状白毛，顶部 5 裂，裂片长 1 ~ 2 mm，先端急尖而直；花药背着，花丝长短不齐。果实球形，成熟时近黄色，有光泽，平滑，直径 5 ~ 7 mm，顶冠以宿存的萼檐裂片和花盘；小坚果无翅，浅黑色。花期夏、秋季。

| 生境分布 | 生于海拔 200 ~ 2 000 m 的山坡、林中、林缘、沟谷边灌丛中或缠绕在灌木上。湖南各地均有分布。

| 资源情况 | 野生资源丰富。药材来源于野生。

| 采收加工 | 全年均可采收，晒干或晾干。

| 功能主治 | 甘，平。祛风除湿，消食化积，解毒消肿，活血止痛。用于风湿痹痛，食积腹胀，疳积，痢疾，黄疸，肠痈，湿疹，皮炎，跌打损伤，蛇咬蝎蜇。

| 用法用量 | 内服煎汤，15 ~ 25 g。外用适量，捣敷。

茜草科 Rubiaceae 大沙叶属 Pavetta

香港大沙叶 Pavetta hongkongensis Bremek.

| 药 材 名 | 大沙叶（药用部位：全株。别名：山铁尺、茜木、满天星）。

| 形态特征 | 灌木或小乔木。高 1 ~ 4 m。叶对生，膜质，长圆形至椭圆状倒卵形，长 8 ~ 15 cm，宽 3 ~ 6.5 cm，先端渐尖，基部楔形，侧脉每边约 7，在上面平坦，在下面凸起；叶柄长 1 ~ 2 cm；托叶阔卵状三角形。花序生于侧枝顶部，具多花；花具梗，花梗长 3 ~ 6 mm；萼管钟形，萼檐扩大，在顶部不明显 4 裂，裂片三角形；花冠白色，花冠管长约 15 mm，外面无毛，内面基部被疏柔毛；花丝极短，花药突出，线形，花开时部分旋扭；花柱长约 35 mm，柱头棒形，全缘。果实球形，直径约 6 mm。花期 3 ~ 4 月。

| 生境分布 | 生于海拔 200 ~ 1 300 m 的灌丛中。分布于湖南郴州（临武、汝城）、

永州（东安、江永、蓝山）等。

| 资源情况 | 野生资源较少。药材来源于野生。

| 采收加工 | 全年均可采收，晒干或鲜用。

| 功能主治 | 苦、辛，寒。清热解毒，活血祛瘀。用于感冒发热，中暑，肝炎，跌打损伤，风毒疥癫。

| 用法用量 | 内服煎汤，15～30 g。

茜草科 Rubiaceae 九节属 Psychotria

九节
Psychotria rubra (Lour.) Poir.

| 药 材 名 | 山大颜（药用部位：嫩枝叶）。

| 形态特征 | 灌木或小乔木。叶对生，纸质或革质，长圆形、椭圆状长圆形或倒披针状长圆形，长 5 ~ 23.5 cm，宽 2 ~ 9 cm，侧脉 5 ~ 15 对，弯拱向上；叶柄长 0.7 ~ 5 cm；托叶膜质，短鞘状，脱落。聚伞花序通常顶生，具多花，总花梗极短，近基部 3 歧，伞房状或圆锥状；萼管杯状，檐部扩大；花冠白色，花冠管长 2 ~ 3 mm，喉部被白色长柔毛，花冠裂片近三角形，开放时反折；雄蕊与花冠裂片互生，花药长圆形，伸出，花丝长 1 ~ 2 mm；柱头 2 裂。核果球形或宽椭圆形，长 5 ~ 8 mm，直径 4 ~ 7 mm，有纵棱，红色；果柄长 1.5 ~ 10 mm；小核背面凸起，具纵棱，腹面平而光滑。花果期全年。

| 生境分布 | 生于海拔 20 ~ 1 500 m 的平地、丘陵、山坡、山谷溪边的灌丛或林中。分布于湖南怀化（鹤城）等。

| 资源情况 | 野生资源稀少。药材来源于野生。

| 采收加工 | 全年均可采收，鲜用或洗净，切片，晒干。

| 药材性状 | 本品干燥后呈棕红色或暗红色。茎圆柱形；枝近四方形，表面均有纵裂纹；皮部薄，易剥落；断面中空，并可见圆环状线纹。叶皱缩，上面暗红色，下面淡红色，侧脉腋内可见簇生的短柔毛。气微，味淡。

| 功能主治 | 苦，寒。归肺、膀胱经。清热解毒，消肿拔毒。用于白喉，扁桃体炎，咽喉炎，痢疾，肠伤寒，胃痛，风湿骨痛；外用于跌打肿痛，外伤出血，疮疡肿毒，下肢溃疡，毒蛇咬伤。

| 用法用量 | 内服煎汤，15 ~ 30 g。外用适量，捣敷。

茜草科 Rubiaceae 九节属 Psychotria

蔓九节 *Psychotria serpens* L. Mant.

| 药 材 名 |

穿根藤（药用部位：全株。别名：春根藤、木头疳、伸筋藤）。

| 形态特征 |

多分枝、攀缘或匍匐藤本。长可达 6 m 或更长。叶对生，纸质或革质，叶形变化很大，年幼植株的叶多呈卵形或倒卵形，年老植株的叶多呈椭圆形、披针形、倒披针形或倒卵状长圆形，长 0.7 ~ 9 cm，宽 0.5 ~ 3.8 cm，干时苍绿色或暗红褐色，侧脉 4 ~ 10 对。聚伞花序顶生，常 3 歧分枝，圆锥状或伞房状，具少至多花；苞片和小苞片线状披针形；花萼倒圆锥形，长约 2.5 mm，檐部扩大，先端 5 浅裂，裂片三角形；花冠白色，花冠管与花冠裂片近等长，长 1.5 ~ 3 mm，花冠裂片长圆形，喉部被白色长柔毛。浆果状核果球形或椭圆形，具纵棱，常呈白色。花期 4 ~ 6 月，果期全年。

| 生境分布 |

生于海拔 70 ~ 1 360 m 的平地、丘陵、山地、山谷水旁的灌丛或林中。分布于湘南等。

| 资源情况 | 野生资源一般。药材来源于野生。

| 采收加工 | 全年均可采收，洗净，切段，晒干或鲜用。

| 功能主治 | 苦、辛，平。祛风除湿，舒筋活络，消肿止痛。用于风湿关节痛，手足麻木，腰肌劳损，坐骨神经痛，多发性痈肿，骨结核，跌打损伤，骨折，毒蛇咬伤。

| 用法用量 | 内服煎汤，15～30 g，鲜品30～60 g；或捣汁；或浸酒。外用适量，捣汁涂；或研末调敷。孕妇忌服。

茜草科 Rubiaceae 茜草属 Rubia

金剑草 *Rubia alata* Roxb.

| 药 材 名 | 金剑草（药用部位：根及根茎。别名：小茜草）。

| 形态特征 | 草质攀缘藤本。茎、枝干时灰色，有光泽，均有4棱或4翅，棱上有倒生皮刺。4叶轮生，叶片薄革质，线形、披针状线形或狭披针形，长3.5~9 cm，宽0.4~2 cm，先端渐尖，基部圆形至浅心形，边缘反卷；基出脉3或5；叶柄2长2短。花序腋生或顶生，呈多回分枝的圆锥花序式；花梗直，有4棱；小苞片卵形；萼管近球形，2浅裂；花冠稍肉质，白色或淡黄色，上部扩大，裂片5；雄蕊5，生于花冠管中部，伸出，花药与花丝近等长；花柱粗壮，先端2裂，柱头球状。浆果成熟时黑色，球形或双球形，长0.5~0.7 mm。花期夏初至秋初，果期秋、冬季。

| 生境分布 | 生于海拔 20 ~ 1 500 m 的平地、丘陵、山坡、山谷溪边的灌丛或林中。分布于湖南怀化（鹤城）等。

| 资源情况 | 野生资源稀少。药材来源于野生。

| 采收加工 | 春、秋季采挖，洗净泥沙，晒干。

| 药材性状 | 本品根茎呈较小的团块状，丛生粗细不等的根，常有 1 明显的主根。根呈圆柱形，长 6 ~ 10 cm，直径 1 ~ 3 mm；表面红棕色或棕褐色，略有细纵皱纹及细根痕；质较硬而脆，断面平坦，皮部狭窄，紫红色，木部约占横断面的 1/2，呈浅红色或黄红色。气微，味淡，久嚼麻舌。

| 功能主治 | 苦，寒。归肝经。凉血，止血，祛瘀，通经。用于吐血，衄血，崩漏下血，外伤出血，经闭瘀阻，关节痹痛，跌打肿痛。

| 用法用量 | 内服煎汤，15 ~ 30 g。外用适量，捣敷。

茜草科 Rubiaceae 茜草属 *Rubia*

东南茜草 *Rubia argyi* (Lévl. et Vaniot) Hara ex Lauener et D. K. Ferguson

| 药 材 名 | 东南茜草（药用部位：根及根茎。别名：主线草）。

| 形态特征 | 多年生草质藤本。茎、枝均有 4 直棱，或 4 狭翅，棱上有倒生钩状皮刺。4 叶轮生，1 对较大，另 1 对较小，叶片纸质，心形至阔卵状心形，两面粗糙；基出脉 5～7；叶柄长 0.5～5 cm，有直棱，棱上生许多皮刺。聚伞花序分枝成圆锥花序式，顶生和于小枝上部腋生；小苞片卵形或椭圆状卵形；花梗稍粗壮；萼管近球形；花冠白色，质地稍厚，花冠管长 0.5～0.7 mm，裂片 4～5，伸展；雄蕊 5，花丝短，带状；花柱粗短，2 裂，柱头 2，头状。浆果近球形（1 心皮发育），宽 9 mm，成熟时黑色。

| 生境分布 | 生于林缘、灌丛或村边园篱等处。湖南各地均有分布。

| **资源情况** | 野生资源较少。药材来源于野生。

| **采收加工** | 春、秋季采挖，洗净泥沙，晒干。

| **功能主治** | 苦，寒。归肝经。凉血止血，活血化瘀。用于吐血，衄血，尿血，便血，血滞经闭，跌打瘀痛，风湿痹痛。

| **用法用量** | 内服煎汤，15～30 g。外用适量，捣敷。

茜草科 Rubiaceae 茜草属 Rubia

茜草 *Rubia cordifolia* L.

药材名

茜草（药用部位：根及根茎。别名：入骨丹、红内消、茜根）。

形态特征

草质攀缘藤木。根茎和其节上的须根均为红色；茎数至多条，从根茎的节上发出，细长，方柱形，有4棱，棱上生倒生皮刺，中部以上多分枝。通常4叶轮生；叶片纸质，披针形或长圆状披针形，长0.7～3.5 cm，先端渐尖，有时钝尖，基部心形，边缘有齿状皮刺，基出脉3，极少外侧有1对很小的基出脉；叶柄长通常1～2.5 cm，有倒生皮刺。聚伞花序腋生和顶生，多回分枝，有花10余朵至数十朵，花序和分枝均细瘦，有微小皮刺；花冠淡黄色，干时淡褐色，花冠裂片近卵形，微伸展，外面无毛。果实球形，成熟时橘黄色。花期8～9月，果期10～11月。

生境分布

生于疏林、林缘、灌丛或草地上。分布于湖南常德（石门）、张家界（桑植）等。

资源情况

野生资源稀少。药材来源于野生。

| 采收加工 | 春、秋季采挖，除去茎苗，去净泥土，晒干。

| 功能主治 | 苦，寒。凉血止血，活血化瘀。用于血热咯血，吐血，尿血，便血，崩漏，经闭，产后瘀阻腹痛，跌打损伤，风湿痹痛，黄疸，疮痈，痔肿。

| 用法用量 | 内服煎汤，10 ~ 15 g；或入丸、散剂；或浸酒。脾胃虚寒及无瘀滞者慎服。

茜草科 Rubiaceae 茜草属 Rubia

金线茜草 Rubia membranacea Diels

| 药 材 名 | 金线茜草（药用部位：地上部分）。

| 形态特征 | 草质攀缘藤本。茎、枝均有4棱，茎通常粗糙或覆倒生短皮刺。4叶轮生，叶片膜状纸质或薄纸质；基出脉3～5。聚伞花序有3花或排成长2～3 cm的圆锥花序式，腋生和顶生；苞片狭披针形；萼管2浅裂；花冠紫红色，辐状，裂片5，伸展，边缘背卷，有3脉，上面密覆微小乳头状或鳞片状毛；雄蕊5，生于花冠管近基部，花丝粗壮，长0.25～0.35 mm，花药与花丝近等长或稍短于花丝；花柱2裂至基部，长约3 mm，柱头头状。浆果近球形，直径5～6 mm，成熟时深蓝色或黑色。花期5～6月，果期8～10月。

| 生境分布 | 生于海拔1 100～1 800 m的疏林、林缘、灌丛或草地上。湖南各地

均有分布。

| 资源情况 | 野生资源较少。药材来源于野生。

| 采收加工 | 秋季采收，洗净，晒干。

| 功能主治 | 甘，平。补血活血，祛风除湿。用于贫血，头晕失眠，风湿痹痛，慢性胃炎，跌打损伤，月经不调。

| 用法用量 | 内服煎汤，15 ~ 30 g；或浸酒。外用适量，捣敷。

茜草科 Rubiaceae 茜草属 Rubia

卵叶茜草 Rubia ovatifolia Z. Y. Zhang

| 药 材 名 | 卵叶茜草（药用部位：根及根茎。别名：小茜草）。

| 形态特征 | 攀缘草本。茎、枝稍纤细，有4棱。4叶轮生，叶片薄纸质，卵状心形至圆心形，长4～8 cm，宽2～5 cm，先端尾状渐尖，基部深心形；基出脉5～7，纤细；叶柄细而长。聚伞花序排成疏花圆锥花序式，腋生和顶生，比叶短，花序轴和分枝均纤细，有直线棱；小苞片线形或披针状线形；萼管近扁球形，2浅裂；花冠淡黄色或绿黄色，质稍薄，裂片5，反折，卵形，里面覆有许多微小颗粒；雄蕊5，生于花冠管口部，花丝和花药均长约0.4 mm。浆果球形，直径6～8 mm，有时双球形，成熟时黑色。花期7月，果期10～11月。

| 生境分布 | 生于海拔1 700～1 900 m的山地疏林或灌丛中。分布于湖南常德（安乡、澧县、桃源）、张家界（武陵源、桑植）、郴州（临武）、怀化（会同、麻阳）、娄底（娄星、新化）、湘西州（永顺）、衡阳（衡东）、永州（东安）等。

| 资源情况 | 野生资源一般。药材来源于野生。

| 采收加工 | 春、秋季采挖，洗净泥沙，晒干。

| 药材性状 | 本品根茎呈结节状，主根不明显，丛生多数细根。根直径0.5～2 mm，表面暗棕色。

| 功能主治 | 苦，寒。归肝经。凉血，止血，祛瘀，通经。用于吐血，衄血，崩漏下血，外伤出血，经闭瘀阻，关节痹痛，跌打肿痛。

| 用法用量 | 内服煎汤，15～30 g。外用适量，捣敷。

茜草科 Rubiaceae 茜草属 Rubia

多花茜草 Rubia wallichiana Decne. Recherch. Anat. et Physiol.

| 药 材 名 |

多花茜草（药用部位：根及根茎。别名：红丝线、三爪龙）。

| 形态特征 |

草质攀缘藤本。长1～3m或更长。叶4（～6）轮生，极薄纸质至近膜质，披针形，偶有卵状披针形，长2～7cm，宽0.5～2.5cm，先端渐尖或长渐尖，基部圆心形或近圆形，基出脉5，最外侧的2纤细且不很明显。花序腋生和顶生，由多数小聚伞花序排成圆锥花序式，有时多个结成腋生、带叶的大型圆锥花序；花梗纤细，长3～4mm，结果时伸长；萼管近球形，2浅裂，干时黑色；花冠紫红色、绿黄色或白色，辐状，花冠管很短，裂片披针形，先端渐尖，尖头常变硬。浆果球形，单生或孪生，黑色。

| 生境分布 |

生于海拔300～1500m的林中、林缘和灌丛中，攀于树上，有时亦见于旷野草地上或村边园篱上。分布于湖南邵阳（新宁）、永州（东安）等。

| 资源情况 | 野生资源较少。药材来源于野生。

| 采收加工 | 秋季采挖，洗净，晒干。

| 功能主治 | 苦，寒。凉血止血，活血化瘀。用于衄血，吐血，便血，崩漏，月经不调，经闭腹痛，风湿关节痛，肝炎，跌打损伤，疖肿。

| 用法用量 | 内服煎汤，3～9g。外用适量，研末调敷；或煎汤洗。

茜草科 Rubiaceae 白马骨属 Serissa

六月雪 *Serissa japonica* (Thunb.) Thunb.

| 药 材 名 | 六月雪（药用部位：全株）。

| 形态特征 | 小灌木，高60～90 cm，有臭气。叶革质，卵形至倒披针形，长6～22 mm，宽3～6 mm，先端短尖至长尖，全缘，无毛；叶柄短。花单生或数朵丛顶生或腋生；苞片被毛、边缘浅波状；萼檐裂片细小，锥形，被毛；花冠淡红色或白色，长6～12 mm，裂片扩展，先端3裂；雄蕊突出花冠喉部；花柱长，突出，柱头2，直，略分开。花期5～7月。

| 生境分布 | 生于河边、溪边或丘陵的杂木林内。栽培于含腐殖质、疏松肥沃、通透性强的微酸性、湿润土壤。湖南各地均有分布。

| 资源情况 | 野生资源一般。栽培资源丰富。药材来源于野生和栽培。

| 采收加工 | 全年均可采收，洗净，鲜用；或切段，晒干。

| 功能主治 | 淡、微辛，凉。疏肝解郁，清热利湿，消肿拔毒，止咳化痰。用于急性肝炎，风湿腰腿痛，痈肿恶疮，蛇咬伤，脾虚泄泻，疳积，带下，目翳，肠痈，狂犬病。

| 用法用量 | 内服煎汤，25～50 g。外用适量，煎汤洗；或烧末敷。

茜草科 Rubiaceae 白马骨属 Serissa

白马骨 *Serissa serissoides* (DC.) Druce

| 药 材 名 | 白马骨（药用部位：根）。

| 形态特征 | 小灌木。枝粗壮，灰色，被短毛。叶丛生，薄纸质，倒卵形或倒披针形，长1.5～4 cm，宽0.7～1.3 cm，基部收狭成1短柄；侧脉每边2～3，上举；托叶具锥形裂片，长约2 mm，基部阔，膜质，被疏毛。花无梗，生于小枝顶部，有苞片；苞片膜质，斜方状椭圆形，长渐尖，长约6 mm，具疏散的小缘毛；花托无毛；萼檐裂片5，披针状锥形，极尖锐，长约4 mm，具缘毛；花冠管长约4 mm，外面无毛，喉部被毛，裂片5，长圆状披针形，长约2.5 mm；花药内藏，长约1.3 mm；花柱柔弱，长约7 mm，2裂，裂片长约1.5 mm。花期4～6月。

| 生境分布 | 生于荒地或草坪。栽培于排水良好的砂壤土中。湖南有广泛分布。

| 资源情况 | 野生资源较丰富。栽培资源一般。药材来源于野生和栽培。

| 采收加工 | 秋季采挖，洗净，切段，鲜用或晒干。

| 功能主治 | 淡、微辛，凉。疏肝解郁，清热利湿，消肿拔毒，止咳化痰。用于急性肝炎，风湿腰腿痛，痈肿恶疮，蛇咬伤，脾虚泄泻，疳积，带下，目翳，肠痈，狂犬病。

| 用法用量 | 内服煎汤，25～50 g。外用适量，煎汤洗；或烧末敷。

茜草科 Rubiaceae 鸡仔木属 Sinoadina

鸡仔木 Sinoadina racemosa (Sieb. et Zucc.) Rsisd.

| 药 材 名 |

水冬瓜（药用部位：全株）。

| 形态特征 |

半常绿或落叶乔木。未成熟的顶芽金字塔形或圆锥形。树皮灰色，粗糙。叶对生，薄革质，宽卵形、卵状长圆形或椭圆形，长9～15 cm，宽5～10 cm，先端短尖至渐尖，基部心形或钝；侧脉6～12对，脉腋窝陷无毛或有稠密的毛；叶柄长3～6 cm；托叶2裂，裂片近圆形，跨褶，早落。约10头状花序排成聚伞状圆锥花序式；花具小苞片；花萼管密被苍白色长柔毛，萼裂片密被长柔毛；花冠淡黄色，长约7 mm，外面密被苍白色微柔毛，花冠裂片三角状。果序直径11～15 mm；小蒴果倒卵状楔形，长约5 mm，有稀疏的毛。花果期5～12月。

| 生境分布 |

生于海拔330～950 m向阳处的山林中或水边。分布于湖南永州（新田）、湘西州（花垣、永顺、保靖）等。

| 资源情况 |

野生资源较少。药材来源于野生。

| 采收加工 | 全年均可采收，切段，鲜用。

| 功能主治 | 微苦，凉。清热解毒，活血散瘀。用于感冒发热，肺热咳嗽，胃肠炎，痢疾，风火牙痛，痈疽肿毒，湿疹，跌打损伤，外伤出血。

| 用法用量 | 内服煎汤，15～30 g。外用适量，捣敷；或煎汤洗。

茜草科 Rubiaceae 乌口树属 Tarenna

假桂乌口树 *Tarenna attenuata* (Voigt) Hutch.

| 药 材 名 | 乌口树（药用部位：根、叶）。

| 形态特征 | 灌木或乔木。叶纸质或薄革质，长圆状披针形或长圆状倒卵形，长 4.5 ~ 15 cm，宽 1.5 ~ 6 cm，全缘；中脉在上面常凹入，侧脉纤细，5 ~ 10 对，在下面凸起；叶柄长 0.5 ~ 1.5 cm；托叶长 5 ~ 8 mm，基部合生。伞房状的聚伞花序顶生，3 歧分枝，分枝稍密；苞片和小苞片小，钻形；萼管陀螺形，长约 2 mm，裂片极小；花冠白色或淡黄色，花冠管长 2 ~ 2.5 mm，喉部有柔毛，顶部 5 裂，开放时外反；雄蕊 5，伸出花冠外；花柱长约 8 mm，柱头伸出，胚珠每室 1。浆果近球形，直径 5 ~ 7 mm，成熟时紫黑色，顶部有宿存的花萼；种子 2。花期 4 ~ 12 月，果期 5 月至翌年 1 月。

| 生境分布 | 生于海拔 35 ～ 1 200 m 的旷野、丘陵、山地、沟边的林中或灌丛中。分布于湖南株洲（攸县）、郴州（汝城）等。

| 资源情况 | 野生资源较少。药材来源于野生。

| 采收加工 | 夏、秋季采收，根洗净，切碎，鲜用或晒干，叶鲜用。

| 功能主治 | 祛风消肿，散瘀止痛。用于跌打扭伤，风湿痛，蜂窝织炎，脓肿，胃肠绞痛。

| 用法用量 | 根，内服煎汤，30 ～ 60 g。叶，外用适量，鲜品捣敷。

茜草科 Rubiaceae 乌口树属 Tarenna

白花苦灯笼 *Tarenna mollissima* (Hook. et Arn.) Rob.

| 药 材 名 | 乌口树（药用部位：叶、根。别名：乌木、达仑木）。

| 形态特征 | 灌木或小乔木，高 1 ~ 6 m，全株密被灰色或褐色柔毛或短绒毛。叶纸质，披针形、长圆状披针形或卵状椭圆形，长 4.5 ~ 25 cm，宽 1 ~ 10 cm，先端渐尖或长渐尖，基部楔尖、短尖或钝圆，干后变黑褐色；叶柄长 0.4 ~ 2.5 cm；托叶长 5 ~ 8 mm，卵状三角形，先端尖。伞房状的聚伞花序顶生，长 4 ~ 8 cm，具多花；苞片和小苞片线形；花梗长 3 ~ 6 mm；萼管近钟形，长约 2 mm，裂片 5，三角形，长约 0.5 mm；花冠白色，长约 1.2 cm，喉部密被长柔毛，裂片 4 或 5，长圆形；雄蕊 4 或 5，花丝长 1 ~ 1.2 mm，花药线形，长约 5 mm；花柱中部被长柔毛，柱头伸出，胚珠每室多颗。果实近球形，直径 5 ~ 7 mm，被柔毛，黑色；种子 7 ~ 30。花期 5 ~ 7 月，果

期 5 月至翌年 2 月。

| 生境分布 | 生于低海拔的丛林中。分布于湘南等。

| 资源情况 | 野生资源较少。药材来源于野生。

| 采收加工 | 夏、秋季采收，根洗净，切碎，晒干，叶鲜用。

| 功能主治 | 清热解毒，祛风利湿。用于感冒发热，咳嗽，急性扁桃体炎，头痛，风湿性关节炎，坐骨神经痛，肾炎性水肿，创伤，疮疖脓肿。

| 用法用量 | 根，内服煎汤，30 ~ 60 g。叶，外用适量，鲜品捣敷。

茜草科 Rubiaceae 钩藤属 Uncaria

钩藤 Uncaria rhynchophylla (Miq.) Miq. ex Havil.

| 药 材 名 | 钩藤（药用部位：带钩茎枝。别名：吊藤、钩藤钩子、钓钩藤）。

| 形态特征 | 藤本。嫩枝较纤细，方柱形或略有 4 棱角，无毛。叶纸质，椭圆形或椭圆状长圆形，长 5 ~ 12 cm，宽 3 ~ 7 cm，两面均无毛，干时褐色或红褐色，下面有时有白粉，先端短尖或骤尖，基部楔形至截形，有时稍下延，侧脉 4 ~ 8 对，脉腋窝陷有黏液毛；叶柄长 5 ~ 15 mm，无毛；托叶狭三角形，深 2 裂达全长的 2/3，外面无毛，里面无毛或基部具黏液毛，裂片线形至三角状披针形。头状花序不计花冠直径 5 ~ 8 mm，单生于叶腋，总花梗具 1 节，苞片微小，或成单聚伞状排列，总花梗腋生，长 5 cm；小苞片线形或线状匙形；花近无梗；花萼管疏被毛，萼裂片近三角形，长 0.5 mm，疏被短柔

毛，先端锐尖；花冠管外面无毛或具疏散的毛，花冠裂片卵圆形，外面无毛或略被粉状短柔毛，边缘有时有纤毛；花柱伸出冠喉外，柱头棒形。果序直径10～12 mm；小蒴果长5～6 mm，被短柔毛，宿存萼裂片近三角形，长1 mm，星状辐射。花果期5～12月。

| 生境分布 | 生于山谷溪边的疏林或灌丛中。湖南各地均有分布。

| 资源情况 | 野生资源丰富。栽培资源较丰富。药材来源于野生和栽培。

| 采收加工 | 栽后3～4年采收，春季发芽前或秋后嫩枝已长老时剪下带钩的枝茎，去除叶片，剪成长2～3 cm的齐头平钩，晒干或蒸后晒干。

| 药材性状 | 本品茎枝呈圆柱形或类方柱形，长2～3 cm，直径0.2～0.5 cm。表面红棕色至紫红色者具细纵纹，光滑无毛；黄绿色至灰褐色者有的可见白色点状皮孔，被黄褐色柔毛。多数枝节上对生2向下弯曲的钩，或仅一侧有钩，另一侧为凸起的疤痕；钩略扁或稍圆，先端细尖，基部较阔；钩基部的枝上可见叶柄脱落后的窝点状痕迹和环状的托叶痕。质坚韧，断面黄棕色，皮部纤维性，髓部黄白色或中空。气微，味淡。

| 功能主治 | 甘，凉。归肝、心包经。息风定惊，清热平肝。用于肝风内动，惊痫抽搐，高热惊厥，感冒夹惊，小儿惊啼，妊娠子痫，头痛眩晕。

| 用法用量 | 内服煎汤，6～30 g，不宜久煎；或入散剂。

茜草科 Rubiaceae 钩藤属 Uncaria

华钩藤 *Uncaria sinensis* (Oliv.) Havil

| 药 材 名 | 钩藤（药用部位：带钩茎枝）。

| 形态特征 | 藤本。嫩枝较纤细，方柱形或具4棱，无毛。叶薄纸质，椭圆形，长9～14 cm，宽5～8 cm；侧脉6～8对，脉腋窝陷有黏液毛；叶柄长6～10 mm，无毛；托叶阔三角形至半圆形，内面基部有腺毛。头状花序单生于叶腋；总花梗腋生，长3～6 cm，具1节，节上苞片微小；花序轴有稠密短柔毛；小苞片线形；花近无梗；花萼管长2 mm，外面有苍白色毛，萼裂片线状长圆形，长约1.5 mm，有短柔毛；花冠管长7～8 mm，有稀少的微柔毛，花冠裂片外面有短柔毛；花柱伸出冠喉外，柱头棒状。果序直径20～30 mm；小蒴果长8～10 mm，有短柔毛。花果期6～10月。

| 生境分布 | 生于中等海拔的山地疏林中或湿润的次生林下。栽培于土层深厚、肥沃疏松、排水良好的土壤。分布于湘西等。

| 资源情况 | 野生资源较丰富。栽培资源一般。药材来源于野生和栽培。

| 采收加工 | 秋、冬季采收，去叶，切段，晒干。

| 药材性状 | 本品茎枝呈圆柱形或类方柱形，长 2～3 cm，直径 0.2～0.5 cm。表面红棕色至紫红色者具细纵纹，光滑无毛；黄绿色至灰褐色者有的可见白色点状皮孔，被黄褐色柔毛。多数枝节上对生 2 向下弯曲的钩，或仅一侧有钩，另一侧为凸起的疤痕；钩略扁或稍圆，先端细尖，基部较阔；钩基部的枝上可见叶柄脱落后的窝点状痕迹和环状的托叶痕。质坚韧，断面黄棕色，皮部纤维性，髓部黄白色或中空。气微，味淡。

| 功能主治 | 甘，凉。归肝、心包经。息风定惊，清热平肝。用于肝风内动，惊痫抽搐，高热惊厥，感冒夹惊，小儿惊啼，妊娠子痫，头痛眩晕。

| 用法用量 | 内服煎汤，3～12 g，后下。

旋花科 Convolvulaceae 心萼薯属 Aniseia

心萼薯 *Aniseia biflora* (L.) Choisy

| 药 材 名 | 心萼薯（药用部位：茎叶、种子。别名：满山香、黑面藤、毛牵牛）。

| 形态特征 | 攀缘或缠绕草本。茎细长，有细棱，被灰白色倒向硬毛。叶心形或心状三角形，长4～9.5 cm，宽3～7 cm，先端渐尖，基部心形，两面被长硬毛，侧脉凸起，第三次脉近平行，细弱；叶柄长1.5～8 cm，毛被同茎。花序腋生，短于叶柄；花序梗长3～15 mm，或有时更短则花梗近簇生，毛被同叶柄，通常着生2花，有时1或3；萼片5；花冠白色，狭钟状；瓣中带被短柔毛；雄蕊5，内藏，花丝向基部渐扩大，花药卵状三角形，基部箭形；子房圆锥状，无毛，花柱棒状，柱头头状，2浅裂。蒴果近球形，直径约9 mm，果瓣内面光亮；种子4，卵状三棱形，沿两边有时被白色长绵毛。

| 生境分布 | 生于海拔 150 ~ 1 800 m 的山坡、山谷、路旁或林下。湖南各地均有分布。

| 资源情况 | 野生资源一般。药材来源于野生。

| 采收加工 | 茎叶，夏、秋季采收，切段，晒干或鲜用。种子，秋末种子成熟时采收，晒干或鲜用。

| 功能主治 | 甘、微苦，平。清热解毒，消疳祛积，泻水，下气，杀虫。茎叶用于感冒，蚊虫叮咬，疳积；种子用于跌打损伤，蛇咬伤。

| 用法用量 | 内服煎汤，15 ~ 25 g。外用适量，鲜品捣敷。

| 附　　注 | 本种的拉丁学名在 FOC 中被修订为 *Ipomoea biflora* (L.) Persoon。

旋花科 Convolvulaceae 打碗花属 Calystegia

打碗花 Calystegia hederacea Wall.

| 药 材 名 | 打碗花（药用部位：根。别名：面根藤、小旋花、盘肠参）。

| 形态特征 | 一年生草本，全体不被毛，植株通常矮小，高8～30（～40）cm，常自基部分枝，具细长白色的根。茎细，平卧，有细棱。基生叶长圆形，长2～3（～5.5）cm，宽1～2.5 cm，先端圆，基部戟形，上部叶片3裂，中裂片长圆形或长圆状披针形，侧裂片近三角形，全缘或2～3裂，叶片基部心形或戟形；叶柄长1～5 cm。单花腋生；花梗长于叶柄，有细棱；萼片长圆形，长0.6～1 cm，先端钝，具小短尖头，内萼片稍短；花冠淡紫色或淡红色，钟状，长2～4 cm，冠檐近截形或微裂；雄蕊近等长，花丝基部扩大，贴生于花冠管基部，被小鳞毛；子房无毛，柱头2裂，裂片长圆形，扁平。蒴果卵球形，长约1 cm，宿存萼片与蒴果近等长或稍短于蒴果；种

子黑褐色，长 4 ~ 5 mm，表面有小疣。

| 生境分布 | 生于田间、路旁、荒山、林缘、河边、沙地草原。湖南有广泛分布。

| 资源情况 | 野生资源一般。药材来源于野生。

| 采收加工 | 秋季采挖，洗净，晒干或鲜用。

| 功能主治 | 健脾益气，利尿，调经，止带。用于脾虚消化不良，月经不调，带下，乳汁稀少。

| 用法用量 | 内服煎汤，50 ~ 100 g。

旋花科 Convolvulaceae 打碗花属 Calystegia

旋花 *Calystegia sepium* (L.) R. Br.

| 药 材 名 | 旋花（药用部位：花。别名：筋根花、鼓子花、打破碗花）。

| 形态特征 | 多年生草本，全体不被毛。茎缠绕，伸长，有细棱。叶形多变，三角状卵形或宽卵形，长4～10（～15）cm以上，宽2～6（～10）cm或更宽，先端渐尖或锐尖，基部戟形或心形，全缘或基部稍伸展为具2～3大齿缺的裂片；叶柄常短于叶片或两者近等长。单花腋生；花梗通常稍长于叶柄，长达10 cm，有细棱或有时具狭翅；苞片宽卵形，长1.5～2.3 cm，先端锐尖；萼片卵形，长1.2～1.6 cm，先端渐尖或有时锐尖；花冠通常白色，有时淡红色或紫色，漏斗状，长5～6（～7）cm，冠檐微裂；花丝基部扩大，被小鳞毛；子房无毛，柱头2裂，裂片卵形，扁平。蒴果卵形，长约1 cm，为增大宿存的苞片和萼片所包被；种子黑褐色，长约4 mm，表面有小疣。

| 生境分布 | 生于海拔 140 ～ 1 600 m 的路旁、溪边草丛、农田边及山坡林缘。湖南各地均有分布。

| 资源情况 | 野生资源丰富。药材来源于野生。

| 采收加工 | 6 ～ 7 月花开时采收，晾干。

| 功能主治 | 益气，养颜，涩精。用于面皯，遗精，遗尿。

| 用法用量 | 内服煎汤，6 ～ 10 g；或入丸剂。

旋花科 Convolvulaceae 菟丝子属 Cuscuta

南方菟丝子 *Cuscuta australis* R. Br.

| 药 材 名 | 菟丝子（药用部位：种子）。

| 形态特征 | 一年生寄生草本。茎缠绕，金黄色，纤细，直径 1 mm 左右，无叶。花序侧生，少花或多花簇生成小伞形或小团伞花序，总花序梗近无；苞片及小苞片均小，鳞片状；花梗稍粗壮，长 1 ~ 2.5 mm；花萼杯状，基部连合，裂片 3 ~ 5，长圆形或近圆形，通常不等大，长 0.8 ~ 1.8 mm，先端圆；花冠乳白色或淡黄色，杯状，长约 2 mm，裂片卵形或长圆形，先端圆，约与花冠管近等长，直立，宿存；雄蕊着生于花冠裂片弯缺处，比花冠裂片稍短；鳞片小，边缘短流苏状；子房扁球形，花柱 2，等长或稍不等长，柱头球形。蒴果扁球形，直径 3 ~ 4 mm，下半部为宿存花冠所包，成熟时不规则开裂，不为周裂；种子通常 4，淡褐色，卵形，长约 1.5 mm，表面粗糙。

| 生境分布 | 寄生于海拔 50～2 000 m 的田边、路旁的豆科、菊科、马鞭草科牡荆属等的草本植物或小灌木上。湖南有广泛分布。

| 资源情况 | 野生资源一般。药材来源于野生。

| 采收加工 | 秋季果实成熟时采收植株,晒干,打下种子,除去杂质。

| 功能主治 | 辛、甘,平。归肝、肾、脾经。补益肝肾,固精缩尿,安胎,明目,止泻,消风祛斑。用于肝肾不足,腰膝酸软,阳痿遗精,遗尿尿频,肾虚胎漏,胎动不安,目昏耳鸣,脾肾虚泻;外用于白癜风。

| 用法用量 | 内服煎汤,15～25 g;或入丸、散剂。外用适量,炒研调敷。

旋花科 Convolvulaceae 菟丝子属 Cuscuta

菟丝子 *Cuscuta chinensis* Lam.

| 药 材 名 | 菟丝子（药用部位：种子）。

| 形态特征 | 一年生寄生草本。茎缠绕，黄色，纤细，直径约 1 mm，无叶。花序侧生，少花或多花簇生成小伞形或小团伞花序，近无总花序梗；苞片及小苞片小，鳞片状；花梗稍粗壮，长仅 1 mm 左右；花萼杯状，中部以下连合，裂片三角状，长约 1.5 mm，先端钝；花冠白色，壶形，长约 3 mm，裂片三角状卵形，先端锐尖或钝，向外反折，宿存；雄蕊着生于花冠裂片弯缺处微下部；鳞片长圆形，边缘长流苏状；子房近球形，花柱 2，等长或不等长，柱头球形。蒴果球形，直径约 3 mm，几乎全为宿存的花冠所包围，成熟时整齐地周裂；种子 2 ~ 49，淡褐色，卵形，长约 1 mm，表面粗糙。

| 生境分布 | 生于海拔200~1 800 m的田边、山坡阳处、路边灌丛或海边沙丘，通常寄生于豆科、菊科、蒺藜科等多种植物上。湖南有广泛分布。

| 资源情况 | 野生资源较丰富。药材来源于野生。

| 采收加工 | 秋季果实成熟时采收植株，晒干，打下种子，除去杂质。

| 药材性状 | 本品呈类球形，直径1~2 mm。表面灰棕色至棕褐色，粗糙，种脐线形或扁圆形。质坚实，不易以指甲压碎。

| 功能主治 | 辛、甘，平。归肝、肾、脾经。补益肝肾，固精缩尿，安胎，明目，止泻，消风祛斑。用于肝肾不足，腰膝酸软，阳痿遗精，遗尿尿频，肾虚胎漏，胎动不安，目昏耳鸣，脾肾虚泻；外用于白癜风。

| 用法用量 | 内服煎汤，15~25 g；或入丸、散剂。外用适量，炒研调敷。

旋花科 Convolvulaceae 菟丝子属 Cuscuta

金灯藤 Cuscuta japonica Choisy

| 药 材 名 | 大菟丝子（药用部位：全草。别名：日本菟丝子）。

| 形态特征 | 一年生寄生缠绕草本。茎较粗壮，肉质，直径1～2 mm，黄色，常带紫红色瘤状斑点，无毛，多分枝，无叶。花无柄，形成穗状花序；苞片及小苞片鳞片状，卵圆形，沿背部增厚；花萼碗状，肉质，长约2 mm，5裂几达基部，裂片卵圆形或近圆形，背面常有紫红色瘤状突起；花冠钟状，淡红色或绿白色，先端5浅裂，裂片卵状三角形，钝，直立或稍反折；雄蕊5，着生于花冠喉部裂片之间，花药卵圆形，黄色；鳞片5，长圆形，边缘流苏状，着生于花冠筒基部，伸长至花冠筒中部或中部以上；子房球状，平滑，无毛，2室，花柱细长，合生为1，与子房等长或稍长于子房，柱头2裂。蒴果卵圆形，近基部周裂；种子1～2，光滑，长2～2.5 mm，褐色。

花期8月，果期9月。

| 生境分布 | 寄生于草本或灌木上。湖南各地均有分布。

| 资源情况 | 野生资源丰富。药材来源于野生。

| 采收加工 | 夏、秋季采收，晒干。

| 功能主治 | 甘、辛，温。益精，壮阳，止泻。

| 用法用量 | 内服煎汤，9～15 g；或研末。

旋花科 Convolvulaceae 马蹄金属 Dichondra

马蹄金 *Dichondra repens* Forst.

| 药 材 名 | 马蹄金（药用部位：全草。别名：金钱草、小元宝草、黄疸草）。

| 形态特征 | 多年生匍匐小草本。茎细长，被灰色短柔毛，节上生根。叶肾形至圆形，直径 4 ~ 25 mm，先端宽圆形或微缺，基部阔心形，叶面微被毛，背面被贴生短柔毛，全缘，具长的叶柄；叶柄长（1.5 ~）3 ~ 5（~ 6）cm。花单生于叶腋，花梗短于叶柄，丝状；萼片倒卵状长圆形至匙形，钝，长 2 ~ 3 mm，背面及边缘被毛；花冠钟状，较短至稍长于萼，黄色，5 深裂，裂片长圆状披针形，无毛；雄蕊 5，着生于花冠 2 裂片间的弯缺处，花丝短，等长；子房被疏柔毛，2 室，具 4 胚珠，花柱 2，柱头头状。蒴果近球形，小，短于花萼，直径约 1.5 mm，膜质；种子 1 ~ 2，黄色至褐色，无毛。

| 生境分布 | 生于海拔 1 300 ~ 1 980 m 的山坡草地、路旁或沟边。湖南有广泛分布。

| 资源情况 | 野生资源较丰富。药材来源于野生。

| 采收加工 | 4 ~ 6 月采收，洗净，晒干。

| 药材性状 | 本品多皱缩成团，根细，黄绿色。茎纤细，灰棕色，与叶下面均被稀白色或灰黄色毛茸。质脆，易折断。断面中有小孔。叶互生，多皱缩，肾形至圆形，灰绿色至棕色，上面稍粗糙，质脆，易碎，稀见花和果实。气微弱，味辛。

| 功能主治 | 清热，解毒，利水，活血。用于黄疸，痢疾，砂石淋痛，白浊，水肿，疔疮肿毒，跌打损伤。

| 用法用量 | 内服煎汤，10 ~ 50 g，鲜品 50 ~ 100 g。外用适量，捣敷；或捣汁滴眼。

旋花科 Convolvulaceae 土丁桂属 Evolvulus

土丁桂 *Evolvulus alsinoides* (L.) L.

| 药 材 名 | 土丁桂（药用部位：全草。别名：毛将军、银丝草、毛辣花）。

| 形态特征 | 多年生草本。茎少数至多数，细长，具贴生的柔毛。叶长圆形、椭圆形或匙形，长（7～）15～25 mm，宽5～9（～10）mm，先端钝及具小短尖，基部圆形或渐狭，两面多少被贴生疏柔毛；叶柄短至近无柄。总花梗丝状，较叶短或长得多，长2.5～3.5 cm，被贴生毛；花单一或数朵组成聚伞花序，花梗与萼片等长或通常较萼片长；苞片线状钻形至线状披针形；萼片披针形，锐尖或渐尖，长3～4 mm，被长柔毛；花冠辐状，直径7～8（～10）mm，蓝色或白色；雄蕊5，内藏，花丝丝状，长约4 mm，贴生于花冠管基部，花药长圆状卵形，先端渐尖，基部钝，长约1.5 mm；子房无毛；花

柱 2，每花柱具 2 尖裂，柱头圆柱形。蒴果球形，无毛，直径 3.5 ~ 4 mm，4 瓣裂；种子 4，黑色，平滑。花期 5 ~ 9 月。

| 生境分布 | 生于海拔 300 ~ 1 800 m 的草坡、灌丛及路边。湖南有广泛分布。

| 资源情况 | 野生资源一般。药材来源于野生。

| 采收加工 | 夏、秋季采收，洗净，鲜用或晒干。

| 功能主治 | 止咳平喘，清热利湿，散瘀止痛。用于支气管哮喘，咳嗽，黄疸，胃痛，消化不良，急性肠炎，痢疾，带下，跌打损伤，腰腿痛。

| 用法用量 | 内服煎汤，5 ~ 15 g，鲜品 50 ~ 100 g；或捣汁饮。

旋花科 Convolvulaceae 番薯属 Ipomoea

蕹菜 *Ipomoea aquatica* Forsk.

| 药 材 名 | 蕹菜（药用部位：全草。别名：蓊菜、空心菜、通菜）。

| 形态特征 | 一年生草本，蔓生或漂浮于水中。茎圆柱形，有节，节间中空，节上生根，无毛。叶片形状、大小有变化，卵形、长卵形、长卵状披针形或披针形，长 3.5 ~ 17 cm，宽 0.9 ~ 8.5 cm，先端锐尖或渐尖，具小短尖头，基部心形、戟形或箭形，偶尔截形，全缘或波状，或有时基部有少数粗齿，两面近无毛或偶有稀疏柔毛；叶柄长 3 ~ 14 cm，无毛。聚伞花序腋生，花序梗长 1.5 ~ 9 cm，基部被柔毛，向上无毛，具 1 ~ 3（~ 5）花；苞片小鳞片状，长 1.5 ~ 2 mm；花梗长 1.5 ~ 5 cm，无毛；萼片近等长，卵形，长 7 ~ 8 mm，先端钝，具小短尖头，外面无毛；花冠白色、淡红色或紫红色，漏斗状，长

3.5 ~ 5 cm；雄蕊不等长，花丝基部被毛；子房圆锥状，无毛。蒴果卵球形至球形，直径约 1 cm，无毛；种子密被短柔毛或有时无毛。

| 生境分布 | 栽培种。湖南各地均有分布。

| 资源情况 | 栽培资源丰富。药材来源于栽培。

| 采收加工 | 夏、秋季采收，多鲜用。

| 药材性状 | 本品茎叶常缠绕成把。茎扁柱形，皱缩，有纵沟，具节，表面浅青黄色至淡棕色，节上或有分枝，节处色较深，近下端节处多带有少许淡棕色的小须根；质韧，不易折断，断面中空。叶片皱缩，灰青色，展平后呈卵形或披针形，具长柄。气微，味淡。以茎叶粗大、色灰青者为佳。

| 功能主治 | 清热解毒，利尿，止血。用于食物（黄藤、钩吻、砒霜、野菇）中毒，小便不利，尿血，鼻衄，咯血；外用于疮疡肿毒。

| 用法用量 | 内服煎汤，鲜品 100 ~ 200 g；解救上述中毒时可用鲜根或鲜全草 500 ~ 1 000 g 绞汁服。外用适量，鲜品捣敷。

旋花科 Convolvulaceae 番薯属 Ipomoea

番薯 *Ipomoea batatas* (L.) Lam.

| 药 材 名 | 番薯（药用部位：根。别名：地瓜、山药、红薯）。

| 形态特征 | 一年生草本。地下部分具圆形、椭圆形或纺锤形的块根。茎平卧或上升，偶有缠绕，多分枝，圆柱形或具棱，绿色或紫色，被疏柔毛或无毛，茎节易生不定根。叶片通常为宽卵形，长 4 ~ 13 cm，宽 3 ~ 13 cm，浓绿色、黄绿色或紫绿色；叶柄长短不一，被疏柔毛或无毛。聚伞花序腋生，1 ~ 7 花聚集成伞形，花序梗长 2 ~ 10.5 cm；苞片小，披针形，长 2 ~ 4 mm，先端芒尖或骤尖，早落；花梗长 2 ~ 10 mm；萼片长圆形或椭圆形，不等长，先端骤然成芒尖状，无毛或疏生缘毛；花冠粉红色、白色、淡紫色或紫色，钟状或漏斗状，长 3 ~ 4 cm，外面无毛；雄蕊内藏，花丝基部被毛；花柱内藏，子房 2 ~ 4 室，被毛或有时无毛。蒴果卵形或扁圆形，被假隔膜分为

4室；种子1～4，通常2，无毛。

| 生境分布 | 栽培种。湖南各地均有分布。

| 资源情况 | 栽培资源丰富。药材来源于栽培。

| 采收加工 | 秋、冬季采挖，洗净，切片，晒干。

| 药材性状 | 本品常呈类圆形斜切片，宽2～4 cm，厚约2 mm，偶见未去净的淡红色或灰褐色外皮。切面白色或淡黄白色，粉性，可见淡黄棕色的筋脉点线纹，近皮部可见1圈淡黄棕色的环纹，质柔软，具弹性，手弯成弧状而不折断。气清香，味甘甜。

| 功能主治 | 补中和血，益气生津，宽肠胃，通便秘。用于脾虚水肿，疮疡肿毒，大便秘结。

| 用法用量 | 内服适量，生食；或煮食。外用适量，捣敷。

旋花科 Convolvulaceae 番薯属 Ipomoea

三裂叶薯 *Ipomoea triloba* L.

| 药 材 名 | 三裂叶薯（药用部位：叶。别名：小花假番薯、红花野牵牛、小钟花）。

| 形态特征 | 草本。茎缠绕或有时平卧，无毛或散生毛，且毛主要生于节上。叶宽卵形至圆形，长 2.5 ~ 7 cm，宽 2 ~ 6 cm，全缘、有粗齿或 3 深裂，基部心形；叶柄长 2.5 ~ 6 cm，无毛或有时有小疣。花序腋生；花序梗短于或长于叶柄，无毛，明显有棱角，先端具小疣，1 花或少花至数花成伞形聚伞花序；萼片近相等或稍不等；花冠漏斗状，长约 1.5 cm，无毛，淡红色或淡紫红色，冠檐裂片短而钝，有小短尖头；雄蕊内藏，花丝基部有毛；子房有毛。蒴果近球形，具花柱基形成的细尖，被细刚毛，具 2 室，4 瓣裂；种子 4 或较少，无毛。

| 生境分布 | 生于丘陵路旁、荒草地或田野。湖南各地均有分布。

| 资源情况 | 野生资源较丰富。药材来源于野生。

| 采收加工 | 7～8月采收，晒干。

| 功能主治 | 微苦，平。清热解毒。用于外感发热头痛，胃痛。

| 用法用量 | 内服煎汤，6～15 g。

旋花科 Convolvulaceae 小牵牛属 Jacquemontia

小牵牛 *Jacquemontia paniculata* (Burm. f.) Hall. f.

| 药 材 名 | 小牵牛（药用部位：叶。别名：假牵牛）。

| 形态特征 | 缠绕草本。茎圆柱形，细长，被柔毛；老枝近无毛。叶卵形或卵状长圆形，基部心形或圆形至截形，侧脉 5 ~ 8 对，近边缘弧形连接；叶柄细长，长 1 ~ 4 cm，被疏柔毛。少花至多花组成疏至密集的伞形聚伞花序；苞片小，钻形；萼片被疏柔毛，或近无毛，不等大，3 外萼片较大；花冠漏斗形或钟形，长 8 ~ 12 mm，淡紫色、白色或粉红色；雄蕊 5；子房无毛，花柱丝状，柱头 2 裂，下弯，裂片长圆形稍扁平。蒴果球形，淡褐色，4 或最后 8 瓣裂；种子 4 或较少，具小瘤，背部边缘具很狭的干膜质的翅。

| 生境分布 | 生于海拔 330 ～ 600 m 的灌丛草坡或路旁。分布于湘南等。

| 资源情况 | 野生资源一般。药材来源于野生。

| 采收加工 | 夏季采收，晒干。

| 功能主治 | 微苦，平。清热解毒。用于感冒，咳嗽等。

| 用法用量 | 内服煎汤，9 ～ 15 g。

旋花科 Convolvulaceae 鱼黄草属 Merremia

篱栏网
Merremia hederacea (Burm. f.) Hall. f.

| 药 材 名 | 篱栏网（药用部位：全草。别名：犁头网、篱网藤、蛤仔藤）。

| 形态特征 | 缠绕或匍匐草本。茎细长，有细棱，无毛或被疏长硬毛。叶心状卵形，长 1.5 ~ 7.5 cm，宽 1 ~ 5 cm，先端钝渐尖，具小短尖头，基部心形或深凹，全缘或具不规则的粗齿或锐裂齿，有时为深或浅 3 裂，两面近无毛；叶柄细长，无毛或被短柔毛，具疣状突起。聚伞花序腋生，有 3 ~ 5 花，或为单生，花序梗比叶柄粗，长 0.8 ~ 5 cm，第 1 次分枝为二歧聚伞式，后为单歧式；花梗长 2 ~ 5 mm，连同花序梗均具小疣状突起；萼片宽倒卵状匙形，或近长方形，无毛，先端截形，具外倾的凸尖；花冠黄色，钟状，长约 0.8 cm，内面近基部具长柔毛；花丝下部扩大，疏生长柔毛；子房球形，柱头球形；雄蕊、花柱与花冠近等长。蒴果扁球形或宽圆锥形，4 瓣裂，果瓣

有皱纹，内含种子4，三棱状球形，表面被锈色短柔毛，种脐处毛簇生。

| 生境分布 | 生于海拔 130 ～ 760 m 的灌丛或路旁草丛。湖南有广泛分布。

| 资源情况 | 野生资源一般。药材来源于野生。

| 采收加工 | 全年均可采收，洗净，切碎，鲜用或晒干。

| 功能主治 | 甘，淡，凉。清热解毒，利咽喉。用于感冒，乳蛾，咽喉痛，目赤肿痛。

| 用法用量 | 内服煎汤，3 ～ 10 g。外用适量，捣敷。

旋花科 Convolvulaceae 鱼黄草属 Merremia

北鱼黄草 *Merremia sibirica* (L.) Hall. f.

| 药 材 名 | 北鱼黄草（药用部位：全草或种子。别名：北鱼黄草子、钻之灵、小瓠瓜）。

| 形态特征 | 缠绕草本，植株各部分近无毛。茎圆柱状，具细棱。叶卵状心形，长3～13 cm，宽1.7～7.5 cm，先端长渐尖或尾状渐尖，基部心形，全缘或稍波状，侧脉7～9对，纤细，近平行射出，近边缘弧曲向上；叶柄长2～7 cm，基部具小耳状假托叶。聚伞花序腋生，有（1～）3～7花，花序梗通常比叶柄短，有时长于叶柄，长1～6.5 cm，明显具棱或狭翅；苞片小，线形；花梗长0.3～0.9（～1.5）cm，向上增粗；萼片长0.5～0.7 cm，先端明显具钻状短尖头，无毛；花冠淡红色，钟状，长1.2～1.9 cm，无毛，

冠檐具三角形裂片；花药不扭曲；子房无毛，2室。蒴果近球形，先端圆，高5～7 mm，无毛，4瓣裂；种子4或较少，黑色，椭圆状三棱形，先端钝圆，长3～4 mm，无毛。

| 生境分布 | 生于海拔600～1 600 m的路边、田边、山地草丛或山坡灌丛。湖南有广泛分布。

| 资源情况 | 野生资源较丰富。药材来源于野生。

| 采收加工 | 夏季采收，洗净，鲜用或晒干。

| 功能主治 | 全草，用于跌打损伤，疔疮，腿痛。种子，泻下攻积，逐水消肿。用于大便秘结，食积。

| 用法用量 | 内服煎汤，3～10 g。外用适量，捣敷。

旋花科 Convolvulaceae 番薯属 Ipomoea

牵牛 *Ipomoea nil* (Linnaeus) Roth.

| 药 材 名 | 牵牛子（药用部位：种子。别名：黑丑、白丑、姜姜籽）。

| 形态特征 | 一年生缠绕草本。茎上被倒向的短柔毛或开展的长硬毛。叶宽卵形或近圆形，具深或浅的3裂，偶5裂，长4～15 cm，宽4.5～14 cm，基部圆，心形，中裂片长圆形或卵圆形，渐尖或骤尖，侧裂片较短，三角形，裂口锐或圆，叶面被微硬的柔毛；叶柄长2～15 cm，毛被同茎。花腋生，1～2花着生于花序梗顶，花序梗长短不一，长1.5～18.5 cm，毛被同茎；苞片线形或叶状，被开展的微硬毛；花梗长2～7 mm；小苞片线形；萼片长2～2.5 cm，披针状线形，内面2稍狭，外面被开展的刚毛，基部更密，有时杂有短柔毛；花冠漏斗状，长5～8 cm，蓝紫色或紫红色，花冠管色淡；雄蕊内藏，不等长，花丝基部被柔毛；花柱内藏，子房无毛，柱头头状。蒴果

近球形，直径 0.8 ~ 1.3 cm，3 瓣裂；种子卵状三棱形，长约 6 mm，黑褐色或米黄色，被褐色短绒毛。

| 生境分布 | 生于海拔 100 ~ 200（~ 1 600）m 的山坡灌丛、干燥河谷、园边宅旁、山地路边阳光充足、土壤肥沃疏松处，不耐寒，怕霜冻，较耐盐碱。湖南各地均有分布。

| 资源情况 | 野生资源较丰富。栽培资源一般。药材来源于野生和栽培。

| 采收加工 | 秋季果实成熟时采摘，晒干，打下种子，除去杂质，生用或炒用。

| 药材性状 | 本品卵形而具 3 棱，两侧面稍平坦，背面弓状隆起，其正中有纵直凹沟，两侧凸起部凹凸不平。腹面有一棱线，棱线下端有类圆形浅色的种脐。种子长 4 ~ 8 mm，背面及平坦面宽 5 ~ 8 mm。表面灰黑色（黑丑），或淡黄白色（白丑）。种皮坚硬。横切面可见皱缩而重叠的 2 子叶，呈黄色或淡黄色。用水浸润后，种皮作龟裂状，并自腹面棱线处破裂，有显著黏液性。气无，味辛辣。嚼之有麻辣感。

| 功能主治 | 苦，寒；有毒。泻水通便，消痰涤饮，杀虫攻积。用于水肿胀满，二便不通，痰饮积聚，气逆喘咳，虫积腹痛，蛔虫病，绦虫病。

| 用法用量 | 内服煎汤，3 ~ 9 g；或入丸、散剂，1.5 ~ 3 g。

旋花科 Convolvulaceae 牵牛属 Pharbitis

圆叶牵牛 *Pharbitis purpurea* (L.) Voigt

| 药 材 名 | 牵牛子（药用部位：种子）。

| 形态特征 | 一年生缠绕草本。茎上被倒向的短柔毛，杂有倒向或开展的长硬毛。叶圆心形或宽卵状心形，长 4 ~ 18 cm，宽 3.5 ~ 16.5 cm，基部圆，心形，先端锐尖、骤尖或渐尖，通常全缘，偶有 3 裂，两面疏或密被刚伏毛。花腋生，单一或 2 ~ 5 着生于花序梗先端，组成伞形聚伞花序；萼片近等长，长 1.1 ~ 1.6 cm，外面 3 长椭圆形，渐尖，内面 2 线状披针形，外面均被开展的硬毛，基部更密；花冠漏斗状，长 4 ~ 6 cm，紫红色、红色或白色，花冠管通常白色，瓣中带内面色深，外面色淡；雄蕊与花柱内藏。蒴果近球形；种子卵状三棱形，黑褐色或米黄色，被极短的糠秕状毛。

| 生境分布 | 生于平地至海拔 1 700 m 的田边、路边、宅旁或山谷林内。湖南各地均有分布。

| 资源情况 | 野生资源丰富。药材来源于野生。

| 采收加工 | 秋季果实成熟时采摘，晒干，打下种子，除去杂质，生用或炒用。

| 功能主治 | 苦、辛，寒；有毒。泻水，下气，杀虫。用于水肿，喘满，痰饮，脚气病，虫积食滞，大便秘结。

| 用法用量 | 内服煎汤，3 ~ 9 g；或入丸、散剂，1.5 ~ 3 g。

旋花科 Convolvulaceae 飞蛾藤属 Porana

飞蛾藤 *Porana racemosa* Roxb.

| 药 材 名 | 飞蛾藤（药用部位：全株。别名：打米花、小元宝、马朗花）。

| 形态特征 | 攀缘灌木。茎缠绕，草质，圆柱形，高达10 m。叶卵形，长6～11 cm，宽5～10 cm，先端渐尖或尾状，具钝或锐尖的尖头，基部深心形；两面被疏柔毛，背面稍密；掌状脉7～9，基出；叶柄被疏柔毛至无毛。圆锥花序腋生；苞片叶状，无柄或具短柄，抱茎，无毛或被疏柔毛，小苞片钻形；花梗长3～6 mm，无毛或被疏柔毛；萼片相等，线状披针形，长1.5～2.5 mm，被柔毛。果时呈长圆状匙形，钝或先端具短尖头，基部渐狭，长达12～15（～18）mm，宽3～4 mm，具3纵向脉，被疏柔毛；花冠漏斗形，长约1 cm，白色，管部黄色，无毛；雄蕊内藏。蒴果卵形，长7～8 mm，具小短尖头，无毛；种子1，卵形，长约6 mm，暗褐色或黑色，平滑。

| 生境分布 | 生于海拔 600 ~ 1 700 m 的灌丛，喜生长在石灰岩山地上。湖南有广泛分布。

| 资源情况 | 野生资源一般。药材来源于野生。

| 采收加工 | 夏、秋季采收，除去杂质，切碎，鲜用或晒干。

| 药材性状 | 本品茎呈圆柱形，常微弯曲，长 20 ~ 70 cm 或更长，直径 0.5 ~ 2 cm。表面绿褐色、棕褐色或灰褐色，有细纵纹及皮孔。节部稍膨大，有分枝。体轻，质硬而脆，易折断，断面不平坦，灰黄色或淡灰棕色，皮部窄，木部射线呈放射状排列，髓部淡黄白色或黄棕色。气微，味苦。

| 功能主治 | 辛，温。暖胃，补血，去瘀。用于无名肿毒，劳伤疼痛，高热。

| 用法用量 | 内服煎汤，9 ~ 15 g。外用适量，鲜品捣敷。

旋花科 Convolvulaceae 茑萝属 Quamoclit

茑萝松 *Quamoclit pennata* (Desr.) Boj.

| 药 材 名 |

茑萝松（药用部位：根或全草。别名：金丝线、五角星、金凤毛）。

| 形态特征 |

一年生柔弱缠绕草本，无毛。叶卵形或长圆形，长 2 ~ 10 cm，宽 1 ~ 6 cm，羽状深裂至中脉，具 10 ~ 18 对线形至丝状、平展的细裂片，裂片先端锐尖；叶柄长 8 ~ 40 mm，基部常具假托叶。花序腋生，由少数花组成聚伞花序；总花梗大多长于叶，长 1.5 ~ 10 cm；花直立，花梗较花萼长，长 9 ~ 20 mm，果时增厚成棒状；萼片绿色，稍不等长，椭圆形至长圆状匙形，外面 1 稍短，长约 5 mm，先端钝而具小凸尖；花冠高脚碟状，长 2.5 cm 以上，深红色，无毛，花冠管柔弱，上部稍膨大，冠檐开展，直径 1.7 ~ 2 cm，5 浅裂；雄蕊及花柱伸出；花丝基部具毛；子房无毛。蒴果卵形，长 7 ~ 8 mm，4 室，4 瓣裂，隔膜宿存，透明；种子 4，卵状长圆形，长 5 ~ 6 mm，黑褐色。

| 生境分布 |

栽培于排水良好的砂壤土中，适宜生长于微

潮的土壤环境，耐瘠薄，不耐阴，稍耐干旱。湖南有广泛分布。

| 资源情况 | 栽培资源一般。药材来源于栽培。

| 采收加工 | 6～9月采收，晒干或鲜用。

| 功能主治 | 甘，寒。解毒，凉血。用于耳疔，痔漏，蛇咬伤。

| 用法用量 | 内服煎汤，6～9 g。外用适量，鲜品捣敷；或煎汤洗。

紫草科 Boraginaceae 斑种草属 Bothriospermum

斑种草 Bothriospermum chinense Bge.

| 药 材 名 | 蛤蟆草（药用部位：全草。别名：细叠子草）。

| 形态特征 | 一年生草本。茎常数条，直立或外倾，被糙硬毛，中上部常分枝。基生叶匙形或倒披针形，先端钝，基部渐窄，两面被具基盘糙硬毛及伏毛，叶柄长 2 ~ 3 cm；茎生叶椭圆形或窄长圆形，较小，先端尖，基部楔形，无柄或具短柄。聚伞总状花序，长达 15 cm；苞片卵形或窄卵形；花萼裂至近基部，长 3 ~ 4 mm，裂片披针形，被毛；花冠淡蓝色，裂片近圆形，喉部附属物梯形，先端 2 深裂；雄蕊生于花冠筒基部以上，花丝极短，花药卵圆形或长圆形。小坚果腹面极度内弯，具网状折皱及颗粒状突起，腹面环状突起横椭圆形。花期 4 ~ 6 月。

| 生境分布 | 生于海拔 1 600 m 以下的山坡、草地、荒野或灌丛中。分布于湘北、湘东、湘南等。

| 资源情况 | 野生资源一般。药材来源于野生。

| 采收加工 | 夏季采收，除去泥土，晒干。

| 功能主治 | 微苦，凉。解毒消肿，利湿止痒。用于痔疮，肛门肿痛，湿疹。

| 用法用量 | 外用适量，煎汤洗。

紫草科 Boraginaceae 斑种草属 Bothriospermum

柔弱斑种草 Bothriospermum tenellum (Hornem.) Fisch. et Mey.

| 药 材 名 | 鬼点灯（药用部位：全草。别名：小马耳朵、细叠子草、雀灵草）。

| 形态特征 | 一年生草本，高 15 ~ 30 cm。茎细，直立或平卧，多分枝，被短伏毛。叶椭圆形或窄椭圆形，长 1 ~ 3 cm，先端钝，具小尖头，基部宽楔形，两面被具基盘的短伏毛。聚伞总状花序细，长 10 ~ 20 cm；苞片椭圆形或窄卵形，长 0.5 ~ 1 cm；花梗长 1 ~ 2 mm；花萼果期增大，长约 3 mm，被毛，深裂近基部，裂片披针形或卵状披针形；花冠蓝色或淡蓝色，长约 2 mm，冠檐直径约 3 mm，裂片近圆形，喉部附属物梯形，高约 0.2 mm。小坚果长约 1.5 mm，腹面环状凸起成纵椭圆形。花果期 2 ~ 10 月。

| 生境分布 | 生于海拔 300 ~ 1 900 m 的山坡路边、田间草丛、山坡草地及溪边的

阴湿处。湖南有广泛分布。

| **资源情况** | 野生资源一般。药材来源于野生。

| **采收加工** | 夏、秋季采收,除去杂质,晒干。

| **功能主治** | 苦、涩,平;有小毒。归肺经。止咳止血。用于咳嗽,吐血。

| **用法用量** | 内服煎汤,9 ~ 12 g;或炒焦,用于止血。

| **附　　注** | 本种的拉丁学名在 FOC 中被修订为 *Bothriospermum zeylanicum* (J. Jacquin) Druce。

紫草科 Boraginaceae 琉璃草属 Cynoglossum

小花琉璃草 *Cynoglossum lanceolatum* Forsk.

| 药 材 名 |

牙痛草（药用部位：全草。别名：破布草、破布粘、牙痛草）。

| 形态特征 |

多年生草本，高达 70 cm。茎直立，多分枝，分枝开展，密被糙伏毛。基生叶长圆形或长圆状披针形，长 8 ~ 10 cm，先端渐尖，基部渐窄，两面被具基盘的长糙伏毛；茎生叶披针形，长 4 ~ 7 cm，基部渐窄，无柄或具短柄。花序分枝呈钝角开展，果期长 5 ~ 12 cm；花梗极短；花萼长约 2 mm，裂片圆卵形，先端钝，被毛；花冠钟状，淡蓝色，长 1.5 ~ 2.5 mm，冠檐直径 2 ~ 2.5 mm，喉部附属物半月形；花药圆卵形，长约 0.5 mm；雌蕊基长约 2 mm。小坚果长约 2 mm，密被锚状刺，背盘不明显；果柄长 1 ~ 2 mm。花果期 6 ~ 9 月。

| 生境分布 |

生于海拔 300 ~ 1 900 m 的山坡草地或路边。分布于湖南邵阳（双清）、郴州（北湖）、怀化（辰溪、会同、洪江）、娄底（新化）、湘西州（古丈、永顺、凤凰）、张家界（桑植）等。

| 资源情况 | 野生资源较丰富。药材来源于野生。

| 采收加工 | 5～8月采收，晒干或鲜用。

| 药材性状 | 本品茎圆柱形，表面有毛茸。叶互生，皱缩，展平后呈阔披针形，先端短尖，基部渐窄而下延，下面具粗而明显的叶脉，两面均被粗毛，全缘。花皱缩成团，淡黄色。果实卵圆形，直径1.2～2 mm。

| 功能主治 | 苦，凉。归胃、肾经。清热解毒，利尿消肿，活血。用于痈肿疮毒及毒蛇咬伤。

| 用法用量 | 内服煎汤，9～15 g；或研末，0.9～1.8 g。外用适量，捣敷。

紫草科 Boraginaceae 琉璃草属 Cynoglossum

琉璃草 *Cynoglossum zeylanicum* (Vahl) Thunb. ex Lehm.

| 药 材 名 |

铁箍散（药用部位：根、叶。别名：狗屎花、蓝布裙、贴骨散）。

| 形态特征 |

多年生草本，高达 70 cm。茎 1 或数条，直立，密被带黄褐色糙毛。基生叶窄长圆形或椭圆状披针形，长 10 ~ 12 cm，先端短渐尖，基部渐窄，两面密被短糙伏毛，叶柄长 5 ~ 8 cm；茎生叶椭圆形或椭圆状披针形，较小，无柄或具短柄。花序分枝呈钝角开展；花梗长 1 ~ 3 mm；花萼长 2 ~ 3 mm，裂片卵形或卵状长圆形，先端钝，被毛；花冠漏斗状，蓝色，长 3.5 ~ 4.5 mm，冠檐直径 5 ~ 6 mm，裂片长圆形，先端钝，喉部附属物梯形，高约 1 mm，先端微凹，边缘被短毛；雄蕊生于花冠筒上部，花药长圆形，长约 1 mm；雌蕊基长约 3 mm。小坚果卵圆形，长 2 ~ 3 mm，背盘不明显。花果期 6 ~ 10 月。

| 生境分布 |

生于海拔 200 ~ 1 800 m 的林间草地、阳坡或路边。湖南各地均有分布。

| 资源情况 | 野生资源较丰富。药材来源于野生。

| 采收加工 | 根，秋季采挖，洗净，切段，晒干或鲜用。叶，夏季采收，鲜用或晒干研末。

| 功能主治 | 苦，凉。归心经。清热解毒，散瘀止血。用于疮疖痈肿，崩漏，咯血，跌打肿痛，外伤出血，毒蛇咬伤。

| 用法用量 | 内服煎汤，9 ~ 12 g。外用适量，鲜叶捣敷；或干叶研末撒。

| 附　注 | 本种的拉丁学名在 FOC 中被修订为 *Cynoglossum furcatum* Wallich。

紫草科 Boraginaceae 厚壳树属 Ehretia

长花厚壳树 *Ehretia longiflora* Champ. ex Benth.

| 药 材 名 | 长花厚壳树（药用部位：根。别名：鸡肉树）。

| 形态特征 | 落叶乔木，高达 15 m。小枝褐色，无毛。叶椭圆形或长圆状披针形，长 8 ~ 15 cm，先端尖，基部宽楔形，两面无毛，全缘，侧脉 4 ~ 7 对；叶柄长 1 ~ 2 cm。伞房状聚伞花序，生于侧枝先端，直径 4 ~ 6 cm；无苞片；花具短梗；花萼长约 2 mm，裂片卵形或三角形，边缘微被毛；花冠筒状钟形，白色或淡红色，长约 1 cm，裂片卵形或卵状椭圆形，短于花冠筒；雄蕊生于花冠筒近基部，稍伸出，花药长约 1 mm，花丝长 0.8 ~ 1 cm；子房无毛，花柱长 1 ~ 1.5 cm。核果球形，直径 0.8 ~ 1.2 cm，红色或淡黄色，果核裂成 4 分核，每分核具 1 种子。花期 4 月，果期 7 月。

| 生境分布 | 生于海拔1 000 m以下的山坡疏林中。分布于湖南郴州（汝城、桂东）、永州（江永）、怀化（辰溪）等。

| 资源情况 | 野生资源稀少。药材来源于野生。

| 采收加工 | 全年均可采挖，洗净，切段，晒干。

| 功能主治 | 甘、温。归肝、肾经。温经止痛。用于产后腹痛。

| 用法用量 | 内服煎汤，3～9 g。

紫草科 Boraginaceae 厚壳树属 Ehretia

粗糠树 *Ehretia macrophylla* Wall.

| 药 材 名 | 粗糠树果（药用部位：果实。别名：野枇杷）、粗糠树（药用部位：枝叶）。

| 形态特征 | 落叶乔木。树皮灰褐色，纵裂。小枝淡褐色，被柔毛。叶宽椭圆形、椭圆形、卵形或倒卵形，先端尖，基部宽楔形或近圆形，边缘具开展的锯齿，上面密生具基盘的短硬毛，下面密生短柔毛；叶柄被柔毛。聚伞花序顶生，呈伞房状或圆锥状，宽 6 ~ 9 cm；花无梗或近无梗；苞片线形，被柔毛；花萼裂至近中部，具柔毛；花冠筒状钟形，白色至淡黄色，芳香；雄蕊伸出花冠外，花丝着生在花冠筒基部以上 3.5 ~ 5.5 mm 处；花柱无毛或稀具伏毛，分枝长 1 ~ 1.5 mm。核果黄色，近球形，内果皮成熟时分裂为 2 分核，每分核具 2 种子。花期 3 ~ 5 月，果期 6 ~ 7 月。

| 生境分布 | 生于海拔 125～1 500 m 的山坡疏林及土质肥沃的山脚阴湿处。湖南各地均有分布。

| 资源情况 | 野生资源较丰富。药材来源于野生。

| 采收加工 | **粗糠树果**：果实成熟时采收，阴干或鲜用。
粗糠树：全年均可采收，阴干。

| 功能主治 | **粗糠树果**：清热解毒，消食健胃。用于食积腹胀，小儿消化不良。
粗糠树：清热解毒，消食健胃，散瘀消肿。用于食积腹胀，小儿消化不良，跌打损伤。

| 用法用量 | **粗糠树**：内服煎汤，3～9 g。外用适量，捣敷。

| 附 注 | 本种的拉丁学名在 FOC 中被修订为 *Ehretia dicksonii* Hance。

紫草科 Boraginaceae 厚壳树属 Ehretia

厚壳树 *Ehretia thyrsiflora* (Sieb. et Zucc.) Nakai

| 药 材 名 | 厚壳树（药用部位：叶、心材、树枝。别名：大红茶、大岗茶、松杨）。

| 形态特征 | 落叶乔木，高达 15 m。小枝无毛，暗褐色。叶椭圆形或长圆状倒卵形，长 5 ~ 12 cm，先端尖，基部宽楔形，具不整齐的细锯齿，齿端内弯，上面无毛，下面疏被毛；叶柄长 1 ~ 3 cm。圆锥状聚伞花序顶生，长 10 ~ 15 cm，近无毛；花萼长约 2 mm，裂片卵形；花冠钟形，白色，长 3 ~ 4 mm，裂片长圆形，较花冠筒稍长，开展；雄蕊生于花冠筒中部，伸出，花药长约 1 mm；花柱长约 2 mm，先端分枝。核果球形，黄色，直径 3 ~ 4 mm，具皱纹，裂为 2 分核，每分核具 2 种子。花果期 4 ~ 6 月。

| 生境分布 | 生于海拔 2 000 m 以下的丘陵、山坡或河谷。分布于湘北、湘中、

湘南等。

| 资源情况 | 野生资源一般。药材来源于野生。

| 采收加工 | 叶，全年均可采收，阴干。心材，全年均可采收，将树砍下，除去粗皮及边材，取其黄红色或红棕色的心材，切段，阴干。树枝，全年均可采收，切段，阴干。

| 功能主治 | 叶，甘、微苦，平。清热解暑，去腐生肌。用于感冒，偏头痛。心材，甘、咸，平。破瘀生新，止痛生肌。用于跌打损伤，肿痛，骨折，痈疮红肿。树枝，苦，平。收敛止血。用于肠炎腹泻。

| 用法用量 | 叶，内服煎汤，10 ~ 25 g。心材，内服煎汤，5 ~ 10 g。外用适量，研末撒敷。树枝，内服煎汤，15 ~ 30 g。

| 附　注 | 本种的拉丁学名在 FOC 中被修订为 *Ehretia acuminata* R. Brown。

紫草科 Boraginaceae 紫草属 Lithospermum

田紫草 Lithospermum arvense L.

| 药 材 名 | 地仙桃（药用部位：果实。别名：麦家公）。

| 形态特征 | 一年生草本。根含紫色素。茎常分枝，被短糙伏毛。叶倒披针形或线形，先端尖，两面被短糙伏毛；无柄。聚伞花序生于枝上部，长达 10 cm；花稀疏；苞片与叶同形，较小；花具短梗；花萼裂片线形，长 4 ~ 5.5 mm，常直伸，两面被毛，果期长达 1.1 cm，基部稍硬化；花冠高脚碟状，白色，稀蓝色或淡蓝色，花冠筒长约 4 mm，稍被毛，冠檐长约为花冠筒的 1/2，裂片卵形或长圆形，直伸或稍开展，长约 1.5 mm，稍不等大，喉部无附属物，花冠筒具 5 纵褶；雄蕊生于花冠筒下部，花药长约 1 mm；花柱长 1.5 ~ 2 mm。小坚果三角状卵球形，长约 3 mm，灰褐色，具疣状突起。花果期 4 ~ 8 月。

| 生境分布 | 生于丘陵、低山草坡或田边。分布于湖南常德（临澧）、邵阳（绥宁）、张家界（永定）、长沙（浏阳）等。

| 资源情况 | 野生资源较少。药材来源于野生。

| 采收加工 | 果实成熟时采收，晒干。

| 功能主治 | 甘、辛，温。温中健胃，消肿止痛。用于胃胀反酸，胃寒疼痛，吐血，跌打损伤，骨折。

| 用法用量 | 内服煎汤，3 ~ 6 g。外用适量，捣敷。

紫草科 Boraginaceae 紫草属 Lithospermum

紫草 Lithospermum erythrorhizon Sieb. et Zucc.

药材名

紫草（药用部位：根。别名：硬紫草、山紫草、紫血）。

形态特征

多年生草本，高达 90 cm。根富含紫色素。茎常 1～2，直立，被短糙伏毛，上部分枝。叶卵状披针形或宽披针形，长 2～8 cm，先端渐尖，基部渐窄，两面被毛，无柄。花序生于茎枝上部，长 2～6 cm；花萼裂片线形，长 4～9 mm，被短链伏毛；花冠白色，长 7～9 mm，稍被毛，冠檐与花冠筒近等长，裂片宽卵形，长 2～3 mm，开展，全缘或微波状，喉部附属物半球形，无毛；雄蕊生于花冠筒中部，花丝长约 0.4 mm，花药长 1～1.2 mm；花柱长 2.2～2.5 mm。小坚果卵球形，乳白色，或带淡黄褐色，长约 3.5 mm，平滑，有光泽，腹面具纵沟。花果期 6～9 月。

生境分布

生于山坡草地。分布于湖南湘潭（湘潭）、怀化（麻阳、溆浦）、娄底（冷水江）、湘西州（龙山）、张家界（慈利）、益阳（安化）等。

| 资源情况 | 野生资源较少。药材来源于野生。

| 采收加工 | 4～5月或9～10月采挖，除去残茎及泥土（勿用水洗，以防褪色），晒干或微火烘干。

| 药材性状 | 本品呈圆锥形，扭曲，有分枝，长7～14 cm，直径1～2 cm。表面紫红色或紫黑色，质粗糙，有纵纹，皮部薄，易剥落。质硬而脆，易折断，断面皮部深紫色，木部较大，灰黄色。

| 功能主治 | 甘、咸，寒。归心、肝经。凉血，活血，解毒透疹。用于血热毒盛，斑疹紫黑，麻疹不透，疮疡，湿疹，烫火伤。

| 用法用量 | 内服煎汤，3～9 g。外用适量，熬膏；或用植物油浸泡涂擦。

紫草科 Boraginaceae 紫草属 Lithospermum

梓木草 *Lithospermum zollingeri* DC.

| 药 材 名 |

地仙桃（药用部位：果实）。

| 形态特征 |

多年生匍匐草本。茎高达 25 cm，匍匐茎长达 30 cm，被开展的糙伏毛。根褐色，稍含紫色素。基生叶倒披针形或匙形，长 3 ~ 6 cm，两面被短糙伏毛，具短柄；茎生叶较小，基部渐窄，近无柄。花序长 2 ~ 5 cm，具 1 至数花；花具短梗；花萼长约 6.5 mm，裂片线状披针形，两面被毛；花冠蓝色或蓝紫色，长 1.5 ~ 1.8 cm，稍被毛，花冠筒与冠檐无明显界限，冠檐直径约 1 cm，裂片宽倒卵形，近等大，长 5 ~ 6 mm，全缘，无脉，喉部及花冠筒具 5 纵褶；雄蕊生于纵褶之下，花药长 1.5 ~ 2 mm；花柱长约 4 mm。小坚果斜卵球形，长 3 ~ 3.5 mm，乳白色，有时稍带淡黄褐色，平滑，有光泽，腹面具纵沟。花果期 5 ~ 8 月。

| 生境分布 |

生于丘陵、低山草坡或灌丛下。湖南有广泛分布。

| **资源情况** | 野生资源较少。药材来源于野生。

| **采收加工** | 7～9月果实成熟时采收，晒干。

| **药材性状** | 本品呈扁圆三角形，长1.5～3 mm，宽约1.5 mm，一侧有棱，先端略尖，基部有疤痕，外表白色，光滑润泽；质坚硬，破碎后可见种子；种皮与果壳愈合，棕黑色；种仁灰白色而略黄，富油脂。

| **功能主治** | 甘、辛，温。归脾、胃经。温中散寒，消肿止痛。用于胃脘冷痛作胀，泛吐酸水，跌打肿痛，骨折。

| **用法用量** | 内服煎汤，3～6 g；或研末。外用适量，捣敷。

紫草科 Boraginaceae 车前紫草属 Sinojohnstonia

浙赣车前紫草 Sinojohnstonia chekiangensis (Migo) W. T. Wang ex Z. Y. Zhang

| 药 材 名 | 浙赣车前紫草（药用部位：全草）。

| 形态特征 | 根茎多条，细长，长达 15 cm。茎数条，细弱，长 10 ~ 35 cm，平卧或斜升。基生叶长卵形，先端渐尖，基部心形，两面密生短糙毛，叶柄长约 12 cm，茎生叶较小。花序无苞片，密生短伏毛；花萼长约 6 mm，5 裂至基部，裂片线状披针形，背面有密短伏毛，腹面稍有毛；花冠漏斗状，白色或稍带淡红色，长约 1 cm，无毛，筒部比花萼长，裂片卵形，喉部附属物高约 1 mm；雄蕊 5，着生于花冠筒上部，稍外伸，花丝长约 3 mm，花药长圆形，长约 0.9 mm；子房 4 裂，花柱长约 6 mm，柱头很小，头状。小坚果 4，长 3 ~ 5 mm，碗状突起的边缘内折。花果期 4 ~ 5 月。

| 生境分布 | 生于海拔 630 ~ 1 500 m 的林下或阴湿的岩石旁。分布于湖南邵阳（绥宁）、张家界（永定、武陵源）、怀化（鹤城、中方）等。

| 资源情况 | 野生资源稀少。药材来源于野生。

| 采收加工 | 全年均可采收，洗净，晒干。

| 功能主治 | 行气止痛，祛风湿。用于风湿痹痛，腰肌劳损。

| 用法用量 | 内服煎汤，3 ~ 6 g。外用适量，捣敷。

紫草科 Boraginaceae 车前紫草属 Sinojohnstonia

短蕊车前紫草 *Sinojohnstonia moupinensis* (Franch.) W. T. Wang ex Z. Y. Zhang

| 药 材 名 | 短蕊车前紫草（药用部位：全草）。

| 形态特征 | 无根茎，具须根。茎数条，长达 25 cm，疏被短伏毛。基生叶卵形，长 4 ~ 10 cm，两面被糙伏毛及短伏毛，先端短渐尖，基部心形，叶柄长 4 ~ 7 cm；茎生叶长 1 ~ 2 cm，疏生。花序长 1 ~ 1.5 cm，密被短伏毛；花萼长 2.5 ~ 3 mm，裂片披针形，两面被毛；花冠白色或带紫色，花冠筒较花萼短，长约 1.6 mm，冠檐长为花冠筒的 2 倍，裂片倒卵形，喉部附属物半圆形；雄蕊生于花冠筒中部稍上，内藏，花药长圆形，长约 0.6 mm，被乳头；花柱长约 1.5 mm。小坚果长约 2.5 mm，腹面被短毛，黑褐色，碗状突起的边缘淡红褐色，无毛，口部缢缩，高约 1.5 mm。花果期 4 ~ 7 月。

生境分布	生于林下或阴湿的岩石旁。分布于湖南长沙（浏阳）等。
资源情况	野生资源稀少。药材来源于野生。
采收加工	全年均可采收，洗净，晒干或鲜用。
功能主治	清热凉血。用于毒蛇咬伤。
用法用量	内服煎汤，3～6g。外用适量，捣敷。

紫草科 Boraginaceae 聚合草属 Symphytum

聚合草 Symphytum officinale L.

| 药 材 名 |

聚合草（药用部位：全草）。

| 形态特征 |

多年生丛生草本，全株被稍向下弧曲的硬毛及短伏毛。主根粗壮，淡紫褐色。茎数条，直立或斜升，多分枝。基生叶及下部茎生叶带状披针形、卵状披针形或卵形，长30～60 cm，稍肉质，先端渐尖，具长柄；茎中部及上部叶较小，基部下延，无柄。花序具多花；花萼裂至近基部；花冠长约1.4 cm，淡紫色、紫红色或黄白色，裂片三角形，先端外卷，喉部附属物长约4 mm；花药长约3.5 mm，药隔稍突出，花丝长约3 mm，下部与花药近等宽；子房常不育，稀少数花内成熟1小坚果，花柱伸出。小坚果斜卵圆形，长3～4 mm，黑色，平滑，有光泽。花期5～10月。

| 生境分布 |

生于山地。分布于湖南衡阳（珠晖）、郴州（永兴、汝城）、怀化（新晃）、湘西州（龙山）等。

| 资源情况 | 野生资源稀少。药材来源于野生。

| 采收加工 | 全年均可采收,洗净,晒干或鲜用。

| 功能主治 | 活血凉血,清热解毒。用于跌打损伤,溃疡,胃痛,牙痛,咽喉肿痛等。

| 用法用量 | 内服煎汤,3 ~ 6 g。外用适量,捣敷。

紫草科 Boraginaceae 盾果草属 Thyrocarpus

盾果草 Thyrocarpus sampsonii Hance

| 药 材 名 | 盾果草（药用部位：全草。别名：盾形草、黑骨风、铺墙草）。

| 形态特征 | 茎直立或斜升，下部常分枝，被开展的长硬毛及短糙毛。基生叶丛生，匙形全缘或疏生细齿，两面被具基盘的长硬毛及短糙毛，具短柄；茎生叶较小，窄长圆形或倒披针形。聚伞花序长 7 ~ 20 cm；苞片窄卵形或披针形；花多生于腋外；花萼长约 3 mm，裂片窄椭圆形，外面及边缘被开展的长硬毛，内面疏被短伏毛；花冠淡蓝色或白色，长于花萼，冠檐直径 5 ~ 6 mm，裂片长圆形，开展，喉部附属物线形，肥厚，被乳头状突起，先端微缺；花药卵状长圆形。小坚果长约 2 mm，黑褐色，先端不膨大，内层凸起，不向里收缩。花果期 5 ~ 7 月。

| 生境分布 | 生于海拔 200 ~ 1 600 m 的山坡草丛或灌丛中。湖南有广泛分布。

| 资源情况 | 野生资源一般。药材来源于野生。

| 采收加工 | 4 ~ 6 月采收，鲜用或晒干。

| 药材性状 | 本品茎较细，1 至数条，圆柱形，长 10 ~ 30 cm；表面枯绿色，具灰白色糙毛；质脆，易折断，断面白色。基生叶丛生，皱缩卷曲，湿润展开后呈匙形，具柄，长 3.5 ~ 19 cm，宽 1 ~ 5 cm，枯绿色或深绿色，两面均具灰白色粗毛；茎生叶较小，无柄；叶片稍厚。有时可见蓝色或紫色小花。小坚果有两层碗状突起，基顶部外层有直立的齿轮，内层紧贴边缘。气微，味微苦。

| 功能主治 | 苦，凉。归心、大肠经。清热解毒，消肿。用于肠炎，细菌性痢疾，痈疖疔疮等。

| 用法用量 | 内服煎汤，9 ~ 15 g，鲜品 30 g。外用适量，鲜品捣敷。

紫草科 Boraginaceae 附地菜属 Trigonotis

西南附地菜 Trigonotis cavaleriei (Lévl.) Hand.-Mazz.

| 药 材 名 | 西南附地菜（药用部位：全草）。

| 形态特征 | 多年生草本，具根茎。茎直立，上部分枝，分枝呈"之"字形，被开展的糙硬毛。基生叶宽卵形或椭圆形，长3～8 cm，先端渐尖，基部圆形或微心形，两面被具基盘的糙伏毛，叶柄长3～7 cm，基部鞘状；茎生叶较小，卵状披针形，柄极短。果序长达20 cm，二叉分枝；无苞片。花梗长3～4 mm；花萼漏斗状，长约2 mm，浅裂，裂片宽卵形，被糙伏毛；花冠蓝色或白色，花冠筒与花萼近等长，冠檐直径约6 mm，裂片近圆形，喉部附属物高约1 mm，被毛；花药长约1 mm。小坚果为倒三棱锥状四面体形，长约1 mm，深褐色，无毛，有光泽，背面具锐棱，腹面3面近等大，着生面无柄。花果期6～8月。

| 生境分布 | 生于海拔700～2 000 m的林下、河谷湿地。分布于湖南湘西州（吉首）、张家界（桑植）等。

| 资源情况 | 野生资源稀少。药材来源于野生。

| 采收加工 | 初夏采收，鲜用或晒干。

| 功能主治 | 清热解毒，温中健胃，消肿止痛，止血。用于胃痛，吐酸，吐血；外用于跌打损伤，骨折。

| 用法用量 | 内服煎汤，15～30 g。外用适量，捣汁涂；或浸酒擦；或研末撒。

紫草科 Boraginaceae 附地菜属 Trigonotis

湖北附地菜 *Trigonotis mollis* Hemsl.

| 药 材 名 | 湖北附地菜（药用部位：全草）。

| 形态特征 | 多年生密丛细弱草本，全体密被灰色柔毛。叶片柔软，近膜质，宽卵形或近圆形，先端圆或尖，基部圆形或宽楔形，两面密被灰色柔毛；基生叶具细长的叶柄；茎生叶较小，具短柄。花序顶生，细而柔软，长约 7 cm，花稀疏，下部花 1～2 腋生，上部花无苞片；花梗细丝状，常平伸；花萼裂片倒卵状匙形，先端圆钝，花后略增大；花冠淡蓝色，直径约 2.5 mm，筒部短，裂片近圆形；花药椭圆形，先端具短尖；子房光滑，花柱内藏。小坚果 4，半球状四面体形，灰褐色，平滑无毛，腹面的基底面极小，其余 2 侧面近等大，中央具 1 纵棱；果柄极短。

| **生境分布** | 生于海拔 900 ~ 1 100 m 的山沟石壁或山谷河边。分布于湖南张家界（桑植）等。

| **资源情况** | 野生资源稀少。药材来源于野生。

| **采收加工** | 初夏采收，鲜用或晒干。

| **功能主治** | 清热解毒，祛风除湿，止痢。用于风湿痹痛，水肿，小便不利，急、慢性肠炎，痢疾等。

| **用法用量** | 内服煎汤，15 ~ 30 g。外用适量，捣敷；或研末撒。

紫草科 Boraginaceae 附地菜属 Trigonotis

附地菜 Trigonotis peduncularis (Trev.) Benth. ex Baker et Moore

| 药 材 名 | 附地菜（药用部位：全草。别名：鸡肠、鸡肠草、地胡椒）。

| 形态特征 | 一年生或二年生草本。茎常多条，直立或斜升，密被短糙伏毛。基生叶卵状椭圆形或匙形，先端钝圆，基部渐窄成叶柄，两面被糙伏毛，具柄；茎生叶长圆形或椭圆形，具短柄或无柄。花序顶生，无苞片或花序基部具 2 ~ 3 苞片；花萼裂至中下部，长 2 ~ 2.5 mm，裂片卵形，先端渐尖或尖；花冠淡蓝色或淡紫红色，花冠筒极短，冠檐直径约 2 mm，裂片倒卵形，开展，喉部附属物白色或带黄色；花药卵圆形，长约 0.3 mm。小坚果斜三棱锥状四面体形，长约 1 mm，被毛，稀无毛，背面三角状卵形，具锐棱，腹面 2 侧面近等大，基底面稍小，着生面具短柄。花果期 4 ~ 7 月。

| 生境分布 | 生于渠边、林缘、村旁荒地或田间。湖南各地均有分布。

| 资源情况 | 野生资源丰富。药材来源于野生。

| 采收加工 | 初夏采收，鲜用或晒干。

| 药材性状 | 本品皱缩成团。湿润展开后，根呈细长圆锥形。茎1至数条，纤细分枝，基部淡紫棕色，上部枯绿色，有短糙毛。基生叶有长柄，叶片椭圆状卵形或匙形，长可达2 cm，两面有糙毛；茎生叶几无柄，叶片稍小。总状花序细长，长可达20 cm，可见类白色或蓝色小花，有时具四面体形的小坚果。有青草气，味微苦、涩。

| 功能主治 | 甘、辛，平。归心、肝、脾、肾经。温中健胃，消肿止痛。用于胃痛，吐酸，吐血，跌打损伤，骨折，手脚麻木。

| 用法用量 | 内服煎汤，15 ~ 30 g；或捣汁；或浸酒。外用适量，捣敷；或研末撒。

马鞭草科 Verbenaceae 紫珠属 Callicarpa

紫珠 Callicarpa bodinieri Lévl.

| 药 材 名 | 珍珠枫（药用部位：叶。别名：珍珠风、爆竹紫、白棠子树）。

| 形态特征 | 灌木，高约 2 m，小枝、叶柄和花序均被粗糠状星状毛。叶片卵状长椭圆形至椭圆形，长 7 ~ 18 cm，宽 4 ~ 7 cm，先端长渐尖至短尖，基部楔形，边缘有细锯齿，表面干后暗棕褐色，有短柔毛，背面灰棕色，密被星状柔毛，两面密生暗红色或红色细粒状腺点；叶柄长 0.5 ~ 1 cm。聚伞花序宽 3 ~ 4.5 cm，4 ~ 5 分歧，花序梗长不超过 1 cm；苞片细小，线形；花梗长约 1 mm；花萼长约 1 mm，外被星状毛和暗红色腺点，萼齿钝三角形；花冠紫色，长约 3 mm，被星状柔毛和暗红色腺点；雄蕊长约 6 mm，花药椭圆形，细小，长约 1 mm，药隔有暗红色腺点，药室纵裂；子房有毛。果实球形，成熟时紫色，无毛，直径约 2 mm。花期 6 ~ 7 月，果期 8 ~ 11 月。

| 生境分布 | 生于海拔 200 ～ 1 600 m 的林中、林缘、山坡路旁或溪边灌丛中。湖南各地均有分布。

| 资源情况 | 野生资源较丰富。药材来源于野生。

| 采收加工 | 7 ～ 8 月采收，鲜用或晒干。

| 功能主治 | 苦、涩，凉。活血通经，祛风除湿，收敛止血。用于月经不调，虚劳，带下，产后血气痛，外伤出血，风寒感冒；外用于蛇咬伤，丹毒。

| 用法用量 | 内服煎汤，10 ～ 15 g，鲜品 30 ～ 60 g；或研末，1.5 ～ 3 g。外用适量，鲜品捣敷；或研末撒。

马鞭草科 Verbenaceae 紫珠属 Callicarpa

短柄紫珠 Callicarpa brevipes (Benth.) Hance

| 药 材 名 |

短柄紫珠（药用部位：全株。别名：红米碎木）。

| 形态特征 |

灌木，高1～2.5 m。嫩枝具黄褐色星状毛，老枝无毛，略呈四棱形。叶片披针形或狭披针形，长9～24 cm，宽1.5～4 cm，先端渐尖，基部钝，稀楔形或微心形，表面无毛，背面有黄色腺点，叶脉上有星状毛，边缘中部以上疏生小齿，侧脉9～12对，弯拱上举；叶柄长约5 mm。聚伞花序2～3分歧，宽约1.5 cm，花序梗纤细，约与叶柄等长，具黄褐色星状毛；花梗长约2 mm，无毛；苞片线形或披针形；花萼杯状，近无毛，具黄色腺点，萼齿钝三角形或近截头状；花冠白色，无毛，长约3.5 mm；花丝约与花冠等长，花药长圆形，基部箭形，背部密生黄色腺点，药室孔裂；子房无毛，柱头略长于雄蕊。果实直径3～4 mm。花期4～6月，果期7～10月。

| 生境分布 |

生于海拔600～1 400 m的山坡路旁、林下。分布于湖南衡阳（衡阳）、邵阳（隆回）等。

| **资源情况** | 野生资源稀少。药材来源于野生。

| **采收加工** | 7～8月采收,晒干。

| **功能主治** | 苦,温。祛风除湿,化痰止咳。

| **用法用量** | 内服煎汤,9～15 g。

马鞭草科 Verbenaceae 紫珠属 Callicarpa

白毛紫珠 *Callicarpa candicans* (Burm. f.) Hochr.

| 药 材 名 | 白毛紫珠（药用部位：根、茎皮、叶）。

| 形态特征 | 灌木，高 1 ~ 2 m。小枝四棱形，密生灰白色星状茸毛。叶片卵状椭圆形、宽卵形或椭圆形，长 8 ~ 15 cm，宽 4 ~ 7 cm，先端渐尖或急尖，基部骤狭成楔形，边缘有锯齿，表面无毛或叶脉上有毛，绿色，干后变黑褐色，背面密生灰白色星状茸毛，侧脉 9 ~ 13 对，中脉、侧脉和细脉在背面隆起，在表面下陷；叶柄长 1 ~ 1.5 cm。聚伞花序密集成球形，宽 2 ~ 3 cm，4 ~ 5 分歧，花序梗长 0.5 ~ 1 cm，被毛与小枝同；苞片细小，线形；花萼密生灰白色星状厚茸毛，萼齿不明显；花冠粉红色或红色，疏生星状毛，长约 2 mm；花丝长为花冠的 2 倍，花药小，卵形，药室纵裂；子房无毛。果实球形，紫黑色，干后黑色，直径约 2 mm。花果期 4 ~ 12 月。

| 生境分布 | 生于平原、山坡、路旁或空旷荒芜处。分布于湖南怀化（麻阳）等。

| 资源情况 | 野生资源稀少。药材来源于野生。

| 采收加工 | 夏、秋季采收，洗净，晒干，鲜用或研末用。

| 功能主治 | 苦、辛，热；有毒。用于疥疮、湿疮、顽癣等导致的皮肤瘙痒症。

| 用法用量 | 外用适量，煎汤洗。本品有毒，禁内服。

马鞭草科 Verbenaceae 紫珠属 Callicarpa

华紫珠 *Callicarpa cathayana* H. T. Chang

| 药 材 名 | 华紫珠（药用部位：根、叶）。

| 形态特征 | 灌木，高 1.5 ~ 3 m。小枝纤细，嫩时稍有星状毛，老后毛脱落。叶片椭圆形或卵形，长 4 ~ 8 cm，宽 1.5 ~ 3 cm，先端渐尖，基部楔形，两面近无毛，有显著的红色腺点，侧脉 5 ~ 7 对，在两面均稍隆起，细脉和网脉下陷，边缘密生细锯齿；叶柄长 4 ~ 8 mm。聚伞花序细弱，宽约 1.5 cm，3 ~ 4 分歧，略有星状毛，花序梗长 4 ~ 7 mm；苞片细小；花萼杯状，具星状毛和红色腺点，萼齿不明显或钝三角形；花冠紫色，疏生星状毛，有红色腺点；花丝与花冠等长或稍长于花冠，花药长圆形，长约 1.2 mm，药室孔裂；子房无毛，花柱略长于雄蕊。果实球形，紫色，直径约 2 mm。花期 5 ~ 7 月，果期 8 ~ 11 月。

| 生境分布 | 生于海拔1 200 m以下山坡、谷地的丛林中。分布于湖南株洲（渌口、攸县）、衡阳（衡山）、岳阳（临湘）、永州（双牌）、湘西州（保靖）等。

| 资源情况 | 野生资源一般。药材来源于野生。

| 采收加工 | 夏、秋季采收，晒干。

| 功能主治 | 苦、涩、辛，平。叶，止血散瘀，祛风逐湿。根用于疮伤出血，咯血，吐血，跌打损伤，风湿痹痛等。

| 用法用量 | 内服煎汤，6～10 g。

马鞭草科 Verbenaceae 紫珠属 Callicarpa

白棠子树 *Callicarpa dichotoma* (Lour.) K. Koch

| 药 材 名 |

白棠子树（药用部位：全株。别名：小叶鸦鹊饭、紫球、梅灯狗散）。

| 形态特征 |

多分枝的小灌木，高 1（～3）m。小枝纤细，幼嫩部分有星状毛。叶倒卵形或披针形，长 2～6 cm，宽 1～3 cm，先端急尖或尾状尖，基部楔形，边缘仅上半部具数个粗锯齿，表面稍粗糙，背面无毛，密生细小的黄色腺点；侧脉 5～6 对；叶柄长不超过 5 mm。聚伞花序着生于叶腋上方，细弱，宽 1～2.5 cm，2～3 分歧，花序梗长约 1 cm，略有星状毛，至结果时无毛；苞片线形；花萼杯状，无毛，先端有不明显的 4 齿或近截头状；花冠紫色，长 1.5～2 mm，无毛；花丝长约为花冠的 2 倍，花药卵形，细小，药室纵裂；子房无毛，具黄色腺点。果实球形，紫色，直径约 2 mm。花期 5～6 月，果期 7～11 月。

| 生境分布 |

生于海拔 600 m 以下的低山丘陵灌丛中。湖南有广泛分布。

| **资源情况** | 野生资源一般。药材来源于野生。

| **采收加工** | 夏、秋季采收，晒干。

| **功能主治** | 涩，凉。收敛止血，祛风除湿。用于吐血，咯血，衄血，便血，崩漏，创伤出血。

| **用法用量** | 内服煎汤，10～15 g。外用适量，水浸冲洗；或捣敷。

马鞭草科 Verbenaceae 紫珠属 Callicarpa

杜虹花 *Callicarpa formosana* Rolfe

| 药 材 名 | 杜虹花（药用部位：全株。别名：粗糠根、白粗糠、红粗糠）。

| 形态特征 | 灌木，高 1 ~ 3 m，小枝、叶柄和花序均密被灰黄色星状毛和分枝毛。叶片卵状椭圆形或椭圆形，长 6 ~ 15 cm，宽 3 ~ 8 cm，先端通常渐尖，基部钝或浑圆，边缘有细锯齿，表面被短硬毛，稍粗糙，背面被灰黄色星状毛和细小的黄色腺点，侧脉 8 ~ 12 对，主脉、侧脉和网脉在背面隆起；叶柄粗壮，长 1 ~ 2.5 cm。聚伞花序宽 3 ~ 4 cm，通常 4 ~ 5 分歧，花序梗长 1.5 ~ 2.5 cm；苞片细小；花萼杯状，被灰黄色星状毛，萼齿钝三角形；花冠紫色或淡紫色，无毛，长约 2.5 mm，裂片钝圆，长约 1 mm；雄蕊长约 5 mm，花药椭圆形，药室纵裂；子房无毛。果实近球形，紫色，直径约 2 mm。花期 5 ~ 7 月，果期 8 ~ 11 月。

| 生境分布 | 生于海拔 1 590 m 以下的平地、山坡和溪边的林中或灌丛中。湖南各地均有分布。

| 资源情况 | 野生资源较丰富。药材来源于野生。

| 采收加工 | 夏、秋季采收，晒干。

| 功能主治 | 苦、微涩，平。收敛止血，祛风除湿。用于吐血，咯血，衄血，便血，崩漏，创伤出血。

| 用法用量 | 内服煎汤，6 ~ 10 g。

马鞭草科 Verbenaceae 紫珠属 Callicarpa

老鸦糊 *Callicarpa giraldii* Hesse ex Rehd.

| 药 材 名 |

老鸦糊（药用部位：全株。别名：紫珠、米筛子、尖叶蜘蛛）。

| 形态特征 |

灌木，高1～5 m。小枝圆柱形，灰黄色，被星状毛。叶片纸质，宽椭圆形至披针状长圆形，长5～15 cm，宽2～7 cm，先端渐尖，基部楔形或下延成狭楔形，边缘有锯齿，表面黄绿色，稍有微毛，背面淡绿色，疏被星状毛和细小的黄色腺点，侧脉8～10对，主脉、侧脉和细脉在叶背隆起，细脉近平行；叶柄长1～2 cm。聚伞花序宽2～3 cm，4～5分歧，被毛与小枝同；花萼钟状，疏被星状毛，老后毛常脱落，具黄色腺点，长约1.5 mm，萼齿钝三角形；花冠紫色，稍有毛，具黄色腺点，长约3 mm；雄蕊长约6 mm，花药卵圆形，药室纵裂，药隔具黄色腺点；子房被毛。果实球形，初时疏被星状毛，成熟时无毛，紫色，直径2.5～4 mm。花期5～6月，果期7～11月。

| 生境分布 |

生于海拔200～1 900 m的疏林和灌丛中。湖南各地均有分布。

| 资源情况 | 野生资源较丰富。药材来源于野生。

| 采收加工 | 5～10月采收，鲜用或晒干。

| 功能主治 | 苦、辛，寒。祛风除湿，散瘀解毒。用于风湿痛，跌打损伤，外伤出血，尿血。

| 用法用量 | 内服煎汤，25～50 g；或研末。外用适量，捣敷；或煎汤熏洗。

马鞭草科 Verbenaceae 紫珠属 Callicarpa

毛叶老鸦糊 *Callicarpa giraldii* Hesse ex Rehd. var. *lyi* (Lévl.) C. Y. Wu

| 药 材 名 | 毛叶老鸦糊（药用部位：全株。别名：珍珠树、紫珠树）。

| 形态特征 | 灌木，高1～3（～5）m，小枝、叶背面及花的各部分均密被灰白色星状柔毛。小枝圆柱形，灰黄色，被星状毛。叶片纸质，宽卵形至椭圆形，长10～17 cm，宽4～10 cm，先端渐尖，基部楔形或下延成狭楔形，边缘有锯齿，表面黄绿色，背面淡绿色，疏被细小的黄色腺点，侧脉8～10对，主脉、侧脉和细脉在叶背隆起，细脉近平行；叶柄长1～2 cm。聚伞花序宽2～3 cm，4～5分歧，被毛与小枝同；花萼钟状，疏被星状毛，老后毛常脱落，具黄色腺点，长约1.5 mm，萼齿钝三角形；花冠紫色，稍有毛，具黄色腺点，长约3 mm；雄蕊长约6 mm，花药卵圆形，药室纵裂，药隔具黄色腺点；子房被毛。果实球形，初时疏被星状毛，成熟时无毛，紫色。

花期 5 ~ 6 月，果期 7 ~ 10 月。

| **生境分布** | 生于海拔 1 500 m 以下的林下或林边。分布于湖南怀化（会同）等。

| **资源情况** | 野生资源稀少。药材来源于野生。

| **采收加工** | 5 ~ 10 月采收，鲜用或晒干。

| **功能主治** | 苦、辛，温；有小毒。祛风除湿，杀虫解毒，散结化瘀。用于风湿关节痛，跌打损伤，外伤出血。

| **用法用量** | 外用捣敷，20 ~ 30 g；或煎汤熏洗。

马鞭草科 Verbenaceae 紫珠属 Callicarpa

全缘叶紫珠 *Callicarpa integerrima* Champ.

| 药 材 名 | 全缘叶紫珠（药用部位：根、叶、果实）。

| 形态特征 | 藤本或蔓性灌木；小枝棕褐色，圆柱形，嫩枝、叶柄和花序密生黄褐色分枝茸毛。叶片宽卵形、卵形或椭圆形，长 7 ~ 15 cm，宽 4 ~ 9 cm，先端尖或渐尖，通常具钝头，基部宽楔形至浑圆，全缘，表面深绿色，幼时有黄褐色星状毛，老后脱落几无毛，背面密生灰黄色厚茸毛，侧脉 7 ~ 9 对；叶柄长约 2 cm。聚伞花序宽 8 ~ 11 cm，7 ~ 9 次分歧；花序梗长 3 ~ 5 cm；花梗及萼筒密生星状毛，萼齿不明显或截头状；花冠紫色，长约 2 mm，无毛，雄蕊长超过花冠约 2 倍，药室纵裂；子房有星状毛。果实近球形，紫色，初被星状毛，成熟后脱落，直径约 2 mm。花期 6 ~ 7 月，果期 8 ~ 11 月。

| **生境分布** | 生于海拔 200～700 m 的山坡或谷地林中。分布于湖南邵阳（新宁）、湘西州（永顺）、郴州（永兴）等。

| **资源情况** | 野生资源稀少。药材主要来源于野生。

| **功能主治** | 清热，凉血，止血。

马鞭草科 Verbenaceae 紫珠属 Callicarpa

日本紫珠 Callicarpa japonica Thunb.

| 药 材 名 | 日本紫珠（药用部位：叶、果实。别名：紫珠）。

| 形态特征 | 灌木。高约2 m。小枝圆柱形，无毛。叶片倒卵形、卵形或椭圆形，长7～12 cm，宽4～6 cm，先端急尖或长尾尖，基部楔形，两面通常无毛，边缘上半部有锯齿；叶柄长约6 mm。聚伞花序细弱而短小，宽约2 cm，2～3次分歧；花序梗长6～10 mm；花萼杯状，无毛，萼齿钝三角形；花冠白色或淡紫色，长约3 mm，无毛；花丝与花冠等长或稍长，花药长约1.8 mm，突出花冠外，药室孔裂。果实球形，直径约2.5 mm。花期6～7月，果期8～10月。

| 生境分布 | 生于海拔220～850 m的山坡和谷地溪旁的丛林中。分布于湖南湘

西州（花垣、凤凰）、怀化（沅陵、溆浦）、长沙（浏阳）、衡阳（南岳）等。

| **资源情况** | 野生资源较丰富。药材来源于野生。

| **采收加工** | 夏、秋季采收，晒干。

| **功能主治** | 微辛、苦，平。止血消炎，散瘀消肿。用于复合性胃和十二指肠溃疡出血，外伤出血，衄血，牙龈出血，扭伤肿痛，化脓性皮肤溃疡，烧伤，流行性感冒。

| **用法用量** | 内服煎汤，15 ~ 30 g。外用适量，捣敷；或研末撒。

马鞭草科 Verbenaceae 紫珠属 Callicarpa

窄叶紫珠 Callicarpa membranacea H. T. Chang

| 药 材 名 | 止血草（药用部位：全株）。

| 形态特征 | 叶片质地较薄，倒披针形或披针形，绿色或略带紫色，长6～10 cm，宽2～4 cm，两面常无毛，有不明显的腺点，侧脉6～8对，边缘中部以上有锯齿；叶柄长不超过0.5 cm。聚伞花序宽约1.5 cm，花序梗长约6 mm；萼齿不显著；花冠长约3.5 mm；花丝与花冠约等长，花药长圆形，药室孔裂。果实直径约3 mm。花期5～6月，果期7～10月。

| 生境分布 | 生于海拔1 300 m以下的山坡、溪旁林中或灌丛中。分布于湖南怀化（麻阳）等。

| 资源情况 | 野生资源稀少。药材来源于野生。

| 采收加工 | 5～10月采收，鲜用或晒干。

| 功能主治 | 辛、微苦，凉。散瘀止血，祛风止痛。用于吐血，咯血，衄血，便血，崩漏，创伤出血，痈疽肿毒，喉痹。

| 用法用量 | 外用适量，捣敷；或煎汤熏洗。

马鞭草科 Verbenaceae 紫珠属 Callicarpa

枇杷叶紫珠 *Callicarpa kochiana* Makino

| 药 材 名 | 枇杷叶紫珠（药用部位：叶。别名：长叶紫珠、裂萼紫珠、野枇杷）。

| 形态特征 | 灌木，高 1 ~ 4 m，小枝、叶柄与花序密生黄褐色分枝茸毛。叶片长椭圆形、卵状椭圆形或长椭圆状披针形，长 12 ~ 22 cm，宽 4 ~ 8 cm，先端渐尖或锐尖，基部楔形，边缘有锯齿，表面无毛或疏被毛，通常脉上毛较密，背面密生黄褐色星状毛和分枝茸毛，两面被不明显的黄色腺点，侧脉 10 ~ 18 对，在叶背隆起；叶柄长 1 ~ 3 cm。聚伞花序宽 3 ~ 6 cm，3 ~ 5 分歧；花序梗长 1 ~ 2 cm；花近无梗，密生于分枝的先端；花萼管状，被茸毛，萼齿线形或锐尖狭长三角形，长 2 ~ 2.5 mm；花冠淡红色或紫红色，裂片密被茸毛；雄蕊伸出花冠管外，花丝长约 3.5 mm，花药卵圆形，长约 1 mm；花柱长超过雄蕊，柱头膨大。果实圆球形，直径约 1.5 mm，

几全部包藏于宿存的花萼内。花期 7 ~ 8 月,果期 9 ~ 12 月。

| **生境分布** | 生于海拔 100 ~ 850 m 的山坡或谷地溪旁的林中和灌丛中。湖南有广泛分布。

| **资源情况** | 野生资源一般。药材来源于野生。

| **采收加工** | 夏、秋季采收,晒干或鲜用。

| **功能主治** | 苦、辛,平。祛风除湿,收敛止血。用于风湿痹痛,风寒咳嗽,头痛,胃出血,刀伤出血。

| **用法用量** | 内服煎汤,15 ~ 30 g。外用适量,鲜品捣敷。

马鞭草科 Verbenaceae 紫珠属 Callicarpa

广东紫珠 Callicarpa kwangtungensis Chun

| 药 材 名 | 广东紫珠（药用部位：茎枝、叶。别名：紫珠草、止血草、紫荆）。

| 形态特征 | 灌木，高约 2 m。幼枝略被星状毛，常带紫色，老枝黄灰色，无毛。叶片狭椭圆状披针形、披针形或线状披针形，长 15～26 cm，宽 3～5 cm，先端渐尖，基部楔形，两面通常无毛，背面密生显著的细小黄色腺点，侧脉 12～15 对，边缘上半部有细齿；叶柄长 5～8 mm。聚伞花序宽 2～3 cm，3～4 分歧，具稀疏的星状毛，花序梗长 5～8 mm；花萼在花时稍有星状毛，果时可无毛，萼齿钝三角形；花冠白色或带紫红色，长约 4 mm，可稍有星状毛；花丝约与花冠等长或稍短于花冠，花药长椭圆形，药室孔裂；子房无毛，有黄色腺点。果实球形，直径约 3 mm。花期 6～7 月，果期 8～10 月。

| 生境分布 | 生于海拔 300 ~ 1 600 m 的山坡林中或灌丛中。湖南各地均有分布。

| 资源情况 | 野生资源较丰富。药材来源于野生。

| 采收加工 | 夏、秋季采收，切成长 10 ~ 20 cm 的段，干燥。

| 药材性状 | 本品茎枝呈圆柱形，分枝少，长 10 ~ 20 cm，直径 0.2 ~ 1.5 cm；表面灰绿色或灰褐色，有的具灰白色花斑，有细纵皱纹及多数长椭圆形稍凸起的黄白色皮孔；嫩枝可见对生的类三角形叶柄痕，腋芽明显；质硬，切面皮部呈纤维状，中部具较大的类白色髓。叶片多已脱落或皱缩、破碎，完整者呈狭椭圆状披针形、披针形或线状披针形，先端渐尖，基部楔形，边缘具锯齿，下表面有黄色腺点。

| 功能主治 | 苦、涩，凉。收敛止血，散瘀，清热解毒。用于衄血，咯血，吐血，便血，崩漏，外伤出血，肺热咳嗽，咽喉肿痛，热毒疮疡，烫火伤等。

| 用法用量 | 内服煎汤，9 ~ 15 g。外用适量，研末敷。

马鞭草科 Verbenaceae 紫珠属 Callicarpa

尖萼紫珠 *Callicarpa loboapiculata* Mete.

| 药 材 名 | 尖萼紫珠（药用部位：叶）。

| 形态特征 | 灌木，高达 3 m。小枝、叶柄和花序密生黄褐色分枝茸毛。叶片椭圆形，长 12 ~ 22 cm，宽 5 ~ 7 cm，先端渐尖，基部楔形，边缘有浅锯齿，表面初有星状毛和分枝毛，后毛脱落，仅脉上有毛，背面密生黄褐色星状毛和分枝茸毛，两面有细小黄色腺点；叶柄粗壮，长 2 ~ 3 cm。聚伞花序宽 4 ~ 6 cm，5 ~ 6 次分歧；花序梗粗壮，长 1 ~ 1.5 cm；花梗长约 1 mm；苞片细小；花萼钟状，稍被星状毛或无毛，萼齿急尖，长 0.5 ~ 1 mm；花冠紫色，长约 2.5 mm，先端 4 裂，裂片常有毛；花丝长约 3.5 mm，花药椭圆形，药室纵裂。果实直径约 1.2 mm，具黄色腺点，无毛。花期 7 ~ 8 月，果期 9 ~ 12 月。

| 生境分布 | 生于海拔 300 ~ 500 m 的山坡或谷地溪旁林中。分布于湖南张家界（桑植、武陵源）、湘西州（龙山）、邵阳（洞口）、郴州（宜章、资兴）、怀化（芷江）等。

| 资源情况 | 野生资源一般。药材来源于野生。

| 采收加工 | 夏、秋季采收，晒干。

| 功能主治 | 苦，凉。祛风止痒，杀虫。用于各种癣类疾病引起的皮肤瘙痒、脱屑、溃烂、疥疮等。

| 用法用量 | 外用适量，煎汤洗。

马鞭草科 Verbenaceae 紫珠属 Callicarpa

长柄紫珠 Callicarpa longipes Dunn

| 药 材 名 | 长柄紫珠（药用部位：叶）。

| 形态特征 | 灌木。高 2 ～ 3 m。小枝棕褐色，被多细胞腺毛和单毛。叶片倒卵状椭圆形至倒卵状披针形，长 6 ～ 13 cm，宽 2 ～ 7 cm，先端急尖至尾尖，基部心形，稍偏斜，两面被多细胞单毛，背面有细小黄色腺点，边缘具三角状的粗锯齿，侧脉 8 ～ 10 对；叶柄长 0.5 ～ 0.8 cm。花序宽约 3 cm，3 ～ 4 次分歧，被毛与小枝同；花序梗长 1.5 ～ 3 cm；花有短梗；花萼钟状，被腺毛及单毛，萼齿急尖或锐三角形，长 1 ～ 2 mm；花冠红色，疏被毛，长约 4 mm；雄蕊长约为花冠的 2 倍，花药卵形，长约 1 mm，药室纵裂；子房无毛。果实球形，紫红色，直径 1.5 ～ 2 mm。花期 6 ～ 7 月，果期 8 ～ 12 月。

生境分布	生于海拔 300 ～ 500 m 的山坡灌丛或疏林中。分布于湖南郴州（临武、汝城）、永州（江永、蓝山）、怀化（通道）等。
资源情况	野生资源较少。药材来源于野生。
采收加工	夏、秋季采收，晒干或鲜用。
功能主治	微苦，温。祛风除湿，活血止血。用于风湿痹痛，风寒咳嗽，吐血。
用法用量	内服煎汤，鲜品 30 ～ 60 g；或捣汁。

马鞭草科 Verbenaceae 紫珠属 Callicarpa

尖尾枫 Callicarpa longissima (Hemsl.) Merr.

| 药 材 名 | 尖尾枫（药用部位：全株。别名：尖尾风）。

| 形态特征 | 灌木或小乔木，高2～5 m。小枝四棱形，紫褐色，幼时稍有多细胞的单毛，节上具毛环。单叶对生；叶柄长1～1.5 cm；叶片披针形至狭椭圆形，长14～25 cm，宽2～7 cm，先端锐尖，基部楔形，边缘具不明显的小齿或全缘，表面主脉及侧脉有多细胞的单毛，背面无毛，有细小的黄色腺点，干时下陷成蜂窝状小洼点；侧脉12～20对。聚伞花序腋生，花小而密集，5～7分歧，花序被多细胞的单毛，花序梗长1.5～3 cm；花萼有腺点，杯状或截头状，萼齿不明显；花冠淡紫色，无毛，长约2.5 mm；雄蕊4，长约为花冠的2倍；子房无毛。果实扁球形，白色，直径1～1.5 mm，具细小的腺点。花期7～9月，果期10～12月。

| 生境分布 | 生于海拔 1 200 m 以下的荒野、山坡、谷地丛林中。湖南有广泛分布。

| 资源情况 | 野生资源一般。药材来源于野生。

| 采收加工 | 夏、秋季采收，晒干或鲜用。

| 功能主治 | 苦、辛，温。止血镇痛，散瘀消肿，祛风湿。用于外伤出血，咯血，吐血，产后风痛，四肢瘫痪，风湿痹痛等。

| 用法用量 | 内服煎汤，10 ~ 15 g，鲜品加倍；或捣汁。外用适量，捣敷。

马鞭草科 Verbenaceae 紫珠属 Callicarpa

钩毛紫珠

Callicarpa peichieniana Chun et S. L. Chen

| 药 材 名 | 钩毛紫珠（药用部位：叶）。

| 形态特征 | 灌木。高约2 m。小枝圆柱形，细弱，密被钩状小糙毛和黄色腺点。叶菱状卵形或卵状椭圆形，长2.5～6 cm，宽1～3 cm，两面无毛，密被黄色腺点，先端尾尖或渐尖，基部宽楔形或钝圆，侧脉4～5对，细脉不明显，边缘上半部疏生小齿；叶柄极短或无柄。聚伞花序单一（稀2次分歧），有花1～7；花序梗纤细，长1～2 cm，被毛同小枝；花萼杯状，长约1.5 mm，先端截状，被黄色腺点；花冠紫红色，被细毛和黄色腺点；花丝与花冠等长或稍长于花冠，花药长圆形，药室纵裂；子房球形，无毛，具稠密腺点，花柱长于雄蕊。果实球形，成熟时紫红色，具4分核。花期6～7月，果期8～11月。

| 生境分布 | 生于林中或林边。分布于湘南等。

| 资源情况 | 野生资源较少。药材来源于野生。

| 采收加工 | 夏、秋季采收，晒干或鲜用。

| 功能主治 | 苦，平。收敛止血，清热解毒。用于感冒，外伤出血。

| 用法用量 | 内服煎汤，9 ~ 15 g。外用适量，鲜品捣敷。

马鞭草科 Verbenaceae 紫珠属 Callicarpa

藤紫珠 *Callicarpa peii* H. T. Chang

| 药 材 名 | 藤紫珠（药用部位：全株。别名：裴氏紫珠）。

| 形态特征 | 藤本或蔓性灌木，长可达 10 m。老枝棕褐色，圆柱形，无毛，幼枝、叶柄和花序梗被黄褐色星状毛和分枝茸毛。叶片宽椭圆形或宽卵形，长 6 ~ 11 cm，宽 3 ~ 7 cm，先端急尖至渐尖，基部宽楔形或浑圆，全缘，表面深绿色，初时有短硬毛和星状毛，稍粗糙，以后逐渐脱落，背面被黄褐色星状毛和细小的黄色腺点，侧脉 6 ~ 9 对，主脉、侧脉和细脉在背面均隆起；叶柄长 1 ~ 2 cm。聚伞花序宽 6 ~ 9 cm，6 ~ 8 分歧，花序梗长 2 ~ 5 cm；花梗无毛，长约 1.5 mm；苞片线形；花萼无毛，有细小的黄色腺点，萼齿不明显或近截头状；花冠紫红色至蓝紫色，长约 2.5 mm；雄蕊长约 5 mm，花药细小，长约 0.6 mm，药室纵裂；子房无毛。果实紫色，直径约 2 mm。花期 5 ~ 7

月，果期 8 ~ 11 月。

| 生境分布 | 生于海拔 250 ~ 1 500 m 的山坡林中、林边或谷地溪边。分布于湖南湘西州（吉首、永顺）等。

| 资源情况 | 野生资源稀少。药材来源于野生。

| 采收加工 | 全年均可采收，晒干。

| 功能主治 | 苦、涩，平。用于泄泻，感冒发热，风湿痛。

| 用法用量 | 内服煎汤，5 ~ 15 g。外用适量，研末敷。

马鞭草科 Verbenaceae 紫珠属 Callicarpa

红紫珠 Callicarpa rubella Lindl.

| 药 材 名 | 红紫珠（药用部位：叶、茎。别名：对节树、小红米果、红叶紫珠）。

| 形态特征 | 灌木，高 1 ~ 3 m。小枝被黄褐色星状毛并杂有多细胞的腺毛。叶片倒卵形或倒卵状椭圆形，长 10 ~ 20 cm，宽 3 ~ 10 cm，先端尾尖或渐尖，基部心形，有时偏斜，边缘具细锯齿或不整齐的粗齿，表面稍被多细胞的单毛，背面被星状毛并杂有单毛和腺毛，有黄色腺点；叶柄极短或近无柄。聚伞花序宽 2 ~ 4 cm，被毛与小枝同；花序梗长 2 ~ 3 cm；苞片细小；花萼被星状毛或腺毛，具黄色腺点，萼齿钝三角形或不明显；花冠紫红色、黄绿色或白色，长约 3 mm，外被细毛和黄色腺点；雄蕊长为花冠的 2 倍，药室纵裂；子房有毛。果实紫红色，直径约 2 mm。花期 5 ~ 7 月，果期 7 ~ 11 月。

| 生境分布 | 生于海拔 300 ~ 1 900 m 的山坡、河谷的林中或灌丛中。湖南各地均有分布。

| 资源情况 | 野生资源丰富。药材来源于野生。

| 采收加工 | 7 ~ 11 月采收，晒干或鲜用。

| 药材性状 | 本品茎呈圆柱形，表面灰褐色，被黄褐色星状毛及多细胞腺毛；质脆，易折断。叶多卷曲皱缩，完整者展平后呈倒卵形或卵状椭圆形；先端较尖，基部略呈心形，边缘有三角状锯齿，上表面暗棕色，下表面有黄色腺点，两面均有柔毛；叶柄极短或近无柄。气微，味微苦、涩。

| 功能主治 | 凉血止血，消毒解肿。用于衄血，咯血，吐血，痔血，跌打损伤，外伤出血，痈肿疮毒。

| 用法用量 | 内服煎汤 15 ~ 30 g。外用适量，捣敷；或研末撒。

马鞭草科 Verbenaceae 莸属 Caryopteris

兰香草 *Caryopteris incana* (Thunb.) Miq.

| 药 材 名 | 兰香草（药用部位：全株。别名：山薄荷、莸、婆绒花）。

| 形态特征 | 小灌木，高 26 ~ 60 cm。嫩枝圆柱形，略带紫色，被灰白色柔毛，老枝毛渐脱落。叶片厚纸质，披针形、卵形或长圆形，长 1.5 ~ 9 cm，宽 0.8 ~ 4 cm，先端钝或尖，基部楔形或近圆形至平截，边缘有粗齿，很少近全缘，被短柔毛，表面色较淡，两面有黄色腺点，背脉明显；叶柄被柔毛，长 0.3 ~ 1.7 cm。聚伞花序紧密，腋生和顶生；无苞片和小苞片；花萼杯状，开花时长约 2 mm，外面密被短柔毛；花冠淡紫色或淡蓝色，二唇形，外面具短柔毛，花冠管长约 3.5 mm，喉部有毛环，花冠 5 裂，下唇中裂片较大，边缘流苏状；雄蕊 4，开花时与花柱均伸出花冠管外；子房先端被短毛，柱头 2 裂。蒴果倒卵状球形，被粗毛，直径约 2.5 mm，果瓣有宽翅。

花果期 6 ~ 10 月。

| 生境分布 | 多生于较干旱的山坡、路旁或林边。湖南各地均有分布。

| 资源情况 | 野生资源较少。药材来源于野生。

| 采收加工 | 夏、秋季采收，鲜用或切段晒干。

| 药材性状 | 本品根较粗壮，圆柱形，直径 3 ~ 7 mm，外皮粗糙，黄棕色，有纵裂及纵皱纹。茎丛生，幼茎略呈钝方形，灰褐色或棕紫色。叶对生，披针形、长圆形至卵形，皱缩，灰褐色至黑褐色，纸质，可捻碎。有花椒样特异香气，味苦。

| 功能主治 | 辛，温。祛风除湿，止咳散瘀。用于感冒发热，风湿骨痛，百日咳，慢性支气管炎，月经不调，崩漏，带下，产后瘀血作痛，跌打损伤，皮肤瘙痒，湿疹，疮肿。

| 用法用量 | 内服煎汤，15 ~ 25 g；或浸酒。外用适量，煎汤洗。

马鞭草科 Verbenaceae 莸属 Caryopteris

单花莸 Caryopteris nepetaefolia (Benth.) Maxim.

| 药 材 名 |

莸（药用部位：全草。别名：山薄荷）。

| 形态特征 |

多年生草本。有时蔓生，仅基部木质化，高 30～60 cm。茎方形，被向下弯曲的柔毛。叶片纸质，宽卵形至近圆形，长 1.5～5 cm，宽 1.5～4 cm，先端钝，基部阔楔形至圆形，边缘具 4～6 对钝齿；叶柄长 0.3～1 cm，被柔毛。单花腋生，有长 1.5～3 cm 的纤细花梗，近花梗中部生 2 锥形细小苞片；花萼杯状，长约 6 mm，结果时略增大，两面均被柔毛并疏生腺点，5 裂，裂片卵圆形至卵状披针形，有明显脉纹；花冠淡蓝色，外面疏生细毛和腺点，喉部常被柔毛，下唇中裂片较大，全缘；雄蕊 4，与花柱均伸出花冠管外；子房密生绒毛。蒴果 4 瓣裂，表面被粗毛，淡黄色。花果期 5～9 月。

| 生境分布 |

生于阴湿山坡、林边、路旁或水沟边。分布于湖南岳阳（平江）、张家界（慈利）等。

| 资源情况 |

野生资源一般。药材来源于野生。

| 采收加工 | 夏、秋季采收，切段，鲜用或晒干。

| 功能主治 | 微甘，凉。清暑解表，利湿解毒。用于夏季感冒，中暑，热淋，尿路感染，带下，外伤出血。

| 用法用量 | 内服煎汤，15 ~ 30 g。外用适量，鲜叶捣敷。

马鞭草科 Verbenaceae 莸属 Caryopteris

三花莸 Caryopteris terniflora Maxim.

| 药 材 名 | 六月寒（药用部位：全株。别名：大风寒草、红花野芝麻、野薄荷）。

| 形态特征 | 直立亚灌木。常自基部即分枝，高 15 ~ 60 cm。茎方形，密生灰白色向下弯曲的柔毛。叶片纸质，卵圆形至长卵形，长 1.5 ~ 4 cm，宽 1 ~ 3 cm，先端尖，基部阔楔形至圆形，两面具柔毛和腺点，以背面较密，边缘具规则钝齿，侧脉 3 ~ 6 对；叶柄长 0.2 ~ 1.5 cm，被柔毛。聚伞花序腋生，通常具 3 花，偶有 1 或 5 花；花萼钟状，两面有柔毛和腺点，5 裂，裂片披针形；花冠紫红色或淡红色，外面疏被柔毛和腺点，先端 5 裂，二唇形，裂片全缘，下唇中裂片较大，圆形；雄蕊 4；子房先端被柔毛，花柱长超过雄蕊。蒴果成熟后 4 瓣裂，果瓣倒卵状舟形，表面明显凹凸成网纹，密被糙毛。花果期 6 ~

9月。

| 生境分布 | 生于海拔550～2 000 m的山坡、平地或水沟、河边。分布于湖南常德（石门）、湘西州（保靖）等。

| 资源情况 | 野生资源稀少。药材来源于野生。

| 采收加工 | 7～8月采收，晒干或鲜用。

| 功能主治 | 辛、微苦，平。疏风解表，宣肺止咳。用于外感头痛，咳嗽，外障目翳，烫伤等。

| 用法用量 | 内服煎汤，10～15 g。外用适量，捣敷；或研末调敷。

马鞭草科 Verbenaceae 大青属 Clerodendrum

臭牡丹 *Clerodendrum bungei* Steud.

| 药 材 名 | 臭牡丹（药用部位：茎叶。别名：臭八宝、大红花、臭芙蓉）。

| 形态特征 | 灌木，高 1 ~ 2 m，植株有臭味，花序轴、叶柄密被褐色、黄褐色或紫色的脱落性柔毛。小枝近圆形，皮孔显著。叶对生，叶片纸质，宽卵形或卵形，先端尖或渐尖，基部宽楔形、截形或心形，边缘具粗或细的锯齿，表面散生短柔毛，背面疏生短柔毛和散生腺点或无毛，基部脉腋有数个盘状腺体；叶柄长 4 ~ 17 cm。房状聚伞花序顶生，密集；苞片叶状，披针形或卵状披针形，早落或花时不落，早落后在花序梗上残留凸起的痕迹，小苞片披针形，长约 1.8 cm；花萼钟状，被短柔毛及少数盘状腺体，萼齿三角形或狭三角形；花冠淡红色、红色或紫红色，花冠管长 2 ~ 3 cm，裂片倒卵形；雄蕊及花柱均突出花冠外；柱头 2 裂，子房 4 室。核果近球形，直径

0.6 ~ 1.2 cm，成熟时蓝黑色。花果期 5 ~ 11 月。

| 生境分布 | 生于海拔 1 500 m 以下的山坡、林缘、沟谷、路旁、灌丛等的润湿处。湖南各地均有分布。

| 资源情况 | 野生资源丰富。药材来源于野生。

| 采收加工 | 夏季采收，鲜用或晒干。

| 功能主治 | 苦、辛，平。活血散瘀，消肿解毒。用于痈疽，疔疮，乳腺炎，关节炎，湿疹，牙痛，痔疮，脱肛。

| 用法用量 | 内服煎汤，15 ~ 25 g，鲜品 50 ~ 100 g；或捣汁；或入丸、散剂。外用适量，捣敷；或研末调敷；或煎汤熏洗。

马鞭草科 Verbenaceae 大青属 Clerodendrum

灰毛大青 *Clerodendrum canescens* Wall.

| 药 材 名 | 大叶白花灯笼（药用部位：全株。别名：狮子球、山茉莉、白蜻蜓）。

| 形态特征 | 灌木，高1～3.5 m。小枝略四棱形，具不明显的纵沟，全体密被平展或倒向的灰褐色长柔毛，髓疏松，干后不中空。叶片心形或宽卵形，稀为卵形，长6～18 cm，宽4～15 cm，先端渐尖，基部心形至近截形，两面均有柔毛，脉上密被灰褐色的平展柔毛，背面尤显著；叶柄长1.5～12 cm。聚伞花序密生成头状，通常2～5生于枝顶，花序梗较粗壮，长1.5～11 cm；苞片叶状，卵形或椭圆形，具短柄或近无柄，长0.5～2.4 cm；花萼由绿色变为红色，钟状，有5棱角，长约1.3 cm，有少数腺点，5深裂至花萼中部，裂片卵形或宽卵形，渐尖；花冠白色或淡红色，外面被腺毛或柔毛，花冠管长约2 cm，纤细，裂片向外平展，倒卵状长圆形，长5～6 mm；雄蕊4，与花

柱均伸出花冠外。核果近球形，直径约 7 mm，绿色，成熟时深蓝色或黑色，藏于红色增大的宿存萼内。花果期 4 ~ 10 月。

| 生境分布 | 生于海拔 220 ~ 880 m 的山坡路边或疏林中。湖南有广泛分布。

| 资源情况 | 野生资源一般。药材来源于野生。

| 采收加工 | 夏、秋季采收，洗净，切段，晒干。

| 功能主治 | 甘、淡，凉。清热解毒，凉血止血，退热止痛。用于毒疮、风湿病等。

| 用法用量 | 内服煎汤，15 ~ 30 g。

马鞭草科 Verbenaceae 大青属 Clerodendrum

腺茉莉 *Clerodendrum colebrookianum* Walp.

| 药 材 名 | 腺茉莉（药用部位：根。别名：臭牡丹）。

| 形态特征 | 灌木或小乔木。高 1.5 ~ 3 m，少可达 6 m。小枝四棱形，较粗壮，髓疏松。植物体除叶片外均密被黄褐色微毛，老时毛脱落。叶片厚纸质，宽卵形或椭圆状心形，长 7 ~ 27 cm，宽 6 ~ 21 cm，全缘或微呈波状，基部三出脉，脉腋有数个盘状腺体；叶柄长 2 ~ 20 cm。聚伞花序着生于枝上部叶腋和先端，通常 4 ~ 6 排列成伞房状；花萼较小，钟状，外面密被短柔毛和少数盘状腺体，5 浅裂，裂片三角形；花冠白色，极少为红色，先端 5 裂，裂片长圆形；雄蕊长于花柱，均突出于花冠外。果实近球形，蓝绿色，干后黑色，分裂为 3 ~ 4 分核，宿存花萼增大，紫红色，如碟状托于果实底部。花果期 8 ~ 12 月。

| **生境分布** | 生于海拔 500 ~ 2 000 m 的山坡疏林、灌丛或路边。分布于湘南等。

| **资源情况** | 野生资源较少。药材来源于野生。

| **采收加工** | 秋、冬季采挖，洗净，切片，晒干。

| **功能主治** | 苦，寒。清热解毒，凉血利尿，泻火。用于风湿关节痛，咳嗽。

| **用法用量** | 内服煎汤，6 ~ 15 g。

马鞭草科 Verbenaceae 大青属 Clerodendrum

大青 *Clerodendrum cyrtophyllum* Turcz.

| 药 材 名 | 大青木（药用部位：叶。别名：路边青、臭叶树、羊咪青）。

| 形态特征 | 灌木或小乔木，高 1 ~ 10 m。幼枝被短柔毛，枝黄褐色，髓坚实；冬芽圆锥状，芽鳞褐色，被毛。叶片纸质，椭圆形、卵状椭圆形、长圆形或长圆状披针形，先端渐尖或急尖，基部圆形或宽楔形，通常全缘，两面无毛或沿脉疏生短柔毛，背面常有腺点，侧脉 6 ~ 10 对。伞房状聚伞花序生于枝顶或叶腋；苞片线形；花小，有橘香味；花萼杯状，外面被黄褐色短绒毛和不明显的腺点，先端 5 裂，裂片三角状卵形；花冠白色，外面疏生细毛和腺点，花冠管细长，先端 5 裂，裂片卵形；花丝与花柱同伸出花冠外；子房 4 室，常不完全发育；柱头浅裂。果实球形或倒卵形，绿色，成熟时蓝紫色，为红色的宿存萼所托。花果期 6 月至翌年 2 月。

生境分布	生于海拔1 700 m以下的平原、丘陵、山地林下或溪谷旁。湖南各地均有分布。
资源情况	野生资源丰富。药材来源于野生。
采收加工	4～6月采摘,鲜用或晒干。
药材性状	本品微折皱,完整叶片展平后呈长椭圆形至细长卵圆形,全缘,先端渐尖或急尖,基部钝圆,上面棕黄色、棕黄绿色至暗棕红色,下面色较浅;叶柄长1.5～8 cm;叶片纸质而脆。
功能主治	苦,寒。清热解毒,凉血止血。用于外感热病热盛烦渴,咽喉肿痛,口疮,黄疸,热毒痢,急性肠炎,痈疽肿毒,衄血,血淋,外伤出血。
用法用量	内服煎汤,15～30 g,鲜品加倍。外用适量,捣敷;或煎汤洗。

马鞭草科 Verbenaceae 大青属 Clerodendrum

白花灯笼 Clerodendrum fortunatum L.

| 药 材 名 | 白花灯笼（药用部位：全株。别名：鬼灯笼、灯笼草、苦灯笼）。

| 形态特征 | 灌木，高可达 2.5 m。嫩枝密被黄褐色短柔毛，小枝暗棕褐色，髓疏松，干后不中空。叶纸质，长椭圆形或倒卵状披针形，稀为卵状椭圆形，长 5 ~ 17.5 cm，宽 1.5 ~ 5 cm，先端渐尖，基部楔形或宽楔形，全缘或波状，表面被疏生短柔毛，背面密生细小的黄色腺点，沿脉被短柔毛；叶柄长 0.5 ~ 3 cm，稀达 4 cm，密被黄褐色短柔毛。聚伞花序腋生，较叶短，1 ~ 3 分歧，具 3 ~ 9 花，花序梗长 1 ~ 4 cm，密被棕褐色短柔毛；苞片线形，密被棕褐色短柔毛；花萼红紫色，具 5 棱，膨大，形似灯笼，长 1 ~ 1.3 cm，外面被短柔毛，内面无毛，基部连合，先端 5 深裂，裂片宽卵形，渐尖；花冠淡红色或白色稍带紫色，外面被毛，花冠管与花萼等长或稍长于花萼，

先端 5 裂，裂片长圆形，长约 6 mm；雄蕊 4，与花柱同伸出花冠外；柱头 2 裂，先端尖。核果近球形，直径约 5 mm，成熟时深蓝绿色，藏于宿存萼内。花果期 6 ~ 11 月。

| 生境分布 | 生于海拔 1 000 m 以下的丘陵、山坡、路边、村旁和旷野。分布于湖南郴州（汝城）等。

| 资源情况 | 野生资源较少。药材来源于野生。

| 采收加工 | 全年均可采收，洗净，切段，晒干或鲜用。

| 功能主治 | 微苦，凉。清热止咳，解毒消肿。用于肺痨咳嗽，骨蒸潮热，咽喉肿痛，跌打损伤，疮肿疔疮。

| 用法用量 | 内服煎汤，15 ~ 30 g。外用适量，捣敷。

马鞭草科 Verbenaceae 大青属 Clerodendrum

赪桐 *Clerodendrum japonicum* (Thunb.) Sweet

| 药 材 名 |

赪桐（药用部位：根、叶。别名：百日红、贞桐花、状元红）。

| 形态特征 |

灌木，高1～4m。小枝四棱形，干后有较深的沟槽，老枝近无毛或被短柔毛，同对叶柄之间密被长柔毛，枝干后不中空。叶片圆心形，边缘有疏短尖齿，表面疏生伏毛，脉基具较密的锈褐色短柔毛，背面密具锈黄色的盾形腺体，脉上有疏短柔毛；叶柄具较密的黄褐色短柔毛。圆锥花序，花序的最后侧枝呈总状花序状；苞片宽卵形，有柄或无柄；小苞片线形；花萼红色，外面疏被短柔毛，散生盾形腺体，5深裂，裂片卵形或卵状披针形，渐尖，外面有1～3细脉，脉上具短柔毛，内面无毛，有疏珠状腺点；花冠红色，稀白色；子房4室；柱头与雄蕊均突出花冠外。果实椭圆状球形，绿色或蓝黑色，宿存萼增大，初包被果实，后向外反折呈星状。花果期5～11月。

| 生境分布 |

生于平原、山谷、溪边或疏林中。栽培于庭园。湖南各地均有分布。

| **资源情况** | 野生资源一般。栽培资源较少。药材来源于野生和栽培。

| **采收加工** | 全年均可采收，洗净，晒干或切碎鲜用。

| **功能主治** | 微甘、淡，凉。根，祛风利湿，散瘀消肿。用于风湿骨痛，腰肌劳损，跌打损伤，肺结核，咳嗽，咯血。叶，解毒排脓。外用于疔疮疖肿。

| **用法用量** | 根，内服煎汤，15～50 g。叶，外用适量，鲜品捣敷。

马鞭草科 Verbenaceae 大青属 Clerodendrum

广东大青 Clerodendrum kwangtungense Hand.-Mazz.

| 药 材 名 | 广东大青根（药用部位：根）。

| 形态特征 | 灌木。高 2 ~ 3 m。小枝淡黄褐色，髓充实。叶片膜质，卵形或长圆形，长 6 ~ 18 cm，宽 2 ~ 7 cm，先端渐尖或尾状渐尖，基部宽楔形、钝圆形或少为近截形，全缘，侧脉 4 ~ 6 对，基部三出脉。伞房状聚伞花序生于枝顶叶腋，直立，3 ~ 5 次 2 或 3 歧分叉，密被短柔毛；花萼长 6 ~ 7 mm，外面疏被细毛，先端 5 深裂，裂片披针形至三角形，长 4 ~ 5 mm，结果时增大，红色；花冠白色，外面疏被短绒毛和腺点，先端 5 裂，花冠管纤细，长 2 ~ 3 cm；雄蕊 4，花丝细长，花药红色，雄蕊与花柱同伸出花冠外；柱头 2 裂。核果球形，绿色，宿萼增大，包裹果实。花果期 8 ~ 11 月。

| 生境分布 | 生于海拔600～1 340 m的林中或林缘。分布于湖南衡阳（南岳）、郴州（宜章）、永州（江华）等。

| 资源情况 | 野生资源稀少。药材来源于野生。

| 采收加工 | 秋、冬季采挖，洗净，切片，晒干。

| 功能主治 | 甘，温。祛风除湿，壮腰健肾。用于风寒湿痹，筋骨疼痛，肾虚腰痛，肢体疲倦无力。

| 用法用量 | 内服煎汤，9～12 g。

马鞭草科 Verbenaceae 大青属 Clerodendrum

黄腺大青

Clerodendrum luteopunctatum Pêi et S. L. Chen

| 药 材 名 | 黄腺大青（药用部位：根）。

| 形态特征 | 灌木，高2～4m，幼枝及花序轴密被锈色短绒毛，小枝具椭圆形的乳黄色皮孔。叶片纸质，长圆状披针形，长7～15cm，宽2.5～5cm，先端长渐尖或尾尖，基部宽楔形或圆形，偶有歪斜，两面疏被短柔毛并密生黄色腺点，毛沿脉密，全缘，边缘密生睫毛，侧脉4～7对，在背面凸起；叶柄密被短绒毛。聚伞花序伞房状或短圆锥状，顶生或生于枝顶叶腋；苞片与花萼呈紫色，披针形或狭披针形，先端长渐尖，两面均被黄色腺点；花萼钟状，近膜质，长约1.3cm，两面均具腺点，先端5深裂，裂片狭长三角形或披针形；花冠白色，花冠管先端5裂，裂片长圆形；雄蕊4，稍伸出花冠；花柱与雄蕊近等长或稍短于雄蕊；柱头2裂，子房无毛。果实近球

形，藏于紫红色的花萼中。花果期6～10月。

| 生境分布 | 生于海拔625～1 150 m的山坡路旁或灌木林中。分布于湘西北等。

| 资源情况 | 野生资源较少。药材来源于野生。

| 采收加工 | 全年均可采收，洗净，切段，鲜用或晒干。

| 功能主治 | 微甘、淡，凉。祛风利湿，散瘀消肿。

| 用法用量 | 内服煎汤，15～30 g，鲜品加倍。

马鞭草科 Verbenaceae 大青属 Clerodendrum

海通 *Clerodendrum mandarinorum* Diels

| 药 材 名 | 海通（药用部位：枝叶。别名：白灯笼、木常山）。

| 形态特征 | 灌木或乔木，高 2 ~ 20 m。幼枝略呈四棱形，密被黄褐色绒毛，髓具明显的黄色薄片状横隔。叶片近革质，卵状椭圆形、卵形、宽卵形至心形，先端渐尖，基部截形、近心形或稍偏斜，表面绿色，被短柔毛，背面密被灰白色绒毛。伞房状聚伞花序顶生，分枝多，疏散，花序梗及花梗均密被黄褐色绒毛；苞片易脱落，小苞片线形；花萼小，钟状，密被短柔毛和少数盘状腺体，萼齿尖细，钻形；花冠白色或偶为淡紫色，有香气，外被短柔毛，花冠管纤细，裂片长圆形；雄蕊及花柱伸出花冠外。核果近球形，幼时绿色，成熟后蓝黑色，干后果皮常皱成网状，宿存萼增大，红色，包裹果实的 1/2 以上。花果期 7 ~ 12 月。

| 生境分布 | 生于海拔 250 ～ 2 000 m 的溪边、路旁或丛林中。湖南各地均有分布。

| 资源情况 | 野生资源较丰富。药材来源于野生。

| 采收加工 | 夏、秋季采收，切段，晒干或鲜用。

| 功能主治 | 苦、辛，平。祛风通络。用于半身不遂，小儿麻痹后遗症。

| 用法用量 | 内服煎汤，15 ～ 30 g，鲜品加倍。

马鞭草科 Verbenaceae 大青属 Clerodendrum

龙吐珠 *Clerodendrum thomsonae* Balf.

| 药 材 名 |

九龙吐珠（药用部位：全株。别名：伞莎草）。

| 形态特征 |

攀缘状灌木，高 2 ~ 5 m。幼枝四棱形，被黄褐色短绒毛，老时无毛；小枝髓部嫩时疏松，老后中空。叶片纸质，狭卵形或卵状长圆形，长 4 ~ 10 cm，宽 1.5 ~ 4 cm，先端渐尖，基部近圆形，全缘，表面被小疣毛，略粗糙，背面近无毛，基出脉 3；叶柄长 1 ~ 2 cm。聚伞花序腋生或假顶生，二叉分枝；苞片狭披针形，长 0.5 ~ 1 cm；花萼白色，基部合生，中部膨大，有 5 棱脊，先端 5 深裂，外被细毛，裂片三角状卵形，先端渐尖；花冠深红色，外被细腺毛，裂片椭圆形，长约 9 mm，花冠管与花萼近等长；雄蕊 4，与花柱同伸出花冠外；柱头 2 浅裂。核果近球形，直径约 1.4 cm，内有 2 ~ 4 分核，外果皮光亮，棕黑色，宿存萼不增大，红紫色。花期 3 ~ 5 月。

| 生境分布 |

栽培于温暖、湿润和阳光充足的半阴环境。分布于湖南永州（冷水滩）等。

| 资源情况 | 栽培资源较少。药材来源于栽培。

| 采收加工 | 全年均可采收，洗净，切段，鲜用或晒干。

| 功能主治 | 酸、甘、微苦，凉。行气活血，消炎解毒。用于瘀血作痛，蛇虫咬伤。

| 用法用量 | 内服煎汤，6～15 g。叶，外用适量，鲜品捣敷。

马鞭草科 Verbenaceae 大青属 Clerodendrum

海州常山 *Clerodendrum trichotomum* Thunb.

| 药 材 名 | 臭梧桐（药用部位：根、叶。别名：海州常山、地梧桐、凤眼子）。

| 形态特征 | 灌木或小乔木，高 1.5 ～ 10 m，幼枝、叶柄及花序等多少被黄褐色柔毛或近无毛。老枝灰白色，有皮孔，髓部白色，有淡黄色的薄片横隔。单叶对生，叶片纸质，宽卵形、卵形、卵状椭圆形或三角状卵形，先端尖或渐尖，基部宽楔形至楔形，偶有心形，全缘或具波状齿，两面疏生短毛或近无毛；侧脉 3 ～ 5 对。伞房状聚伞花序顶生或腋生，疏散，通常二叉分枝，花序长 8 ～ 18 cm，花序梗长 3 ～ 6 cm；苞片椭圆形叶状，早落；花萼幼时绿白色，后紫红色，基部合生，中部略膨大，具 5 棱，先端 5 深裂，裂片三角状披针形或卵形；花冠白色或带粉红色，花冠管细，先端 5 裂，裂片长椭圆形；雄蕊 4，与花柱同伸出花冠外。核果近球形，直径 6 ～ 8 mm，

包裹于增大的宿存萼内，成熟时蓝紫色。花果期 6 ~ 11 月。

| 生境分布 | 生于海拔 1 800 m 以下的山坡灌丛中。湖南各地均有分布。

| 资源情况 | 野生资源较丰富。药材来源于野生。

| 采收加工 | 夏季采收，晒干或鲜用。

| 功能主治 | 苦，微辛，平。归肺，肝经。祛风，止痛，平喘。用于风湿痹痛，牙痛，气喘。

| 用法用量 | 内服煎汤，10 ~ 15 g。外用适量，捣敷。

马鞭草科 Verbenaceae 马缨丹属 Lantana

马缨丹 Lantana camara L.

| 药 材 名 | 五色梅（药用部位：全株）。

| 形态特征 | 直立或蔓性灌木，高 1 ~ 2 m，有时藤状，长达 4 m；茎、枝均呈四方形，有短柔毛，通常有短而倒钩状的刺。单叶对生，揉烂后有强烈的气味，叶片卵形至卵状长圆形，长 3 ~ 8.5 cm，宽 1.5 ~ 5 cm，先端急尖或渐尖，基部心形或楔形，边缘有钝齿，表面有粗糙的皱纹和短柔毛，背面有小刚毛，侧脉约 5 对；叶柄长约 1 cm。花序直径 1.5 ~ 2.5 cm，花序梗粗壮，长于叶柄；苞片披针形，长为花萼的 1 ~ 3 倍，外部有粗毛；花萼管状，膜质，长约 1.5 mm，先端有极短的齿；花冠黄色或橙黄色，开花后不久转为深红色，花冠管长约 1 cm，两面有细短毛，直径 4 ~ 6 mm；子房无毛。果实圆球形，直径约 4 mm，成熟时紫黑色。全年开花。

| 生境分布 | 生于海拔 80 ~ 1 500 m 的空旷地区。栽培于庭院及公园绿地。湖南各地均有分布。

| 资源情况 | 野生资源较少。栽培资源一般。药材来源于野生和栽培。

| 采收加工 | 全年均可采收，鲜用或晒干。

| 功能主治 | 微苦、辛，平。清热解毒，散瘀消肿。用于痢疾，乳蛾，跌打损伤；外用于痈疽疔毒，缠腰火丹，慢性湿疹。

| 用法用量 | 内服煎汤，5 ~ 10 g；或研末，3 ~ 5 g。外用适量，捣敷。

马鞭草科 Verbenaceae 过江藤属 Phyla

过江藤 *Phyla nodiflora* (L.) Greene

| 药 材 名 | 过江藤（药用部位：全草。别名：苦舌草、番梨仔草、蓬莱草）。

| 形态特征 | 多年生草本，有木质宿根，多分枝，全体有紧贴的"丁"字状短毛。叶近无柄，匙形、倒卵形至倒披针形，长1～3 cm，宽0.5～1.5 cm，先端钝或近圆形，基部狭楔形，中部以上的边缘有锐锯齿；穗状花序腋生，卵形或圆柱形，长0.5～3 cm，宽约0.6 cm，有长1～7 cm的花序梗；苞片宽倒卵形，宽约3 mm；花萼膜质，长约2 mm；花冠白色、粉红色至紫红色，内外均无毛；雄蕊短小，不伸出花冠外；子房无毛。果实淡黄色，长约1.5 mm，内藏于膜质的花萼内。花果期6～10月。

| 生境分布 | 生于海拔300～1 000 m的山坡、平地、河滩等湿润处。分布于湖

南衡阳（雁峰、石鼓）、岳阳（临湘）、常德（澧县）、怀化（溆浦）等。

| **资源情况** | 野生资源较少。药材来源于野生。

| **采收加工** | 夏、秋季采收，鲜用或晒干。

| **功能主治** | 微苦、辛，平。清热解毒，散瘀消肿。用于痢疾，急性扁桃体炎，咳嗽，咯血，跌打损伤；外用于痈疽疔毒，带状疱疹，慢性湿疹。

| **用法用量** | 内服煎汤，25 ~ 50 g；外用适量，鲜品捣敷。

马鞭草科 Verbenaceae 豆腐柴属 Premna

黄药 *Premna cavaleriei* Lévl.

| 药 材 名 | 黄药（药用部位：叶）。

| 形态特征 | 小乔木至乔木，高 4 ~ 9 m。树皮暗灰色。小枝圆柱形，幼时赤褐色，密生短茸毛，老后变无毛，有细小的椭圆形皮孔。叶片薄纸质，卵形或卵状长椭圆形，长 9 ~ 15 cm，宽 3.5 ~ 9 cm，同对叶常不同形，全缘；叶柄长 2 ~ 5 cm。圆锥状聚伞花序顶生，密生茸毛，有疏散开展的分枝；花萼钟状，长 1 ~ 2.5 mm，外面密生茸毛和不明显的腺点，先端 5 裂，裂齿钝三角形；花冠淡黄色，4 裂，近二唇形，裂片向外开展，外面疏生茸毛、密生腺点，花冠管长 2 ~ 3 mm，喉部密生长柔毛；子房无毛，先端密生黄色腺点。核果卵球形，直径约 2 mm。花果期 5 ~ 7 月。

| 生境分布 | 生于海拔约 800 m 的山坡及路边疏林中。分布于湖南郴州（苏仙）、永州（双牌、江华）等。

| 资源情况 | 野生资源较少。药材来源于野生。

| 采收加工 | 夏、秋季采收，晒干。

| 功能主治 | 微苦，凉。祛风止痛，止痒。用于风热头痛，跌打损伤，湿疹。

| 用法用量 | 内服煎汤，9～15 g。外用适量，煎汤洗。

马鞭草科 Verbenaceae 豆腐柴属 Premna

豆腐柴 Premna microphylla Turcz.

| 药 材 名 | 腐婢（药用部位：全株。别名：土常山、臭娘子、臭常山）。

| 形态特征 | 直立灌木。幼枝有柔毛，老枝变无毛。叶揉之有臭味，卵状披针形、椭圆形、卵形或倒卵形，长 3 ~ 13 cm，宽 1.5 ~ 6 cm，先端急尖至长渐尖，基部渐狭，下延至叶柄两侧，全缘至有不规则粗齿，无毛至有短柔毛；叶柄长 0.5 ~ 2 cm。聚伞花序组成顶生的塔形圆锥花序；花萼杯状，绿色，有时带紫色，密被毛至几无毛，边缘常有睫毛，具近整齐的 5 浅裂；花冠淡黄色，外有柔毛和腺点，内部有柔毛，以喉部较密。核果紫色，球形至倒卵形。花果期 5 ~ 10 月。

| 生境分布 | 生于山坡林下或林缘。湖南有广泛分布。

| 资源情况 | 野生资源丰富。药材来源于野生。 |

| 采收加工 | 全年均可采收，鲜用或晒干。 |

| 药材性状 | 本品茎枝呈圆柱形，淡棕色，具纵沟，嫩枝被黄色短柔毛。叶对生，皱缩，完整者展平后呈卵状披针形，长 2 ~ 7 cm 或更长，宽 1.5 ~ 4 cm，先端尾状急尖或近急尖，基部渐狭，下延，边缘中部以上具不规则的粗锯齿，淡棕黄色，两面均有短柔毛；叶柄长约 1 cm。偶见残留的黑色圆形小果实。气臭，味苦。 |

| 功能主治 | 苦，寒。清热解毒。用于疟疾，小儿夏季热，风湿痹痛，风火牙痛，跌打损伤，烫火伤。 |

| 用法用量 | 内服煎汤，10 ~ 15 g，鲜品 30 ~ 60 g。外用适量；捣敷；或研末调敷。 |

马鞭草科 Verbenaceae 豆腐柴属 Premna

狐臭柴 *Premna puberula* Pamp.

| 药 材 名 | 斑鸠占（药用部位：根、叶、茎皮。别名：神仙豆腐柴、狐臭柴、斑鸠叶豆腐）。

| 形态特征 | 直立或攀缘灌木至小乔木，高1～3.5 m。叶片纸质至坚纸质，卵状椭圆形、卵形或长圆状椭圆形，通常全缘或上半部有波状深齿、锯齿或深裂，长2.5～11 cm，宽1.5～5.5 cm，先端急尖至尾状尖，基部楔形、阔楔形或近圆形；叶柄腹平背凸，长（0.5～）1～2（～3.5）cm，通常无毛。聚伞花序组成塔形圆锥花序，生于小枝先端，长4～14 cm，宽2～9 cm，无毛至疏被柔毛；苞片披针形或线形；花有长1～1.2（～3）mm的柄；花萼杯状，长1.5～2.5 mm，外被短柔毛和黄色腺点；花冠淡黄色，有紫色或褐色条纹，长5～7 mm；二强雄蕊着生于花冠管中部以下，伸出花冠外，花丝

无毛；子房圆形，无毛，先端有腺点，花柱短于雄蕊，无毛，柱头 2 浅裂。核果紫色转黑色，倒卵形，有瘤突，果萼长为核果长的 1/3。花果期 5 ~ 8 月。

| 生境分布 | 生于海拔 700 ~ 1 800 m 的山坡路边、丛林中。湖南各地均有分布。

| 资源情况 | 野生资源丰富。药材来源于野生。

| 采收加工 | 夏、秋季采收，鲜用或晒干。

| 功能主治 | 辛、微甘，平。清热利湿，解毒消肿。用于热淋，石淋，白浊，带下，风湿骨痛，急性结膜炎，咽喉炎，牙龈炎，胆囊炎，痈疖，痔疮，跌打肿痛。

| 用法用量 | 内服煎汤，15 ~ 30 g，鲜品加倍。外用适量，捣敷。

马鞭草科 Verbenaceae 豆腐柴属 Premna

毛狐臭柴 Premna puberula Pamp. var. bodinieri (H. Lévl.) C. Y. Wu et S. Y. Pao

| 药 材 名 |

毛狐臭柴（药用部位：叶。别名：斑鸠占、臭树、臭黄荆）。

| 形态特征 |

直立或攀缘灌木至小乔木。高1～3.5 m。小枝近直角伸出，密被短柔毛。叶片纸质至坚纸质，长2.5～11 cm，宽1.5～5.5 cm，先端急尖至尾尖，基部楔形、阔楔形或近圆形，叶两面及叶柄密被短柔毛。聚伞花序组成塔形圆锥花序，生于小枝先端，被短柔毛；苞片披针形或线形；花萼杯状，密被短柔毛，先端5浅裂，裂齿三角形，齿缘有纤毛；花冠淡黄色，有紫色或褐色条纹，4裂成二唇形，下唇3裂，上唇圆形；雄蕊二强，伸出花冠外；子房圆形，先端有腺点，花柱短于雄蕊，柱头2浅裂。核果倒卵形，果萼长可达果实之半。花果期5～9月。

| 生境分布 |

生于海拔700～1 760 m的石灰岩山麓灌丛中。分布于湖南常德（石门）、湘西州（永顺）等。

| **资源情况** | 野生资源稀少。药材来源于野生。

| **采收加工** | 夏、秋季采收，晒干或鲜用。

| **功能主治** | 辛、微苦，凉。清热除风，利湿，解毒。用于月经不调，疥疮，痢疾，痔疮，脱肛，牙痛，肾炎性水肿。

| **用法用量** | 内服煎汤，20～30 g。外用适量，鲜品捣敷。

马鞭草科 Verbenaceae 马鞭草属 Verbena

马鞭草 Verbena officinalis L.

| 药 材 名 | 马鞭草（药用部位：全草。别名：铁马鞭、蜻蜓草、顺律草）。

| 形态特征 | 多年生草本，高 30 ~ 120 cm。茎四方形，近基部可为圆形，节和棱上有硬毛。叶片卵圆形至倒卵形或长圆状披针形，长 2 ~ 8 cm，宽 1 ~ 5 cm，基生叶的边缘通常有粗锯齿和缺刻，茎生叶多数 3 深裂，裂片边缘有不整齐的锯齿，两面均有硬毛，背面脉上毛尤多。穗状花序顶生和腋生，细弱，结果时长达 25 cm；花小，无柄，最初密集，结果时疏离；苞片稍短于花萼，具硬毛；花萼长约 2 mm，有硬毛，有 5 脉，脉间凹穴处质薄而色淡；花冠淡紫色至蓝色，长 4 ~ 8 mm，外面有微毛，裂片 5；雄蕊 4，着生于花冠管的中部，花丝短；子房无毛。果实长圆形，长约 2 mm，外果皮薄，成熟时 4 瓣裂。花期 6 ~ 8 月，果期 7 ~ 10 月。

| 生境分布 | 生于低海拔至高海拔的路边、山坡、溪边或林旁。湖南有广泛分布。

| 资源情况 | 野生资源丰富。药材来源于野生。

| 采收加工 | 6～8月花开放时采收，除去泥土，鲜用或晒干。

| 药材性状 | 本品根茎圆柱形。茎四方形，直径0.2～0.4 cm；表面灰绿色至黄绿色，粗糙，有纵沟；质硬，易折断，断面纤维状，中央有白色的髓或已成空洞。叶对生，灰绿色或棕黄色，多皱缩破碎，具毛；完整叶片卵形至长圆形，羽状分裂或3深裂。穗状花序细长，有的已成果穗；小花排列紧密，有的可见黄棕色花瓣。果实包裹于灰绿色的宿存萼内，小坚果灰黄色，背面有纵脊纹。气微，味微苦。以色青绿、带花穗、无杂质者为佳。

| 功能主治 | 苦，微寒。清热解毒，活血通经，利水消肿，截疟。用于感冒发热，咽喉肿痛，牙龈肿痛，黄疸，痢疾，血瘀经闭，痛经，癥瘕，水肿，小便不利，疟疾，痈疮肿毒，跌打损伤。

| 用法用量 | 内服煎汤，15～30 g，鲜品30～60 g；或入丸、散剂。外用适量，捣敷；或煎汤洗。

马鞭草科 Verbenaceae 牡荆属 Vitex

灰毛牡荆 Vitex canescens Kurz

| 药 材 名 |

灰毛牡荆（药用部位：根。别名：灰牡荆、灰布荆）。

| 形态特征 |

乔木，高3～15(～20) m。树皮黑褐色。小枝四棱形，密被灰黄色细柔毛。掌状复叶，叶柄长2.5～7 cm；小叶3～5，卵形、椭圆形或椭圆状披针形，长6～18 cm，宽2.5～9 cm，先端渐尖或骤尖，基部宽楔形或近圆形，侧生的小叶基部常不对称，全缘，表面被短柔毛，背面密生灰黄色柔毛和黄色腺点，侧脉8～19对，在背面明显隆起，小叶柄长0.5～3 cm。圆锥花序顶生，长10～30 cm，花序梗密生灰黄色细柔毛；苞片早落；花萼先端有5小齿，外面密生柔毛和腺点，内面疏生细毛；花冠黄白色，外面密生细柔毛和腺点；雄蕊4，着生于花冠管的喉部，花丝基部有毛；子房先端有腺点。核果近球形或长圆状倒卵形，表面淡黄色或紫黑色，有光泽；宿存萼外有毛。花期4～5月，果期5～6月。

| 生境分布 |

生于海拔200～1550 m的混交林中。分布

于湖南怀化（麻阳）、湘西州（吉首、泸溪、花垣）等。

| **资源情况** | 野生资源较少。药材来源于野生。

| **采收加工** | 秋后采收，洗净，切片，晒干。

| **功能主治** | 微苦，温。祛风解表，除湿止痛。用于感冒头痛，牙痛，疟疾，风湿痹痛。

| **用法用量** | 内服煎汤，10～15 g。

马鞭草科 Verbenaceae 牡荆属 Vitex

黄荆 *Vitex negundo* L.

| 药 材 名 | 黄荆（药用部位：根、茎叶、果实。别名：五指柑、山荆、山黄荆）。

| 形态特征 | 灌木或小乔木。小枝四棱形，密生灰白色绒毛。掌状复叶，小叶5，少有3；小叶片长圆状披针形至披针形，先端渐尖，基部楔形，全缘或每边有少数粗锯齿，表面绿色，背面密生灰白色绒毛；中间小叶长4～13 cm，宽1～4 cm，两侧小叶依次变小，若具5小叶时，中间3小叶有柄，最外侧的2小叶无柄或近无柄。聚伞花序排成圆锥花序式，顶生，长10～27 cm；花序梗密生灰白色绒毛；花萼钟状，先端5齿裂，外有灰白色绒毛；花冠淡紫色，外有微柔毛，先端5裂，二唇形；雄蕊伸出花冠管外；子房近无毛。核果近球形，直径约2 mm；宿存萼接近果实的长度。花期4～6月，果期7～10月。

| 生境分布 | 生于山坡路旁或灌丛中。湖南各地均有分布。

| 资源情况 | 野生资源丰富。药材来源于野生。

| 采收加工 | 全年均可采收，以夏、秋季采收为好，根、茎洗净，切段，晒干，叶、果实阴干，叶亦可鲜用。

| 功能主治 | 根、茎，苦、微辛，平。清热止咳，化痰截疟。用于支气管炎，疟疾，肝炎。叶，苦，凉。化湿截疟。用于感冒，肠炎，痢疾，疟疾，尿路感染；外用于湿疹，皮炎，足癣。果实，止咳平喘，理气止痛。用于咳嗽哮喘，胃痛，消化不良，肠炎，痢疾。

| 用法用量 | 内服煎汤，根、茎叶 18.5 ~ 35 g，果实 7 ~ 15 g。外用适量，捣敷；或煅存性，研末调敷。

马鞭草科 Verbenaceae 牡荆属 Vitex

牡荆 *Vitex negundo* L. var. *cannabifolia* (Sieb. et Zucc.) Hand.-Mazz.

| 药 材 名 |

牡荆（药用部位：叶、果实、根。别名：黄荆、小荆、楚）。

| 形态特征 |

落叶灌木或小乔木。小枝四棱形，密生灰白色绒毛。掌状复叶，对生，小叶5，少有3；小叶片披针形或椭圆状披针形，先端渐尖，基部楔形，边缘有粗锯齿，表面绿色，背面淡绿色，通常被柔毛。圆锥花序顶生，长10～20 cm；花序梗密生灰白色绒毛；花萼钟状，先端5齿裂，外有灰白色绒毛；花冠淡紫色，外有微柔毛，先端5裂，二唇形；雄蕊伸出花冠管外；子房近无毛。果实近球形，黑色。花期6～7月，果期8～11月。

| 生境分布 |

生于山坡路边灌丛中。湖南各地均有分布。

| 资源情况 |

野生资源丰富。药材来源于野生。

| 采收加工 |

叶，夏、秋季叶茂盛时采收，除去茎枝。果

实，8~9月果实成熟时采收，晒干。根，秋后采收，洗净，切片，晒干。

| 功能主治 | 辛、微苦，温。祛风化痰，下气，止痛。用于咳嗽哮喘，中暑发痧，胃痛，疝气，带下，风湿性关节痛。

| 用法用量 | 内服煎汤，10~15 g。

马鞭草科 Verbenaceae 牡荆属 Vitex

山牡荆 *Vitex quinata* (Lour.) Will.

| 药 材 名 | 山牡荆（药用部位：根、茎）、山牡荆叶（药用部位：叶）。

| 形态特征 | 常绿乔木。高 4 ~ 12 m。小枝四棱形，老枝逐渐转为圆柱形。掌状复叶，对生，有 3 ~ 5 小叶；小叶片倒卵形至倒卵状椭圆形，先端渐尖至短尾状，基部楔形至阔楔形，表面常有灰白色小窝点，背面有金黄色腺点；中间小叶片长 5 ~ 9 cm，宽 2 ~ 4 cm；小叶柄长 0.5 ~ 2 cm；两侧的小叶较小。聚伞花序对生于主轴上，排成顶生圆锥花序式，密被棕黄色微柔毛；花萼钟状，先端有 5 钝齿，外面密生棕黄色细柔毛和腺点；花冠淡黄色，先端 5 裂，二唇形，下唇中间裂片较大，外面有柔毛和腺点；雄蕊 4，伸出花冠外；子房先端有腺点。核果球形或倒卵形，宿萼呈圆盘状。花期 5 ~ 7 月，果

期 8 ~ 9 月。

| 生境分布 | 生于海拔 180 ~ 1 200 m 的山坡林中。分布于湖南郴州（桂东）、永州（江华、东安）等。

| 资源情况 | 野生资源较少。药材来源于野生。

| 采收加工 | 山牡荆：淡，平。止咳定喘，镇静退热。全年均可采收，削除外皮，取干心，晒干。
山牡荆叶：夏、秋季采收，晒干。

| 功能主治 | 山牡荆：用于急、慢性支气管炎，喘咳，气促，小儿发热烦躁不安。
山牡荆叶：淡，平。止咳定喘，镇静退热。用于疳积。

| 用法用量 | 山牡荆：内服煎汤，10 ~ 15 g。
山牡荆叶：内服煎汤，6 ~ 9 g。

马鞭草科 Verbenaceae 牡荆属 Vitex

蔓荆 *Vitex trifolia* L.

| 药 材 名 | 蔓荆子（药用部位：果实。别名：蔓荆实、荆子、万荆子）。

| 形态特征 | 落叶灌木，罕为小乔木，高 1.5 ~ 5 m，有香味。小枝四棱形，密生细柔毛。叶通常为三出复叶，有时在侧枝上可有单叶，叶柄长 1 ~ 3 cm；小叶片卵形、倒卵形或倒卵状长圆形，长 2.5 ~ 9 cm，宽 1 ~ 3 cm，先端钝或短尖，基部楔形，全缘，表面绿色，无毛或被微柔毛，背面密被灰白色绒毛，侧脉约 8 对，两面稍隆起，小叶无柄或有时中间小叶基部下延成短柄。圆锥花序顶生，长 3 ~ 15 cm，花序梗密被灰白色绒毛；花萼钟形，先端 5 浅裂，外面有绒毛；花冠淡紫色或蓝紫色，长 6 ~ 10 mm，外面及喉部有毛，花冠管内有较密的长柔毛，先端 5 裂，二唇形，下唇中间裂片较大；雄蕊 4，伸出花冠外；子房无毛，密生腺点，花柱无毛，柱头 2 裂。核果近

圆形，直径约 5 mm，成熟时黑色；果萼宿存，外被灰白色绒毛。花期 7 月，果期 9 ~ 11 月。

| 生境分布 | 生于平原、河滩、疏林及村寨附近。分布于湖南邵阳（邵东）、常德（临澧）等。

| 资源情况 | 野生资源较少。药材来源于野生。

| 采收加工 | 果实，9 ~ 11 月果实成熟时采摘，置室内堆放 3 ~ 4 天后摊开晒干或烘干，筛去枝梗，扬净杂质。

| 功能主治 | 辛、苦，微寒。归胃、膀胱、肝经。疏散风热，清利头目。用于风热感冒头痛，牙龈肿痛，目赤多泪，目暗不明，头晕目眩。

| 用法用量 | 内服煎汤，5 ~ 9 g。

马鞭草科 Verbenaceae 牡荆属 Vitex

单叶蔓荆 *Vitex trifolia* L. var. *simplicifolia* Cham.

| 药 材 名 |

蔓荆子（药用部位：果实。别名：蔓荆实、荆子、万荆子）。

| 形态特征 |

落叶灌木，罕为小乔木，高可达5 m，有香味。茎匍匐，节处常生不定根。单叶对生，叶片倒卵形或近圆形，先端通常钝圆或有短尖头，基部楔形，表面绿色，两面稍隆起。圆锥花序顶生；花序梗密被灰白色绒毛；花萼钟形，花冠淡紫色或蓝紫色；雄蕊伸出花冠外；子房、花柱无毛。核果近圆形，成熟时黑色；果萼宿存。花期7～8月，果期8～10月。

| 生境分布 |

生于沙滩及湖畔。适宜栽培于阳光充足、土质疏松和排水良好的河滩、沙地等处。分布于湖南岳阳（湘阴）等。

| 资源情况 |

野生和栽培资源均较少。药材来源于野生和栽培。

| 采收加工 | 秋季果实成熟时采收，除去杂质，晒干。 |

| 药材性状 | 本品球形，直径4～6 mm，表面黑色或棕褐色，被粉霜状绒毛，有细纵沟4。用放大镜观察可见淡黄色小点密布。先端微凹，有脱落花柱痕，下部有宿存萼及短果柄，宿存萼包被果实的1/3～2/3，先端5齿裂，常在一侧撕裂成两瓣，灰白色，密生细绒毛。体轻质坚，不易破碎。横断面果皮灰黄色，有棕褐色点排列成环，分为4室，每室有1种子或不育。种仁黄白色，有油性。气芳香，味微辛、略苦。以粒大饱满，气香者为佳。 |

| 功能主治 | 辛，苦，微寒。疏散风热，清利头目。用于外感风热，头昏头痛，偏头痛，牙龈肿痛，目赤肿痛多泪，昏暗不明，湿痹拘挛。 |

| 用法用量 | 内服煎汤，6～10 g；或浸酒；或入丸、散剂。外用适量，煎汤洗。 |

水马齿科 Callitrichaceae 水马齿属 Callitriche

沼生水马齿 *Callitriche palustris* L.

| 药 材 名 | 沼生水马齿（药用部位：全草）。

| 形态特征 | 一年生草本，高 30 ~ 40 cm。茎纤细，多分枝。叶互生，在茎顶常密集呈莲座状，浮于水面，倒卵形或倒卵状匙形，长 4 ~ 6 mm，宽约 3 mm，先端圆形或微钝，基部渐狭，两面疏生褐色细小斑点，具 3 脉；茎生叶匙形或线形，长 6 ~ 12 mm，宽 2 ~ 5 mm；无柄。花单性，同株，单生于叶腋，为 2 小苞片所托；雄蕊 1，花丝细长，长 2 ~ 4 mm，花药心形，小，长约 0.3 mm；子房倒卵形，长约 0.5 mm，先端圆形或微凹，花柱 2，纤细。果实倒卵状椭圆形，长 1 ~ 1.5 mm，仅上部边缘具翅，基部具短柄。

| 生境分布 | 分布于海拔 700 ~ 1 700 m 的静水中、沼泽地水中或湿地。湖南有

广泛分布。

| **资源情况** | 野生资源较丰富。药材来源于野生。

| **采收加工** | 夏、秋季采收,洗净,鲜用或晒干。

| **功能主治** | 苦,寒。清热,解毒,利湿消肿。用于目赤肿痛,水肿,小便淋痛;外用于烧伤。

| **用法用量** | 内服煎汤,10 ~ 15 g。外用适量,水浸冲洗;或捣敷。

唇形科 Lamiaceae 藿香属 Agastache

藿香 Agastache rugosa (Fisch. et Mey.) O. Ktze.

| 药 材 名 |

藿香（药用部位：全草。别名：土藿香、苏藿香、野藿香）。

| 形态特征 |

多年生草本。茎直立，四棱形，上部被极短的细毛，下部无毛，上部具能育的分枝。叶心状卵形至长圆状披针形，向上渐小，先端尾状长渐尖，基部心形，边缘具粗齿，纸质；叶柄长 1.5 ~ 3.5 cm。轮伞花序具多花及短梗，被具腺微柔毛；花萼管状倒圆锥形，多少染成浅紫色或紫红色，萼齿三角状披针形；花冠淡紫蓝色，下唇 3 裂，中裂片较宽大；雄蕊伸出花冠，花丝细，扁平，无毛；花柱与雄蕊近等长，丝状。成熟小坚果卵状长圆形，腹面具棱，先端具短硬毛，褐色。花期 6 ~ 9 月，果期 9 ~ 11 月。

| 生境分布 |

生于海拔 800 m 以下的山坡或路旁。多栽培于庭院、屋旁、田园边，喜肥沃、排水良好的土壤。湖南各地均有分布。

| 资源情况 |

野生资源一般。栽培资源丰富。药材来源于

野生和栽培。

| 采收加工 | 第1次收割在6～7月，当花序抽出而未开花时，择晴天齐地割取全草，薄摊晒至日落后，收回堆叠过夜，次日再晒。第2次收割在10月，迅速晾干、晒干或烤干。

| 药材性状 | 本品茎呈四方柱形，四角有棱脊，直径3～10 mm，表面黄绿色或灰黄色，毛茸稀少，或近无毛；质轻脆，断面中央有白色髓；老茎坚硬，木质化，断面中空。叶多已脱落，剩余的叶灰绿色，皱缩或破碎，两面微具毛；薄而脆。有时枝端有圆柱形的花序，土棕色，小花具短柄；花冠多脱落。小坚果藏于果萼内。气清香，味淡。药材以茎枝青绿、叶多、香气浓者为佳。

| 功能主治 | 辛，微温。归肺、脾、胃经。祛暑解表，化湿和胃。用于暑湿感冒，寒热头痛，脘腹痞满，呕恶泄泻，不思纳食。

| 用法用量 | 内服煎汤，6～10 g；或入丸、散剂。外用适量，煎汤洗；或研末搽。

唇形科 Lamiaceae 筋骨草属 Ajuga

筋骨草 *Ajuga ciliata* Bunge

| 药 材 名 | 下草（药用部位：全草。别名：四枝春、缘毛筋骨草、透筋草）。

| 形态特征 | 多年生草本，根部膨大。茎高 25 ~ 40 cm，四棱形，紫红色或绿紫色。叶柄基部抱茎；叶片纸质，卵状椭圆形至狭椭圆形，长 4 ~ 7.5 cm，宽 3.2 ~ 4 cm，基部楔形，下延，上面被疏糙伏毛，下面被糙伏毛或疏柔毛。穗状聚伞花序顶生；花梗短，无毛；花萼漏斗状钟形，萼齿 5，整齐；花冠紫色，花冠筒与花萼等长或较长于花萼，上唇短，下唇增大，3 裂，中裂片倒心形；雄蕊 4，二强，着生于花冠筒喉部；花柱细弱，超出雄蕊，无毛，先端 2 浅裂，裂片细尖。小坚果长圆状或卵状三棱形。花期 4 ~ 8 月，果期 7 ~ 9 月。

| 生境分布 | 生于海拔 1 200 ~ 1 900 m 的草地林下或山谷溪旁。湖南各地均有

分布。

| 资源情况 | 野生资源较丰富。药材来源于野生。

| 采收加工 | 春季花开时采收，除去泥沙，晒干或鲜用。

| 药材性状 | 本品长10～35 cm。根细小，暗黄色。地上部分灰黄色或黄绿色，密被白色柔毛。细茎丛生，质软柔韧，不易折断。叶对生，多皱缩破碎，完整叶片展平后呈匙形或倒卵状披针形，长3～6 cm，宽1.5～2.5 cm，绿褐色，边缘有波状粗齿；叶柄具狭翅。穗状聚伞花序腋生，小花二唇形，黄棕色。气微，味苦。

| 功能主治 | 苦，寒。归肺经。清热解毒，凉血消肿。用于咽喉肿痛，肺热咯血，跌打肿痛。

| 用法用量 | 内服煎汤，15～30 g。外用适量，捣敷。

唇形科 Labiatae 筋骨草属 Ajuga

金疮小草 Ajuga decumbens Thunb.

| 药 材 名 |

白毛夏枯草（药用部位：全草）。

| 形态特征 |

多年生草本，高 10 ~ 30 cm。茎基部倾斜或匍匐，上部直立。多分枝，四棱形，略带紫色，全株密被白色柔毛。单叶对生，具柄；叶片卵形或长椭圆形，长 4 ~ 11 cm，宽 1 ~ 3 cm，先端圆钝或短尖，基部渐窄下延，边缘有波状粗齿，下面及叶缘常带有紫色，两面有短柔毛。轮伞花序，多花，腋生或在枝顶集成间断的多轮的假穗状花序；花萼漏斗形，齿 5；花冠唇形，淡蓝色或淡紫红色，稀白色，花冠下唇长约为上唇的 2 倍；雄蕊 4，二强；子房上位。小坚果倒卵状三棱形，背部灰黄色，具网状皱纹。花期 3 ~ 4 月，果期 5 ~ 6 月。

| 生境分布 |

生于海拔 360 ~ 1 400 m 的溪边、路旁及湿润的草坡上。湖南各地均有分布。

| 资源情况 |

野生资源丰富。药材来源于野生。

| 采收加工 | 春、夏、秋季均可采收，晒干或鲜用。

| 药材性状 | 本品长 10 ~ 25 cm。根细小，暗黄色。地上部分灰黄色或暗绿色，密被白柔毛。茎细，具四棱，质较柔韧，不易折断。叶对生，多皱缩、破碎，完整叶片展平后呈匙形或倒卵状披针形，长 3 ~ 6 cm，宽 1.5 ~ 2.5 cm，绿褐色，两面密被白色柔毛，边缘有波状锯齿；叶柄具狭翅。轮伞花序腋生，小花爪唇形，黄褐色。气微，味苦。以色绿、花多者为佳。

| 功能主治 | 清热解毒，化痰止咳，凉血散血。用于咽喉肿痛，肺热咳嗽，肺痈，目赤肿痛，痈疽疔疮，毒蛇咬伤，跌打损伤，外伤出血等。

| 用法用量 | 内服煎汤，10 ~ 30 g，鲜品 30 ~ 60 g；或捣汁。外用适量，捣敷；或煎汤洗。

唇形科 Lamiaceae 筋骨草属 Ajuga

多花筋骨草 *Ajuga multiflora* Bunge

| 药 材 名 | 多花筋骨草（药用部位：全草。别名：筋骨草）。

| 形态特征 | 多年生草本。茎直立，不分枝，高6～20 cm，四棱形。基生叶具柄，叶柄长0.7～2 cm，茎上部叶无柄；叶片均纸质，椭圆状长圆形或椭圆状卵圆形，长1.5～4 cm，宽1～1.5 cm，先端钝或微急尖，基部楔状下延，抱茎。轮伞花序自茎中部向上渐靠近，至先端成1密集的穗状聚伞花序；花梗极短，被柔毛；花萼宽钟形，萼齿5，整齐，具柔毛状缘毛；花冠蓝紫色或蓝色，上唇短，裂片圆形，下唇伸长，3裂，中裂片扇形；雄蕊4，二强，花丝粗壮，具长柔毛。小坚果倒卵状三棱形。花期4～5月，果期5～6月。

| 生境分布 | 生于山坡疏草丛、河边草地或灌丛中。分布于湖南湘西州（吉首）、

邵阳（邵阳）、益阳（赫山）、常德（临澧）等。

| **资源情况** | 野生资源一般。药材来源于野生。

| **采收加工** | 4～5月花开时采收，洗净，晒干。

| **药材性状** | 本品长 6～20 cm。茎四棱形。地上部分灰黄色或黄绿色，密被灰白色绵状长柔毛。茎不分枝，不易折断。叶对生，多皱缩破碎，完整叶片展平后呈匙形，长 1～3.5 cm，宽 0.7～1.2 cm，绿褐色；叶柄具狭翅。轮伞花序自茎中部向上渐靠近，至先端成 1 密集的穗状聚伞花序；小花二唇形。气微。

| **功能主治** | 苦，寒。归肺经。清热去火，活血。用于风热咳嗽，咯血，疮痈肿毒。

| **用法用量** | 内服煎汤，6～9 g。外用适量，捣敷。

唇形科 Lamiaceae 筋骨草属 Ajuga

紫背金盘 Ajuga nipponensis Makino

| 药 材 名 | 散瘀草（药用部位：全草。别名：破血丹、筋骨草、石灰菜）。

| 形态特征 | 一或二年生草本。茎通常直立，柔软，稀平卧，通常从基部分枝，高 10 ~ 20 cm 或以上，被长柔毛或疏柔毛，四棱形，基部常带紫色。基生叶无或少数；茎生叶均具柄，叶柄长 1 ~ 1.5 cm，叶片纸质，阔椭圆形或卵状椭圆形，长 2 ~ 4.5 cm，宽 1.5 ~ 2.5 cm，先端钝，基部楔形，下延，边缘具不整齐的波状圆齿，有时几呈圆齿，具缘毛，两面被疏糙伏毛或疏柔毛，下部茎叶背面且常带紫色。轮伞花序具多花，生于茎中部以上，向上渐密集成顶生穗状花序；花梗短或几无。花萼钟形，花冠淡蓝色或蓝紫色，稀为白色或白绿色，具深色条纹，筒状。小坚果卵状三棱形。

| 生境分布 | 生于海拔 100 ～ 1 500 m 的草地、林内及阳坡地。湖南各地均有分布。

| 资源情况 | 野生资源较丰富。药材来源于野生。

| 采收加工 | 5 ～ 7 月采收，晒干或鲜用。

| 功能主治 | 苦、辛，寒。清热解毒，凉血散瘀，消肿止痛。用于肺热咳嗽，咯血，咽喉肿痛，乳痈，肠痈，疮疖肿毒，痔疮出血，跌打肿痛，外伤出血，烫火伤，毒蛇咬伤。

| 用法用量 | 内服煎汤，15 ～ 30 g；或研末。外用适量，捣敷。

唇形科 Lamiaceae 毛药花属 Bostrychanthera

毛药花 *Bostrychanthera deflexa* Benth.

| 药 材 名 | 毛药花（药用部位：全草。别名：垂花铃子香）。

| 形态特征 | 草本，高 0.5 ~ 1.5 m。茎坚硬，四棱形，具深槽，密被倒向短硬毛。叶几无柄，长披针形，长 8 ~ 22 cm，宽（0.8 ~ ）1.5 ~ 5 cm，先端渐尖或尾状渐尖，纸质，边缘为粗锯齿或浅齿状。聚伞花序，苞片及小苞片极小，线形；花干后通常变黑，具梗；花萼外面基部被疏短柔毛，内面无毛，萼齿 5；花冠淡紫红色，直伸；雄蕊 4，前对较长，内藏，花丝扁平，插生于花冠筒的中部，花药近球形，靠近背部囊状，密被毛束；花柱丝状，略超出上唇，先端具相等的 2 浅裂。成熟小坚果 1，核果状，黑色，近球形。花期 7 ~ 9 月，果期 9 ~ 11 月。

| 生境分布 | 生于海拔 500～1 120 m 的密林下湿润处。分布于湖南湘西州（永顺）、怀化（沅陵）、郴州（汝城）、永州（蓝山）、常德（石门）等。

| 资源情况 | 野生资源较少。药材来源于野生。

| 采收加工 | 5～7月采收，晒干或鲜用。

| 功能主治 | 辛、苦，凉。归肺经。清热解毒，活血止痛，发表。用于感冒，泄泻，风湿骨痛。

| 用法用量 | 内服煎汤，10～20 g。

唇形科 Lamiaceae 风轮菜属 Clinopodium

风轮菜 *Clinopodium chinense* (Benth.) O. Ktze.

| 药 材 名 | 风轮菜（药用部位：全草。别名：蜂窝草、九层塔、断血流）。

| 形态特征 | 多年生草本。茎基部匍匐生根，上部上升，多分枝，高可达 1 m，四棱形，具细条纹，密被短柔毛及具腺微柔毛。叶卵圆形，不偏斜，长 2 ~ 4 cm，宽 1.3 ~ 2.6 cm，先端急尖或钝，基部圆形阔楔形。轮伞花序密生多花，半球状；花萼狭管状，常染紫红色；花冠紫红色，外面被微柔毛，内面在下唇下方喉部具 2 列毛茸，花冠筒伸出，向上渐扩大，冠檐二唇形，上唇直伸，先端微缺，下唇 3 裂，中裂片稍大。小坚果倒卵形，黄褐色。花期 5 ~ 8 月，果期 8 ~ 10 月。

| 生境分布 | 生于海拔 1 000 m 以下的山坡、草地、路边、沟边、灌丛林下。湖南各地均有分布。

| 资源情况 | 野生资源丰富。药材来源于野生。

| 采收加工 | 7～9月采收，切段，晒干或鲜用。

| 药材性状 | 本品茎呈四方柱形，表面棕红色或棕褐色，具细纵条纹，密被柔毛，四棱处尤多。叶对生，有柄，多卷缩或破碎，完整者展平后呈卵圆形，边缘具锯齿，上面褐绿色，下面灰绿色，均被柔毛。轮伞花序具残存的花萼，外被毛茸。小坚果倒卵形，黄棕色。全体质脆，易折断与破碎，茎断面淡黄白色，中空。气微香，味微辛。

| 功能主治 | 辛、苦，凉。疏风清热，解毒消肿，止血。用于感冒发热，中暑，咽喉肿痛，白喉，急性胆囊炎，肝炎，肠炎，痢疾，腮腺炎，乳腺炎，疔疮肿毒，过敏性皮炎，急性结膜炎，尿血，崩漏，牙龈出血，外伤出血。

| 用法用量 | 内服煎汤，10～15 g；或捣汁。外用适量，捣敷；或研末调敷；或煎汤洗。

唇形科 Lamiaceae 风轮菜属 Clinopodium

邻近风轮菜 Clinopodium confine (Hance) O. Ktze.

| 药 材 名 |

光风轮菜（药用部位：全草。别名：灯笼草、节节菜、蜂窝草）。

| 形态特征 |

草本，铺散，基部生根。叶卵圆形，长 9 ~ 22 mm，宽 5 ~ 17 mm，先端钝，基部圆形或阔楔形，边缘自近基部以上具圆齿状锯齿，薄纸质，两面均无毛，侧脉 3 ~ 4 对，与中脉两面均明显；叶柄长 2 ~ 10 mm，腹平背凸。轮伞花序通常密生多花，近球形；花梗长 1 ~ 2 mm，被微柔毛；花萼管状，萼筒等宽，基部略狭；花冠粉红至紫红色，稍超出花萼，冠檐二唇形，上唇直伸；雄蕊 4，内藏，花药 2 室，室略叉开；花柱先端略增粗，2 浅裂，裂片扁平。小坚果卵球形。花期 4 ~ 6 月，果期 7 ~ 8 月。

| 生境分布 |

生于海拔 500 m 以下的田边、山坡、草地。分布于湖南长沙（芙蓉、长沙）、株洲（芦淞、天元）、湘潭（雨湖）、衡阳（雁峰、石鼓）、邵阳（大祥、新邵）、岳阳（临湘）、常德（鼎城、汉寿、澧县、桃源、津市）、张家界（武陵源）、益阳（赫山、南县、

桃江）、郴州（苏仙、临武）、永州（冷水滩、祁阳）、娄底（娄星）等。

| 资源情况 | 野生资源一般。药材来源于野生。

| 采收加工 | 6 ~ 8 月采收，晒干或鲜用。

| 功能主治 | 苦、辛，凉。祛风清热，行气活血，解毒消肿。用于感冒发热，食积腹痛，呕吐，泄泻，痢疾，白喉，咽喉肿痛，痈肿丹毒，荨麻疹，毒蛇咬伤，跌打肿痛，外伤出血。

| 用法用量 | 内服煎汤，15 ~ 30 g，鲜品 30 ~ 60 g；或捣汁。外用适量，捣敷；或煎汤洗。

唇形科 Lamiaceae 风轮菜属 Clinopodium

细风轮菜 Clinopodium gracile (Benth.) Matsum.

| 药 材 名 | 瘦风轮（药用部位：全草。别名：塔花）。

| 形态特征 | 纤细草本。茎多数，自匍匐茎生出，高 8 ~ 30 cm。最下部的叶圆卵形，较下部或全部叶均为卵形，较大，长 1.2 ~ 3.4 cm，宽 1 ~ 2.4 cm，先端钝，基部圆形或楔形，薄纸质；叶柄长 0.3 ~ 1.8 cm，腹凹背凸，基部常染紫红色，密被短柔毛。轮伞花序分离，或密生于茎端成短总状花序，具疏花；花梗长 1 ~ 3 mm，被微柔毛；花萼管状，花时长约 3 mm，果时下倾，基部一边膨胀；花冠白色至紫红色，长约为花萼的 1.5 倍；雄蕊 4，前对能育，花药 2 室，室略叉开；花柱先端略增粗，2 浅裂。小坚果卵球形。花期 6 ~ 8 月，果期 8 ~ 10 月。

| 生境分布 | 生于路旁、沟边、空旷草地、林缘、灌丛中。湖南各地均有分布。

| 资源情况 | 野生资源丰富。药材来源于野生。

| 采收加工 | 6~8月采收，晒干或鲜用。

| 功能主治 | 苦、辛，凉。祛风清热，行气活血，解毒消肿。用于感冒发热，食积腹痛，呕吐，泄泻，痢疾，白喉，咽喉肿痛，痈肿丹毒，荨麻疹，毒蛇咬伤，跌打肿痛，外伤出血。

| 用法用量 | 内服煎汤，15~30 g，鲜品30~60 g；或捣汁。外用适量，捣敷；或煎汤洗。

唇形科 Lamiaceae 风轮菜属 Clinopodium

灯笼草 Clinopodium polycephalum (Vaniot) C. Y. Wu et Hsuan ex P. S. Hsu

| 药 材 名 | 断血流（药用部位：全草。别名：大叶香薷、山藿香、九层塔）。

| 形态特征 | 直立多年生草本，高 0.5～1 m，多分枝，基部有时匍匐生根。茎被平展糙硬毛及腺毛。叶卵形，长 2～5 cm，宽 1.5～3.2 cm，先端钝或急尖，基部阔楔形至近圆形，边缘具疏圆齿状牙齿。轮伞花序具多花；花梗长 2～5 mm，密被具腺柔毛；花萼圆筒形，果时基部一边膨胀；花冠紫红色，花冠筒伸出花萼，外面被微柔毛，冠檐二唇形，上唇直伸，先端微缺，下唇 3 裂；雄蕊不露出，后对雄蕊短且花药小，在上唇穹隆下，直伸，前雄蕊长超过下唇，花药正常。小坚果卵形。花期 7～8 月，果期 9 月。

| 生境分布 | 生于山坡、路边、林下、灌丛中。湖南各地均有分布。

| 资源情况 | 野生资源较丰富。药材来源于野生。

| 采收加工 | 7～9月采收，切段晒干或鲜用。

| 功能主治 | 辛、苦，凉。清热解毒，凉血活血。用于风热感冒，咳嗽，目赤肿痛，咽喉肿痛，白喉，腹痛，痢疾，吐血，咯血，尿血，崩漏，外伤出血，肝炎，胆囊炎，痄腮，胃痛，关节疼痛，疮疡肿毒，毒蛇咬伤，湿疹，痔疮，跌打肿痛。

| 用法用量 | 内服煎汤，15～30 g；或捣汁。外用适量，捣敷；或研末撒。

唇形科 Lamiaceae 风轮菜属 Clinopodium

匍匐风轮菜 *Clinopodium repens* (Buch.-Ham. ex D. Don.) Wall. ex Benth.

| 药 材 名 | 匍匐风轮菜（药用部位：全草）。

| 形态特征 | 多年生柔弱草本。茎匍匐生根，高约35 cm。叶卵圆形，长1～3.5 cm，宽1～2.5 cm，先端锐尖或钝，基部阔楔形至近圆形，边缘在基部以上具向内弯的细锯齿，上面榄绿色，下面略淡，两面疏被短硬毛；叶柄长0.5～1.4 cm，向上渐短，近扁平，密被短硬毛。轮伞花序小，近球状；花萼管状，长约6 mm，绿色，上唇3齿，齿三角形，具尾尖，下唇2齿；花冠粉红色，长约7 mm，略超出花萼，外面被微柔毛，冠檐二唇形，上唇直伸，先端微缺，下唇3裂；雄蕊及雌蕊均内藏。小坚果近球形。花期6～9月，果期10～12月。

| 生境分布 | 生于山坡、草地、林下、路边、沟边等。分布于湖南常德（汉寿）、

怀化（芷江）、张家界（慈利）等。

| 资源情况 | 野生资源较少。药材来源于野生。

| 采收加工 | 5 ~ 7 月采收，晒干或鲜用。

| 功能主治 | 辛、苦，凉。清热解毒，凉血活血。用于风热感冒，咳嗽，咽喉肿痛，尿血，崩漏，外伤出血，肝炎，胆囊炎，关节疼痛，疮疡肿毒，毒蛇咬伤，湿疹，痔疮，跌打肿痛。

| 用法用量 | 内服煎汤，15 ~ 30 g；或捣汁。外用适量，捣敷；或研末撒。

唇形科 Labiatae 鞘蕊花属 Coleus

肉叶鞘蕊花 *Coleus carnosifolius* (Hemsl.) Dunn

| 药 材 名 | 小洋紫苏（药用部位：全草。别名：假回菜、双飞蝴蝶、桂花疮）。

| 形态特征 | 多年生肉质草本，高 30 cm。茎直立，多分枝，幼时被短柔毛。叶对生；叶柄与叶片近等长，压扁状，多少具翅；叶片肉质，宽卵圆形或近圆形，直径 1.2～3.5 cm，先端钝或圆，基部截形或近圆形，边缘具疏圆齿，两面略带紫色或紫色，被毛并具腺点。轮伞花序多花，排列成总状圆锥花序，长达 18 cm，花梗及序轴密被微柔毛；苞片倒卵形，长约 4 mm，先端具小尖头，外面密被具腺微柔毛及腺点；花萼卵状钟形，长约 2.5 mm，外面密被具腺微柔毛及腺点，果时增大长达 8 mm，萼齿 5，近等长，后齿特别增大，三角状卵圆形，果时向外反，其余 4 齿长圆状披针形；花冠浅色或深紫色，

外被微柔毛，长约 1.2 cm，上唇 4 浅裂，外反，下唇全缘，伸长，凹陷成舟形，基部狭；雄蕊 4，内藏花丝，基部合生成鞘状，包围花柱基部柱头 2 浅裂；花盘前方膨大。小坚果卵状圆形，黑棕色，光滑。花期 9 ~ 10 月，果期 10 ~ 11 月。

| 生境分布 | 生于石山林中或岩石上。分布于湖南郴州（宜章）、永州（江华）等。

| 资源情况 | 野生资源丰富。药材来源于野生。

| 采收加工 | 夏、秋季采收，晒干或鲜用。

| 功能主治 | 苦，凉。清热解毒，消疳杀虫。用于咽喉肿痛，痈肿，疮毒，疳积，疥疮。

| 用法用量 | 内服煎汤，3 ~ 9 g。外用适量，捣敷；或研末撒。

唇形科 Lamiaceae 绵穗苏属 Comanthosphace

绵穗苏 *Comanthosphace ningpoensis* (Hemsl.) Hand.-Mazz.

| 药 材 名 |

半边苏（药用部位：全草。别名：火胡麻、野苏、野鱼香）。

| 形态特征 |

多年生草本，直立，具密生须根的木质根茎。茎高 60～100 cm，干时黄褐色，近茎顶紫褐色，节间短于叶片。叶卵圆状长圆形，先端渐尖，纸质，侧脉 6～9 对，弧状，网脉两面明显；叶柄极短，长 0.5～1 cm，无毛。穗状花序于主茎及侧枝上顶生，在茎顶常呈三叉状；花梗长 1～3 mm；花萼管状钟形或钟形，外面密被白色星状绒毛，内面无毛，10 脉，不显著；花冠淡红色至紫色，外面在伸出部分密被白色星状绒毛；雄蕊 4，前对略长，几与花冠等长。花柱丝状，先端具相等的 2 浅裂。花期 8～10 月。

| 生境分布 |

生于海拔 500～1 200 m 的山坡草丛及溪旁。分布于湖南邵阳（隆回）、郴州（汝城）、永州（双牌）、怀化（洪江）等。

| 资源情况 |

野生资源一般。药材来源于野生。

| 采收加工 | 7～10月采收，切段，晒干或鲜用。

| 功能主治 | 辛、微苦，温。祛风发表，止血消肿。用于感冒头痛，瘫痪，劳伤吐血，崩漏，月经不调，痛经，疮痈肿毒。

| 用法用量 | 内服煎汤，10～30 g。外用适量，捣敷。

唇形科 Lamiaceae 水蜡烛属 Dysophylla

齿叶水蜡烛 *Dysophylla sampsonii* Hance

| 药 材 名 | 齿叶水蜡烛（药用部位：全草）。

| 形态特征 | 一年生草本。茎直立或基部匍匐生根，高 15 ~ 50 cm，基部常较粗，节间较短。叶倒卵状长圆形至倒披针形，长 0.9 ~ 6.2 cm，宽 4 ~ 8 mm，先端钝或急尖，基部渐狭，边缘自 1/3 处以上具明显小锯齿，基部近全缘，坚纸质；无叶柄。穗状花序；总梗被腺柔毛；苞片卵状披针形，长几不超过花萼，带红色；花萼宽钟形，外面被短柔毛，下部具黄色腺体，常带紫红色；花冠紫红色，冠檐 4 裂，裂片近相等；雄蕊 4，长长地伸出，花丝上的毛茸呈浅紫红色。小坚果卵形，深褐色，光亮。花期 9 ~ 10 月，果期 10 ~ 11 月。

| 生境分布 | 生于沼泽中或水边。分布于湖南永州（江永）等。

| 资源情况 | 野生资源稀少。药材来源于野生。

| 采收加工 | 7～9月采收，晒干或鲜用。

| 功能主治 | 苦，凉。归心、肺经。解毒，凉血止血。用于刀伤出血，跌打损伤出血。

| 用法用量 | 内服煎汤，10～30 g。外用适量，鲜品捣敷。

唇形科 Lamiaceae 水蜡烛属 Dysophylla

水虎尾 *Dysophylla stellata* (Lour.) Benth.

| 药 材 名 | 水老虎（药用部位：全草。别名：野香芹、水芙蓉、方茎水芙蓉）。

| 形态特征 | 一年生直立草本。茎高 15 ~ 40 cm，于中部以上具轮状分枝，无毛，下部节间极短。叶 4 ~ 8 轮生，线形，长 2 ~ 7 cm，宽 1.5 ~ 4 mm，先端急尖，基部渐狭而无柄，边缘具疏齿或几无齿。穗状花序，极密集，不间断；苞片披针形，明显，超过花萼；花萼钟形，密被灰色绒毛。花冠紫红色，长 1.8 ~ 2 mm，冠檐 4 裂，裂片近相等；雄蕊 4，伸出，花丝被髯毛。花柱先端 2 浅裂；花盘平顶。小坚果倒卵形，极小，棕褐色，光滑。花果期全年。

| 生境分布 | 生于 1 550 m 以下的稻田中或水边。分布于湖南株洲（茶陵）、邵阳（绥宁）、岳阳（岳阳）、郴州（永兴、安仁）、永州（江华）、

张家界（慈利）等。

| 资源情况 | 野生资源较少。药材来源于野生。

| 采收加工 | 四季均可采收，鲜用或切段晒干。

| 功能主治 | 辛，平；有小毒。解毒消肿，活血止痛。用于疮疡肿毒，湿疹，毒虫咬伤，跌打伤痛。

| 用法用量 | 内服煎汤，15～30 g；或捣汁。外用适量，鲜品捣敷；或煎汤洗。

唇形科 Lamiaceae 水蜡烛属 Dysophylla

水蜡烛
Dysophylla yatabeana Makino

| 药 材 名 | 水蜡烛（药用部位：全草）。

| 形态特征 | 多年生草本。茎高 40 ~ 60 cm，无毛，顶部被微柔毛，不分枝或稀具短的分枝。叶 3 ~ 4 轮生，狭披针形，长 3.5 ~ 4.5 cm，宽 5 ~ 7 mm，先端渐狭具钝头，基部无柄，全缘或于上部具疏而不明显的锯齿，纸质。穗状花序紧密而连续，有时基部间断；苞片线状披针形，其长几与花冠相等，常带紫色；花萼卵钟形，萼齿 5，三角形；花冠紫红色，无毛，冠檐具长近相等的 4 裂；雄蕊 4，极伸出，花丝密被紫红色髯毛；花柱略伸出雄蕊，先端具相等的 2 浅裂。花期 8 ~ 10 月。

| 生境分布 | 生于水池中、水稻田内或湿润空旷处。分布于湖南常德（津市）、

永州（双牌）、怀化（通道）等。

| **资源情况** | 野生资源较少。药材来源于野生。

| **采收加工** | 夏季采收，晒干或鲜用。

| **功能主治** | 苦，凉。解毒，活血止痛。用于跌打损伤，疮疡肿毒。

| **用法用量** | 内服煎汤，10 ~ 30 g。外用适量，捣敷。

唇形科 Lamiaceae 香薷属 Elsholtzia

紫花香薷 *Elsholtzia argyi* Lévl.

| 药 材 名 |

紫花香薷（药用部位：全草）。

| 形态特征 |

草本，高 0.5 ~ 1 m。茎四棱形，具槽，紫色，槽内被疏生或密生的白色短柔毛。叶卵形至阔卵形，长 2 ~ 6 cm，宽 1 ~ 3 cm，先端短渐尖，基部圆形至宽楔形；叶柄长 0.8 ~ 2.5 cm，具狭翅，被白色短柔毛。穗状花序，生于茎、枝先端，偏向一侧，由具 8 花的轮伞花序组成；花梗长约 1 mm；花萼管状，萼齿 5，钻形，近相等，先端具芒刺，边缘具长缘毛；花冠玫瑰红紫色，外面被白色柔毛；雄蕊 4，前对较长，伸出，花丝无毛，花药黑紫色；花柱纤细，伸出，先端具相等的 2 浅裂。小坚果长圆形，深棕色。花果期 9 ~ 11 月。

| 生境分布 |

生于海拔 200 ~ 1 200 m 的山坡灌丛中、林下、溪旁及河边草地。湖南各地均有分布。

| 资源情况 |

野生资源较丰富。药材来源于野生。

| **采收加工** | 7～9月采收，晒干或鲜用。

| **功能主治** | 辛，微温。发汗解暑，疏风解表，止泻。用于感冒，发热无汗，水肿，腹痛，呕吐。

| **用法用量** | 内服煎汤，10～20 g。

唇形科 Lamiaceae 香薷属 Elsholtzia

香薷 *Elsholtzia ciliata* (Thunb.) Hyland.

| 药 材 名 |

土香薷（药用部位：地上部分。别名：香草头、土薄荷、土藿香）。

| 形态特征 |

直立草本，高 0.3 ~ 0.5 m，具密集的须根。茎通常自中部以上分枝，常呈麦秆黄色，老时变紫褐色。叶卵形或椭圆状披针形，长 3 ~ 9 cm，宽 1 ~ 4 cm，先端渐尖，基部楔状下延成狭翅，边缘具锯齿；叶柄长 0.5 ~ 3.5 cm，边缘具狭翅，疏被小硬毛。穗状花序偏向一侧，由多花的轮伞花序组成；苞片宽卵圆形或扁圆形，先端具芒状突尖；花梗纤细，长约 1.2 mm，近无毛；花萼钟形，萼齿 5，三角形；花冠淡紫色，冠檐二唇形，上唇直立，先端微缺，下唇开展，3 裂，中裂片半圆形；雄蕊 4，花药紫黑色。小坚果长圆形。花期 7 ~ 10 月，果期 10 月至翌年 1 月。

| 生境分布 |

生于路旁、山坡、荒地、林内及河岸。湖南有广泛分布。

| 资源情况 | 野生资源较丰富。药材来源于野生。

| 采收加工 | 7～10月采收，切段，晒干或鲜用。

| 功能主治 | 辛，微温。归肺、胃经。发汗解暑，化湿利尿。用于夏季感冒，中暑，泄泻，小便不利，水肿，湿疹，痈疮。

| 用法用量 | 内服煎汤，9～15 g，鲜品加倍。外用适量，捣敷；或煎汤含漱；或煎汤熏洗。

唇形科 Lamiaceae 香薷属 Elsholtzia

野草香
Elsholtzia cypriani (Pavol.) S. Chow ex Hsu

| 药 材 名 |

野薄荷（药用部位：茎叶。别名：野香薷、鱼香菜、木姜花）。

| 形态特征 |

草本，高0.1～1 m。茎、枝绿色或紫红色，密被下弯的短柔毛。叶卵形至长圆形，长2～6.5 cm，宽1～3 cm，先端急尖，基部宽楔形，侧脉5～6对，与中脉在上面微下陷，在下面隆起；叶柄长0.2～2 cm，上部具三角形狭翅。穗状花序圆柱形，由多数密生的轮伞花序组成；花萼管状钟形，外面密被短柔毛，萼齿5，近等长，花后果萼伸长；花冠玫瑰红色，外面被柔毛，内面无毛，冠檐二唇形，上唇全缘或略凹缺，下唇开展，3裂，中裂片圆形，侧裂片半圆形，全缘；雄蕊4，伸出，花药卵圆形，2室。小坚果长圆状椭圆形，黑褐色。花果期8～11月。

| 生境分布 |

生于海拔400～1800 m的田边、路旁、河谷两岸、林中或林边草地。分布于湖南株洲（茶陵、醴陵）、衡阳（蒸湘、衡阳）、邵阳（隆回）、永州（东安）、怀化（鹤城、中方、洪江）、娄底（新化）、湘西州（泸

溪、古丈、永顺）、常德（石门）、张家界（桑植）、益阳（安化）等。

| 资源情况 | 野生资源一般。药材来源于野生。

| 采收加工 | 7～10月采收，晒干或鲜用。

| 药材性状 | 本品叶多卷曲皱缩，展平后呈卵形至长圆形，先端尖，边缘具锯齿，上面被柔毛，下面密被短柔毛和腺点；叶柄长0.2～2 cm。揉搓后有特殊清香，味辛，性凉。

| 功能主治 | 辛，凉。清热解毒，祛风散湿。用于风热感冒，风湿关节痛。

| 用法用量 | 内服煎汤，10～30 g。外用适量，捣汁涂。

唇形科 Lamiaceae 香薷属 Elsholtzia

水香薷 Elsholtzia kachinensis Prain

| 药 材 名 |

水香薷（药用部位：全草）。

| 形态特征 |

柔弱平铺草本，长 10 ~ 40 cm。茎平卧，被柔毛，常于下部节上生不定根，有分枝。叶卵圆形或卵圆状披针形，长 1 ~ 3.5 cm，宽 0.5 ~ 2 cm，先端急尖或钝，基部宽楔形，边缘在基部以上具圆锯齿，草质；叶柄长 0.3 ~ 1.5 cm，背腹扁平，疏被具节小疏柔毛。穗状花序于茎及枝上顶生，由具 4 ~ 6 花的轮伞花序组成，密生而偏向一侧；花萼管状，外被疏柔毛及腺点，萼齿 5，近相等，披针状三角形，先端刺状，萼齿与萼筒近等长；花冠白色至淡紫色或紫色；雄蕊 4，均伸出很多，花丝无毛。小坚果长圆形，栗色，被微柔毛。花果期 10 ~ 12 月。

| 生境分布 |

生于海拔 1 200 ~ 1 600 m 的河边、路旁、林下、山谷或水中，常见于湿润处。分布于湖南邵阳（绥宁）、郴州（北湖、临武）、永州（江永）等。

| 资源情况 | 野生资源较少。药材来源于野生。

| 采收加工 | 夏季采收，晒干或鲜用。

| 功能主治 | 温胃和中，发汗解暑，行水散湿。用于呕吐，腹泻，感寒饮冷，恶寒无汗，头痛发热，腹痛，水肿。

| 用法用量 | 内服煎汤，10 ~ 30 g。

唇形科 Lamiaceae 香薷属 Elsholtzia

海州香薷 *Elsholtzia splendens* Nakai ex F. Maekawa

| 药 材 名 |

香薷（药用部位：全草）。

| 形态特征 |

直立草本，高30～50 cm。茎直立，污黄紫色，被近2列疏柔毛，基部以上多分枝。叶卵状三角形，长3～6 cm，宽0.8～2.5 cm，先端渐尖，基部阔楔形或狭楔形；叶柄在茎中部叶上较长，向上变短，腹面被短柔毛。穗状花序顶生，偏向一侧，由多数轮伞花序组成；苞片近圆形或宽卵圆形，先端具尾状骤尖；花梗长不及1 mm，近无毛；花萼钟形，外面被白色短硬毛，具腺点，萼齿5，三角形，近相等，先端具刺芒尖头，边缘具缘毛；花冠玫瑰红紫色，微内弯，近漏斗形；雄蕊4，均伸出，花丝无毛。小坚果长圆形，黑棕色，具小疣。花果期9～11月。

| 生境分布 |

生于海拔200～300 m的山坡路旁或草丛中。分布于湖南长沙（宁乡、浏阳）、株洲（茶陵）、衡阳（祁东）、邵阳（绥宁）、常德（汉寿）、张家界（武陵源、慈利）、益阳（资阳、赫山）、郴州（宜章、汝城）、永州（祁阳）、怀化（新晃）、湘西州（龙山）等。

| 资源情况 | 野生资源较少。药材来源于野生。

| 采收加工 | 5 ~ 7 月采收，晒干或鲜用。

| 功能主治 | 辛，微温。发表解暑，散湿行水。用于暑湿感冒，恶寒发热无汗，腹痛，吐泻，浮肿，脚气病。

| 用法用量 | 内服煎汤，4 ~ 10 g。外用适量，捣涂。

唇形科 Lamiaceae 广防风属 Epimeredi

广防风 *Epimeredi indica* (L.) Rothm.

| 药 材 名 | 土防风（药用部位：全草）。

| 形态特征 | 草本，直立粗壮。茎高1～2 m，密被白色贴生的短柔毛。叶阔卵圆形，长4～9 cm，宽2.5～6.5 cm，先端急尖或短渐尖，基部截状阔楔形，边缘有不规则的牙齿，草质；苞叶叶状，向上渐变小，均超出轮伞花序。轮伞花序在主茎及侧枝的顶部排列成稠密的或间断的长穗状花序；花萼钟形，外面被长硬毛及混生的腺柔毛，齿5，三角状披针形，果时增大；花冠淡紫色；雄蕊伸出，近等长；花柱丝状，无毛，先端具相等的2浅裂，裂片钻形。小坚果黑色，具光泽，近圆球形。花期8～9月，果期9～11月。

| 生境分布 | 生于海拔40～1 500 m的热带及南亚热带地区的林缘或路旁等荒

地上。分布于湖南长沙（浏阳）、永州（双牌、江永、江华）、郴州（安仁、汝城）等。

| 资源情况 | 野生资源一般。药材来源于野生。

| 采收加工 | 夏、秋季采收，洗净，鲜用或晒干。

| 功能主治 | 辛、苦，微温。祛风解表，理气止痛。用于感冒发热，风湿关节痛，胃痛，胃肠炎；外用于湿疹，神经性皮炎，蛇虫咬伤，痈疮肿毒。

| 用法用量 | 外用鲜品捣敷，30 ~ 50 g；或煎汤洗。

| 附　　注 | 本种的拉丁学名在 FOC 中被修订为 *Anisomeles indica* (Linnaeus) Kuntze。

唇形科 Lamiaceae 小野芝麻属 Galeobdolon

小野芝麻 *Galeobdolon chinense* (Benth.) C. Y. Wu

| 药 材 名 | 地绵绵（药用部位：块根。别名：蜘蛛草、假野芝麻、鲫鱼胆）。

| 形态特征 | 一年生草本。根有时具块根。茎高 10 ~ 60 cm，四棱形，具槽，密被污黄色绒毛。叶卵圆形、卵圆状长圆形至阔披针形，长 1.5 ~ 4 cm，宽 1.1 ~ 2.2 cm，先端钝尖至急尖，基部阔楔形，边缘具圆齿状锯齿，草质；叶柄长 5 ~ 15 mm。轮伞花序具 2 ~ 4 花，苞片极小，线形，长约 6 mm，早落；花萼管状钟形，萼齿披针形；花冠粉红色，外面被白色长柔毛，尤以上唇为甚；雄蕊花丝扁平，无毛，花药紫色，无毛；花柱丝状，先端具不相等的 2 浅裂。小坚果三棱状倒卵圆形，先端截形。花期 3 ~ 5 月，果期 6 月以后。

| 生境分布 | 生于海拔 50 ~ 300 m 的疏林中。湖南有广泛分布。

| 资源情况 | 野生资源一般。药材来源于野生。

| 采收加工 | 夏季采挖，洗净，鲜用。

| 功能主治 | 酸、辛，平。归肝经。化瘀止血。用于外伤出血。

| 用法用量 | 外用适量，鲜品捣敷。

唇形科 Lamiaceae 活血丹属 Glechoma

白透骨消 *Glechoma biondiana* (Diels) C. Y. Wu et C. Chen

| 药 材 名 | 白透骨消（药用部位：全草。别名：透骨消、连钱草、活血丹）。

| 形态特征 | 多年生草本，高 15 ~ 30 cm，全体被具节长柔毛，具较长的匍匐茎。茎四棱形，基部有时带紫色。叶草质，茎中部的叶最大，心脏形，长 2 ~ 4.2 cm，宽 1.9 ~ 3.8 cm，先端急尖，通常具针状小尖头，基部心形；叶柄长 1.2 ~ 2.5 cm，被长柔毛。聚伞花序通常具 3 花，呈轮伞花序状；苞片及小苞片线形，长约 4 mm，具缘毛；花萼管状，外面被长柔毛及微柔毛，内面无毛，萼齿 5，略呈二唇形；花冠粉红色至淡紫色，钟形；雄蕊 4，花丝细长，花药 2 室，室叉开；子房 4 裂，无毛。成熟小坚果长圆形，深褐色，具小凹点。花期 4 ~ 5 月，果期 5 ~ 6 月。

| 生境分布 | 生于海拔 1 100 ~ 1 700 m 的溪边、林缘阴湿肥沃土壤上。分布于湖南邵阳（邵阳）、常德（桃源）、湘西州（永顺）等。

| 资源情况 | 野生资源较少。药材来源于野生。

| 采收加工 | 5 ~ 7 月采收，晒干。

| 功能主治 | 辛，温。活血通络。用于感冒咳嗽，风湿麻木，筋骨疼痛，跌打损伤，黄疸，肺痈，寒凝内挫，腮腺炎等。

| 用法用量 | 内服煎汤，15 ~ 60 g。

唇形科 Lamiaceae 活血丹属 Glechoma

狭萼白透骨消 *Glechoma biondiana* (Diels) C. Y. Wu var. *angustituba* C. Y. Wu et C. Chen

| 药 材 名 | 狭萼白透骨消（药用部位：全草。别名：透骨消、连钱草、活血丹）。

| 形态特征 | 多年生草本，通常高30 cm以上，被稀疏的长柔毛。茎四棱形，基部有时带紫色。叶草质，茎中部的最大，心形，长2～4.2 cm，宽1.9～3.8 cm，先端急尖；叶柄长1.2～2.5 cm，被长柔毛。轮伞花序具多花，通常具9花，稀具6花，呈轮伞花序状；苞片及小苞片线形，长约4 mm，具缘毛；花萼狭，圆柱形，口部与基部等宽，萼齿5，略呈二唇形；花冠粉红色至淡紫色，钟形；雄蕊4，花丝细长，花药2室，室叉开；子房4裂，无毛。成熟小坚果长圆形，深褐色。花期4～5月，果期5～6月。

| 生境分布 | 生于密林下。分布于湖南邵阳（邵阳）等。

| **资源情况** | 野生资源稀少。药材来源于野生。

| **采收加工** | 5 ~ 7月采收，晒干。

| **功能主治** | 辛，温。活血通络，消肿。用于感冒咳嗽，风湿麻木，筋骨疼痛，跌打损伤，黄疸，肺痈，寒凝内挫，腮腺炎等。

| **用法用量** | 内服煎汤，15 ~ 60 g。

唇形科 Lamiaceae 活血丹属 Glechoma

活血丹 *Glechoma longituba* (Nakai) Kupr.

| 药 材 名 | 连钱草（药用部位：全草。别名：透骨草、透骨消、马蹄草）。

| 形态特征 | 多年生草本，具匍匐茎，上升，逐节生根。茎四棱形，基部通常呈淡紫红色，几无毛。叶草质，下部者较小，叶片心形或近肾形；上部者较大，叶片心形，长 1.8 ~ 2.6 cm，宽 2 ~ 3 cm，先端急尖或钝三角形，基部心形。轮伞花序通常具 2 花，稀具 4 ~ 6 花；苞片及小苞片线形，长达 4 mm，被缘毛；花萼管状，萼齿 5，齿卵状三角形，长为花萼的 1/2，先端芒状，边缘具缘毛；花冠淡蓝色、蓝色至紫色，冠檐二唇形；雄蕊 4，内藏，花药 2 室，略叉开。成熟小坚果深褐色。花期 4 ~ 5 月，果期 5 ~ 6 月。

| 生境分布 | 生于海拔 50 ~ 2 000 m 的林缘、疏林下、草地中、溪边等阴湿处。

湖南各地均有分布。

| **资源情况** | 野生资源丰富。药材来源于野生。

| **采收加工** | 4~6月采收，晒干或鲜用。

| **药材性状** | 本品茎呈方柱形，细而扭曲，表面黄绿色或紫红色，具纵棱及短柔毛，节上有不定根；质脆，易折断，断面常中空。叶对生，灰绿色或绿褐色，多皱缩，展平后呈肾形或近心形，边缘具圆齿；叶柄纤细。轮伞花序腋生，花冠淡蓝色或紫色，二唇形，长达2 cm，搓之气芳香，味微苦。

| **功能主治** | 苦、辛，凉。归肝、胆、膀胱经。利湿通淋，清热解毒，散瘀消肿。用于热淋，石淋，湿热黄疸，疮痈肿痛，跌打损伤。

| **用法用量** | 内服煎汤，15~30 g；或浸酒，或捣汁，或捣烂口含。外用适量，捣敷；或绞汁涂敷。

唇形科 Lamiaceae 锥花属 Gomphostemma

中华锥花 Gomphostemma chinense Oliv.

| 药 材 名 | 老虎耳根（药用部位：根。别名：棒丝花、山继香、白腊锁）。

| 形态特征 | 草本。根木质。茎直立，高24～80 cm，上部钝四棱形，具槽，下部近木质，几圆柱形，密被星状绒毛。叶椭圆形或卵状椭圆形，长4～13 cm，宽2～7 cm，先端钝，基部钝至圆形，边缘具大小不等的粗齿或几全缘，草质；叶柄长2～6 cm，腹凹背凸，密被星状绒毛。花序为由聚伞花序组成的圆锥花序或为单生的聚伞花序，对生，生于茎的基部，具4至多花；花萼花时狭钟形，萼齿披针形至狭披针形；花冠浅黄色至白色，雄蕊与上唇近等长，花丝扁平，边缘具微柔毛。小坚果倒卵状三棱形，褐色。花期7～8月，果熟期10～12月。

| 生境分布 | 生于海拔460～650 m的山谷湿地密林下。分布于湖南永州（道县）、郴州（桂东）等。

| 资源情况 | 野生资源较少。药材来源于野生。

| 采收加工 | 秋季采挖，洗净，晒干。

| 功能主治 | 苦，凉。利尿消肿。用于肾炎，水肿。

| 用法用量 | 内服煎汤，3～15 g。

唇形科 Lamiaceae 异野芝麻属 Heterolamium

异野芝麻 Heterolamium debile (Hemsl.) C. Y. Wu

| 药材名 |

异野芝麻（药用部位：全草）。

| 形态特征 |

纤细不分枝草本。茎近直立，纤细，高 15 ～ 40 cm。叶具长柄，叶柄长 1.5 ～ 5 cm，向上渐变短，细弱，背腹扁平；叶片心形或圆状心形，有时卵圆形，下部者为肾形，通常宽 2.5 ～ 5 cm，边缘除基部外具粗大圆齿，有时小齿与大圆齿交错，先端钝或近急尖，基部心形或有时近平截，膜质。轮伞花序具 2 ～ 6 花，在茎顶排列成松散的总状圆锥花序；花萼花时呈管状，15 脉，二唇形；花冠白色，花冠筒狭窄，伸出萼外，自基部向上稍稍膨大。小坚果三棱状卵球形，具极不明显的细皱。花期 6 月，果期 7 月。

| 生境分布 |

生于海拔约 1 700 m 的丛林下。分布于湖南邵阳（绥宁）等。

| 资源情况 |

野生资源稀少。药材来源于野生。

| 采收加工 | 夏季采收全草，晒干或鲜用。 |

| 功能主治 | 辛、苦，凉。理气和胃，清热解毒。用于胃热呕吐，疮肿，热淋涩痛，月经不调。 |

| 用法用量 | 内服煎汤，3 ~ 15 g。 |

唇形科 Lamiaceae 异野芝麻属 Heterolamium

细齿异野芝麻 *Heterolamium debile* (Hemsl.) C. Y. Wu var. *cardiophyllum* (Hemsl.) C. Y. Wu

| 药 材 名 | 细齿异野芝麻（药用部位：全草）。

| 形态特征 | 纤细不分枝草本。茎近直立，高 15 ~ 40 cm。叶具长柄，叶柄长 1.5 ~ 5 cm，向上渐变短，细弱，背腹扁平；叶片心形或圆状心形，叶背常紫色，叶齿圆而较细。轮伞花序具 2 ~ 6 花，具梗，在茎顶排列成紧密的总状圆锥花序；花萼花时呈管状，外被微柔毛，内面在喉部具毛环，二唇形；花深红色至紫蓝色；花冠筒狭窄，伸出花萼外，自基部向上稍稍膨大，冠檐二唇形，上唇 2 裂，裂片圆形，与下唇侧裂片同大，下唇 3 裂，中裂片较大，正圆形，全缘。小坚果三棱状卵球形，具极不明显的细皱。花期 6 月，果期 7 月。

| 生境分布 | 生于海拔 1 100 ~ 1 500 m 的林下、竹丛中、水沟旁、草坡及林缘。

分布于湖南怀化（麻阳）等。

| **资源情况** | 野生资源稀少。药材来源于野生。

| **采收加工** | 夏季采收，晒干或鲜用。

| **功能主治** | 辛、苦，凉。理气和胃，清热解毒。用于天花，胃热呕吐，疮肿，热淋涩痛，月经不调。

| **用法用量** | 内服煎汤，3 ~ 15 g。

唇形科 Lamiaceae 香简草属 Keiskea

香薷状香简草 *Keiskea elsholtzioides* Merr.

| 药 材 名 |

香薷状霜柱（药用部位：全草。别名：散血王、香苏麻）。

| 形态特征 |

草本。茎高约40 cm，圆柱形，带紫红色，近无毛，幼枝密生平展的纤毛状柔毛。叶卵形或卵状长圆形，大小变异很大，长1.5～15 cm，宽1.2～8 cm，先端渐尖，基部楔形至近圆形；叶柄长5.5～7 cm，腹凹背凸，背部具条纹。总状花序顶生或腋生；苞片宿存，阔卵状圆形，先端突渐尖，边缘具白色纤毛；花萼钟形，萼齿5，披针形，边缘疏具纤毛；花冠白色，染以紫色；雄蕊4，花丝直伸，伸出部分紫色；花柱纤细，超出雄蕊，先端具近相等的2浅裂，裂片钻形。小坚果近球形，紫褐色。花期6～10月，果期10月以后。

| 生境分布 |

生于海拔500 m以下的红壤丘陵草丛或树丛中。分布于湖南株洲（茶陵）、湘潭（湘潭）、邵阳（武冈）、常德（津市）、怀化（靖州）等。

| 资源情况 | 野生资源较少。药材来源于野生。

| 采收加工 | 夏季采收，晒干或鲜用。

| 功能主治 | 辛、苦，平。归肝经。活血散瘀。用于跌打损伤，瘀血肿痛。

| 用法用量 | 外用适量，捣敷。

唇形科 Lamiaceae 动蕊花属 *Kinostemon*

粉红动蕊花 *Kinostemon alborubrum* (Hemsl.) C. Y. Wu et S. Chow

| 药 材 名 | 山合香（药用部位：全草。别名：假沛兰）。

| 形态特征 | 多年生草本，具匍匐茎。茎上升，多分枝。叶片卵圆形或卵圆状披针形，长 3 ~ 6 cm，宽 1 ~ 2 cm，先端短渐尖、渐尖至尾状渐尖，基部阔楔形或楔形下延，边缘具不整齐的粗牙齿，上面被疏柔毛，下面脉上密生长柔毛，余部为疏柔毛，侧脉 3 ~ 5 对。总状花序生于腋出侧枝的上端；花萼外面被疏柔毛，内面喉部具毛环，萼齿 5，呈二唇式张开；花冠粉红色，外被白色绵状长柔毛及淡黄色腺点，内面无毛；雄蕊 4，细丝状，花药 2 室，室肾形；花柱长超出雄蕊，先端具不相等的 2 裂，裂片线状钻形。花期 7 月。

| 生境分布 | 生于山坡草丛中。分布于湖南株洲（攸县）、湘西州（永顺、龙山）、

张家界（慈利）、怀化（靖州、溆浦）等。

| **资源情况** | 野生资源较少。药材来源于野生。

| **采收加工** | 7月采收，晒干。

| **功能主治** | 辛、苦，凉。归肝、脾经。祛湿解毒，清热明目，散风通络。用于湿疹，疮肿，目赤肿痛，劳伤，癣痒，风湿热痹。

| **用法用量** | 内服煎汤，3～15 g。外用适量，捣敷；或煎汤洗。

唇形科 Lamiaceae 动蕊花属 Kinostemon

动蕊花 *Kinostemon ornatum* (Hemsl.) Kudo

| 药 材 名 |

红荆芥（药用部位：全草）。

| 形态特征 |

多年生草本。茎直立，基部分枝，并具早年残存的茎基，四棱形，无槽，高 50 ~ 80 cm，光滑无毛。叶具短柄，叶片卵圆状披针形至长圆状线形，长 7 ~ 13 cm，宽 1.3 ~ 3.5 cm，先端直，尾状渐尖，基部楔状下延。轮伞花序具 2 花，远隔，开向一面，多数组成顶生及腋生无毛的疏松总状花序，腋生者稍短于叶；花萼外面无毛，内面喉部具毛环，萼齿 5，呈二唇式开张；花冠紫红色；雄蕊 4，细丝状，花药 2 室，肾形；花柱长超出雄蕊，先端具不相等的 2 裂，裂片线状钻形，子房球形。小坚果长 1 mm。花期 6 ~ 8 月，果期 8 ~ 11 月。

| 生境分布 |

生于海拔 740 ~ 1 650 m 的山地林下。分布于湖南湘西州（泸溪、永顺、凤凰）、张家界（桑植）等。

| 资源情况 |

野生资源较少。药材来源于野生。

| 采收加工 | 夏季采收，晒干。

| 功能主治 | 辛、苦，凉。发表清热，解毒利湿，散瘀消肿。用于感冒发热，头痛，肺痈，肠痈，肝炎，水肿，淋痛。

| 用法用量 | 内服煎汤，9～15 g。外用适量，捣敷。

唇形科 Lamiaceae 夏至草属 Lagopsis

夏至草 Lagopsis supina (Stephan ex Willd.) Ikonnikov Galitzky ex Knorring

| 药 材 名 | 夏至草（药用部位：全草。别名：小益母草、白花益母、风轮草）。

| 形态特征 | 多年生草本，披散于地面或上升，具圆锥形的主根。茎高 15 ~ 35 cm，四棱形，具沟槽，带紫红色，密被微柔毛，常在基部分枝。叶为圆形，长、宽均为 1.5 ~ 2 cm，先端圆形，基部心形，叶片两面均呈绿色，边缘具纤毛，叶脉掌状，3 ~ 5 出。轮伞花序具疏花，在枝条上部者较密集，在下部者较疏松；花萼管状钟形，萼齿 5，不等大，三角形，先端刺尖；花冠白色，稀粉红色，稍伸出萼筒；雄蕊 4，着生于花冠筒中部稍下，不伸出，后对较短。小坚果长卵形，褐色，有鳞秕。花期 3 ~ 4 月，果期 5 ~ 6 月。

| 生境分布 | 生于路旁、旷地上。湖南有广泛分布。

| 资源情况 | 野生资源较丰富。药材来源于野生。

| 采收加工 | 夏至前盛花期采收,晒干或鲜用。

| 功能主治 | 辛、微苦,寒;有小毒。归肝经。养血活血,清热利湿。用于月经不调,产后瘀滞腹痛,血虚头昏,半身不遂,跌打损伤,水肿,小便不利,目赤肿痛,疮痈,冻疮,牙痛,皮疹瘙痒。

| 用法用量 | 内服煎汤,9 ~ 12 g;或熬膏。外障可用,内障不可用,孕妇慎用。

唇形科 Lamiaceae 野芝麻属 Lamium

宝盖草 *Lamium amplexicaule* L.

| 药 材 名 | 宝盖草（药用部位：全草。别名：佛座、珍珠莲、接骨草）。

| 形态特征 | 一年生或二年生草本。茎高 10 ~ 30 cm，基部多分枝，常为深蓝色，几无毛，中空。茎下部叶具长柄，叶柄与叶片等长或长于叶片，上部叶无柄，叶片均呈圆形或肾形，长 1 ~ 2 cm，宽 0.7 ~ 1.5 cm，先端圆，基部截形或截状阔楔形，半抱茎，边缘具极深的圆齿。轮伞花序具 6 ~ 10 花，其中常有闭花授精的花；花萼管状钟形，外面密被白色直伸的长柔毛，内面除花萼上被白色直伸的长柔毛外，余部无毛，萼齿 5；花冠紫红色或粉红色，花冠筒细长。雄蕊花丝无毛，花药被长硬毛；花柱丝状，先端具不相等的 2 浅裂。小坚果倒卵圆形，具三棱，先端近截状，基部收缩，表面有白色的大疣状突起。花期 3 ~ 5 月，果期 7 ~ 8 月。

| 生境分布 | 生于路旁、林缘、沼泽草地宅旁及田间等。湖南各地均有分布。

| 资源情况 | 野生资源较丰富。药材来源于野生。

| 采收加工 | 6～8月采收全草，晒干或鲜用。

| 功能主治 | 辛、苦，平。归肝、胆经。活血通络，解毒消肿。用于跌打损伤，筋骨疼痛，四肢麻木，半身不遂，面瘫，黄疸，鼻渊，瘰疬，肿毒，黄水疮。

| 用法用量 | 内服煎汤，10～15 g；或入丸、散剂。外用适量，捣敷；或研末撒。

唇形科 Lamiaceae 野芝麻属 Lamium

野芝麻 *Lamium barbatum* Sieb. et Zucc.

| 药 材 名 | 野芝麻（药用部位：全草。别名：白花益母草、野油麻、土蚕子）。

| 形态特征 | 多年生草本。根茎有长地下匍匐枝。茎高达 1 m，单生，直立，四棱形，具浅槽，中空，几无毛。茎下部的叶卵圆形或心形，长 4.5 ~ 8.5 cm，宽 3.5 ~ 5 cm，先端尾状渐尖，基部心形，茎上部的叶卵圆状披针形，较茎下部的叶为长而狭，先端长尾状渐尖，草质，两面均被短硬毛。轮伞花序具 4 ~ 14 花，着生于茎端；花萼钟形，外面疏被伏毛，膜质，萼齿披针状钻形，具缘毛；花冠白色或浅黄色；雄蕊花丝扁平，花药深紫色，被柔毛；花柱丝状，先端具近相等的 2 浅裂。小坚果倒卵圆形，淡褐色。花期 4 ~ 6 月，果期 7 ~ 8 月。

| 生境分布 | 生于路边、溪旁、田埂及荒坡上。湖南有广泛分布。

| 资源情况 | 野生资源一般。药材来源于野生。

| 采收加工 | 5～6月采收，阴干或鲜用。

| 药材性状 | 本品茎呈类方柱形，长25～50 cm。叶对生，多皱缩或破碎，完整者展平后呈心状卵形，先端长尾状，基部心形或近截形，边缘具粗齿，两面具伏毛；叶柄长1～5 cm。轮伞花序着生于茎端；苞片线形，具睫毛；花萼钟形，5裂；花冠多皱缩，灰白色至灰黄色。质脆。气微香，味淡、微辛。

| 功能主治 | 辛、甘，平。凉血活血，利湿消积。用于肺热咯血，血淋，月经不调，崩漏，水肿，带下，跌打损伤，疳积。

| 用法用量 | 内服煎汤，9～15 g；或研末。外用适量，鲜品捣敷；或研末调敷。

唇形科 Lamiaceae 益母草属 Leonurus

益母草 Leonurus artemisia (Lour.) S. Y. Hu

| 药 材 名 | 益母草（药用部位：全草。别名：野油麻、红梗玉米膏、益母蒿）、益母草花（药用部位：花）、茺蔚子（药用部位：果实。别名：益母子、冲玉子、小胡麻）。

| 形态特征 | 一年生或二年生草本。茎直立，通常高 30 ~ 120 cm，多分枝。叶轮廓变化很大，茎下部叶为卵形，基部宽楔形，掌状 3 裂，通常长 2.5 ~ 6 cm，宽 1.5 ~ 4 cm，叶基部下延成叶柄，叶柄纤细，长 2 ~ 3 cm，上部略具翅；茎中部叶为菱形，较小；花序最上部的苞叶近无柄。轮伞花序腋生，具 8 ~ 15 花，圆球形，多数远离而组成长穗状花序；花萼管状钟形，5 脉，显著；花冠粉红至淡紫红色，冠檐二唇形，上唇直伸；雄蕊 4，均延伸至上唇片之下，平行。小坚果长圆状三棱形。花期通常 6 ~ 9 月，果期 9 ~ 10 月。

| 生境分布 | 生长于多种环境，尤以阳处为多。湖南各地均有分布。

| 资源情况 | 野生资源丰富。药材来源于野生。

| 采收加工 | 益母草：在每株开花 2/3 时选晴天齐地割下，鲜用或晒干。
益母草花：6 ~ 8 月花初开时采摘，鲜用或晒干。
茺蔚子：8 ~ 11 月在全株花谢、果实成熟时割取全株，鲜用或晒干，打下果实。

| 药材性状 | 益母草：本品鲜品幼苗期无茎，基生叶圆心形，边缘 5 ~ 9 浅裂，每裂片有 2 ~ 3 钝齿。花前期茎呈方柱形，上部多分枝，4 面凹下成纵沟，长 30 ~ 60 cm，直径 0.2 ~ 0.5 cm；表面青绿色；质鲜嫩，断面中部有髓。叶交互对生，有柄；叶片青绿色，质鲜嫩，揉之有汁；下部茎生叶掌状 3 裂，上部叶羽状深裂或浅裂成 3 片，裂片全缘或具少数锯齿。气微，味微苦。干品茎表面灰绿色或黄绿色；体轻，质韧，断面中部有髓。叶片灰绿色，多皱缩破碎，易脱落。轮伞花序腋生；小花淡紫色；花冠二唇形；花萼宿存，筒状，黄绿色，内有小坚果 4。切段者长约 2 cm。

益母草花：本品为干燥的花朵，花萼及雌蕊大多已脱落，长约 1.3 cm，淡紫色至淡棕色。花冠自先端向下渐次变细，基部连合成管，上部二唇形，上唇长圆形，

全缘，背部密具细长的白毛，有缘毛；下唇3裂，中央裂片倒心形，背部具短绒毛，花冠管口处有毛环生。雄蕊4，二强，着生在花冠筒内，与残存的花柱常伸出花冠筒。气微，味微甜。

茺蔚子：本品小坚果呈长圆形，具3棱，长2～3 mm，直径1～1.5 mm。表面灰褐色或褐色，有稀疏的深色斑点，上端较宽，平截，下端渐窄而钝尖，有凹入的果柄痕。果皮薄，褐色。子叶白色，富油质。气微，味苦。

| 功能主治 | 益母草：辛、苦，微寒。归肝、肾、心包经。活血调经，利尿消肿，清热解毒。用于月经不调，经闭，胎漏，难产，胞衣不下，产后血晕，瘀血腹痛，跌打损伤，小便不利，水肿，痈肿疮疡。

益母草花：养血，活血，利水。用于贫血，疮疡肿毒，血滞经闭，痛经，产后瘀阻腹痛，恶露不下。

茺蔚子：甘、辛，微寒；有小毒。归肝经。活血调经，清肝明目。用于月经不调，痛经，闭经，产后瘀滞腹痛，肝热头痛，头晕，目赤肿痛，目生翳障。

| 用法用量 | 益母草：内服煎汤，10～15 g；或熬膏；或入丸、散剂。外用适量，煎汤洗；或鲜品捣敷。瞳孔散大者及孕妇禁服。

益母草花：内服煎汤，6～9 g。

茺蔚子：内服煎汤，6～9 g；或入丸、散剂；或捣绞取汁。

唇形科 Labiatae 益母草属 Leonurus

白花益母草 Leonurus artemisia (Lour.) S. Y. Hu var. albiflorus (Migo) S. Y. Hu

| 药 材 名 | 白花益母草（药用部位：全草）。

| 形态特征 | 本种与益母草 Leonurus artemisia (Lour.) S. Y. Hu 的区别仅在于本种花冠白色。

| 生境分布 | 生于田埂、路旁、溪边或山坡草地，尤以向阳地带为多。分布于湖南邵阳（新宁）等。

| 资源情况 | 野生资源稀少。药材主要来源于野生。

| 采收加工 | 全草在每株开花达 2/3 时采收，选晴天齐地割下，立即摊放，晒干后打成捆。

| 功能主治 | 辛、苦，微寒。归肝、肾、心包经。活血调经，利尿消肿，清热解毒。用于月经不调，经闭，胎漏难产，胞衣不下，产后血晕，瘀血腹痛，跌打损伤，小便不利，水肿，痈肿疮疡。

| 用法用量 | 内服煎汤，10～15 g，熬膏；或入丸、散剂。外用适量，煎汤洗；或鲜品捣敷。

唇形科 Labiatae 斜萼草属 Loxocalyx

斜萼草
Loxocalyx urticifolius Hemsl.

| 药 材 名 | 斜萼草（药用部位：全草）。

| 形态特征 | 草本，从纤细簇生的须根生出。茎直立，钝四棱形，具槽，多分枝，分枝细弱，具花，茎、枝近无毛或疏被微柔毛。叶宽卵圆形或心状卵圆形，在花枝上的苞叶有时呈披针形，长4.5～12 cm，宽2～7 cm，先端长渐尖，先端1齿极伸长，基部楔形、圆形、截形至心形，边缘为粗大的锯齿状牙齿，膜质，上面绿色，疏被短刺毛，下面淡绿色，极疏被短刺毛，明显的具细点，侧脉2～4对，两面明显，在下面尤为凸出，其间细脉网结，叶柄长1～6 cm，纤细，疏被微柔毛或近无毛。轮伞花序有时在每叶腋内为单花，但常具3～6花；小苞片钻形；花梗短；花萼长1～1.5 cm，管状，外面在脉上有细刺毛，其余部分有细点而近无毛，内面无毛，脉8，后

3齿2居间脉消失，显著，齿5，比萼筒短，长三角形或卵圆形，二唇状，前2齿靠合，比后3齿长，后3齿近等大，齿端为刺尖；花冠玫瑰红色、紫色或深紫色至暗红色，长约1.5（~2）cm，外微被细柔毛，内面近基部有微柔毛环，其上疏被秕鳞，花冠筒细管状，向上伸展，冠檐二唇形，上唇长圆状椭圆形，长约5 mm，全缘，下唇开张，3裂，中裂片稍大，长圆形，先端微缺，侧裂片近圆形。雄蕊4，均延伸至上唇片之下，前对较长，均插生于花冠喉部，花丝扁平，被微柔毛，花药卵圆形，二室，室极叉开；花柱细长，略伸出于上唇，先端相等2浅裂；花盘平顶，果时伸长。小坚果卵状三棱形，腹面具棱，栗褐色。花期7~8月，果期9月。

| **生境分布** | 生于海拔1 200~1 800 m的林下沟谷中或潮湿处。分布于湖南邵阳（新宁）等。

| **资源情况** | 野生资源稀少。药材来源于野生。

| **功能主治** | 祛风除湿，止痛止泻。用于风湿疼痛，痢疾等。

唇形科 Lamiaceae 地笋属 Lycopus

小叶地笋 Lycopus coreanus Lévl.

| 药 材 名 | 小叶地笋（药用部位：全草）。

| 形态特征 | 多年生草本，高 15 ~ 60 cm。根茎横走。茎直立，四棱形，具槽，节间通常比叶长。叶小，无柄，长圆状卵圆形至卵圆形，长 1.5 ~ 3 cm，宽 0.6 ~ 1.5 cm，先端锐尖，基部楔形，边缘在基部以上疏生浅波状牙齿；薄纸质。轮伞花序无梗，密生多花，圆球形；花萼钟形，萼齿 4 ~ 5，三角状披针形，先端具硬刺尖；花冠白色，钟状，略超出花萼；前对雄蕊能育，与花冠等长，几不超出花冠，花丝丝状，无毛，花药卵圆形，2 室，室略叉开。小坚果背腹扁平，倒卵状四边形，褐色，基部有 1 小白痕。花期 7 ~ 8 月，果期 8 ~ 9 月。

| 生境分布 | 生于海拔 1 700 m 以下的水边、路旁、山坡上。分布于湖南邵阳

（邵阳）等。

| **资源情况** | 野生资源稀少。药材来源于野生。

| **采收加工** | 夏季采收，鲜用或晒干。

| **功能主治** | 甘、辛，平。化瘀止血，益气利水。用于吐血，衄血，产后腹痛，带下。

| **用法用量** | 内服煎汤，10～20 g。脾胃虚弱、腹泻腹痛者禁用。

唇形科 Lamiaceae 地笋属 Lycopus

毛叶地瓜儿苗 *Lycopus lucidus* Turcz. var. *hirtus* Regel

| 药 材 名 |

毛叶地瓜儿苗（药用部位：地上部分）。

| 形态特征 |

多年生草本，高 0.6 ~ 1.7 m。茎直立，通常不分枝，四棱形，被向上的小硬毛，节上密生硬毛。叶具极短柄或近无柄，通常长 4 ~ 8 cm，宽 1.2 ~ 2.5 cm，披针形，暗绿色，上面密被细刚毛状硬毛，边缘具缘毛，下面主要在肋及脉上被刚毛状硬毛，两端渐狭，边缘具锐齿。轮伞花序无梗，圆球形；花萼钟形，萼齿 5，披针状三角形；花冠白色，冠檐不明显二唇形；花柱伸出花冠，先端具相等的 2 浅裂，裂片线形；花盘平顶。小坚果倒卵圆状四边形，基部略狭。花期 6 ~ 9 月，果期 8 ~ 11 月。

| 生境分布 |

生于 2 000 m 以下的沼泽地、水边等潮湿处。适宜生长于向阳、湿润、土层深厚、富含腐殖质的壤土或砂壤土。湖南各地均有分布。

| 资源情况 |

野生和栽培资源均较少。药材来源于野生和栽培。

| 采收加工 | 夏季割取，切段，鲜用或晒干。

| 功能主治 | 辛，寒。归肝、脾经。活血调经，祛瘀消痈，利水消肿。用于月经不调，产后瘀血腹痛，疮痈肿毒，水肿腹水。

| 用法用量 | 内服煎汤，6～15 g；或入丸、散剂。外用适量，鲜品捣敷；或煎汤洗。

唇形科 Lamiaceae 龙头草属 Meehania

华西龙头草 Meehania fargesii (Lévl.) C. Y. Wu

| 药 材 名 |

华西龙头草（药用部位：全草。别名：水升麻、红紫苏、华西美汉花）。

| 形态特征 |

多年生草本，直立，高10～20 cm，稀为25～40 cm，具匍匐茎。茎细弱，不分枝。叶片纸质，心形至卵状心形或三角状心形，长2.8～6.5 cm，宽2～4.5 cm，通常着生于茎基部的叶片较大，先端短渐尖，基部心形，边缘具疏锯齿或钝锯齿。花通常成对着生于茎顶部2～3节叶腋，有时亦成轮伞花序；花萼花时管形，口部微开张，齿5，呈二唇形；花冠淡红至紫红色，花冠筒直，管状，上半部逐渐扩大，冠檐二唇形；雄蕊4，略二强，不伸出花冠外。花期4～6月，果期6月以后。

| 生境分布 |

生于针阔叶混交林或针叶林下阴处。分布于湖南张家界（永定、武陵源、桑植）、郴州（苏仙、汝城）、怀化（芷江）、湘西州（龙山）等。

| 资源情况 | 野生资源较少。药材来源于野生。

| 采收加工 | 春季采收，鲜用或晒干。

| 功能主治 | 辛，微温。归肺经。解表散寒，宣肺止嗽。用于外感风寒，风寒束肺。

| 用法用量 | 内服煎汤，9～15 g。

唇形科 Labiatae 龙头草属 Meehania

梗花华西龙头草 Meehania fargesii (Lévl.) C. Y. Wu var. pedunculata (Hemsl.) C. Y. Wu

| 药 材 名 | 龙头草（药用部位：全草）。

| 形态特征 | 多年生草本，直立，高 10 ~ 20 cm，罕为 25 ~ 40 cm。茎多分枝，幼嫩部分通常被短柔毛，老时毛被渐稀，仅节上毛被略密。叶具柄，柄长 5 ~ 25 mm，从茎中部者较长，向先端渐变短，有时几无柄，幼时密被柔毛，以后渐脱落，被极短的短柔毛；叶片纸质，通常为长三角状卵形，长 2.8 ~ 6.5 cm，宽 2 ~ 4.5 cm，通常以着生于茎基部的叶片较大，先端短渐尖，基部心形，边缘具疏锯齿或钝锯齿，上面被疏糙伏毛，以中肋较密，中肋微凹，下面被疏柔毛，但中肋隆起，被疏柔毛。聚伞花序通常具花超过 3，形成具明显的短或长梗的轮伞花序，在茎的上部常形成顶生假总状花序；子房 4 裂，几

无毛，花柱细长，微伸出花冠，先端 2 裂；花盘杯状，裂片不明显，前方呈指状膨大。小坚果未见。花期 4 ～ 6 月，果期 6 月以后。

| **生境分布** | 生于海拔 1 400 ～ 1 800 m 的山地常绿林或针阔叶混交林内。分布于湖南常德（石门）、张家界（永定、桑植）、娄底（新化）等。

| **资源情况** | 野生资源稀少。药材来源于野生。

| **功能主治** | 用于腹泻。

唇形科 Labiatae 龙头草属 Meehania

走茎华西龙头草 Meehania fargesii (Lévl.) C. Y. Wu var. radicans (Vaniot) C. Y. Wu

| 药 材 名 | 龙头草（药用部位：全草）。

| 形态特征 | 通常超过 30 cm，有多分枝，常形成匍匐生根的走茎。叶常为长圆状卵形，长 3 ~ 15 cm，具圆锯齿，基部心形。花通常为腋生双花，总梗极短，常着生于茎最上部的 1 ~ 3 节上。

| 生境分布 | 生于海拔 1 200 ~ 1 800 m 的常绿及落叶阔叶混交林下阴处。分布于湖南邵阳（新宁、武冈）等。

| 资源情况 | 野生资源稀少。药材来源于野生。

| **功能主治** | 用于风寒感冒；外用于蛇咬伤。

唇形科 Lamiaceae 龙头草属 Mechania

龙头草 Mechania henryi (Hemsl.) Sun ex C. Y. Wu

| 药 材 名 | 龙头草（药用部位：全草）。

| 形态特征 | 多年生草本，直立，高 30 ~ 60 cm。叶具长柄，柄长 10 cm 以下，向上渐变短或几无柄；叶片纸质或近膜质，卵状心形、心形或卵形，长 4 ~ 13 cm，宽 1.8 ~ 4 cm，有时长达 17 cm，宽达 10 cm，以着生于茎中部的叶较大，先端渐尖，基部心形。花序腋生和顶生，为聚伞花序组成的假总状花序，有时有分枝或仅有 1 花腋生；花萼花时狭管形，口部微开张，果时萼筒基部膨大成囊状；花冠淡红紫色或淡紫色，花冠筒直立，管状，上半部渐扩大；雄蕊 4，二强，内藏；花柱细长，先端 2 裂。小坚果圆状长圆形，平滑。花期 9 月。

| 生境分布 | 生于低海拔地区的常绿林或混交林下。分布于湖南邵阳（绥宁、武冈）、郴州（汝城）、永州（东安）、怀化（洪江）、娄底（新化）、湘西州（吉首、古丈、永顺、凤凰）、常德（石门）等。

| 资源情况 | 野生资源较少。药材来源于野生。

| 采收加工 | 全年均可采收，鲜用或晒干。

| 功能主治 | 甘、辛，平。补气血，祛风湿，消肿毒。用于劳伤气血亏虚，脘腹疼痛，风湿痛，咽喉肿痛，蛇咬伤。

| 用法用量 | 内服煎汤，3～9 g；或浸酒。外用适量，捣敷。

唇形科 Lamiaceae 蜜蜂花属 Melissa

蜜蜂花 Melissa axillaris (Benth.) Bakh. f.

| 药 材 名 | 鼻血草（药用部位：全草。别名：土荆芥、红活美、小薄荷）。

| 形态特征 | 多年生草本，具地下茎。地上茎近直立或直立，分枝，高 0.6 ~ 1 m，被短柔毛。叶片卵圆形，长 1.2 ~ 6 cm，宽 0.9 ~ 3 cm，先端急尖或短渐尖，基部圆形，钝，近心形或急尖，边缘具锯齿状圆齿，草质，上面绿色，疏被短柔毛，下面淡绿色，靠中脉两侧带紫色，或有时全为紫色，侧脉 4 ~ 5 对。轮伞花序少花或多花，在茎、枝的叶腋内腋生，疏离；花萼钟形，常为水平伸出；花冠白色或淡红色，冠檐二唇形，上唇直立，先端微缺，下唇开展，3 裂，中裂片较大；雄蕊 4，前对较长，不伸出，花药 2 室，室略叉开。小坚果卵圆形。花果期 6 ~ 11 月。

| **生境分布** | 生于海拔 600～1 800 m 的路旁、山地、山坡、谷地。分布于湖南衡阳（石鼓）、邵阳（新宁）、郴州（汝城、桂东）、永州（东安）、张家界（慈利、桑植）、怀化（新晃、通道）、湘西州（永顺、龙山）等。

| **资源情况** | 野生资源较少。药材来源于野生。

| **采收加工** | 7～9 月采收，晒干或鲜用。

| **功能主治** | 苦、涩，平。凉血止血，清热解毒。用于吐血，鼻衄，崩漏，带下，麻风，皮肤瘙痒，疥疮，蛇虫咬伤，口臭。

| **用法用量** | 内服煎汤，30～60 g。外用适量，鲜品捣敷；或煎汤洗；或捣绒塞鼻。

唇形科 Labiatae 薄荷属 Mentha

皱叶留兰香 *Mentha crispata* Schrad. ex Willd.

| 药 材 名 | 皱叶留兰香（药用部位：全草）。

| 形态特征 | 多年生草本。茎直立，高 30 ~ 60 cm，钝四棱形，常带紫色，无毛，不育枝仅贴地生。叶无柄或近无柄，卵形或卵状披针形，长 2 ~ 3 cm，宽 1.2 ~ 2 cm；先端锐尖，基部圆形或浅心形，边缘有锐裂的锯齿，坚纸质，上面绿色，皱波状，脉纹明显凹陷，下面淡绿色，脉纹明显隆起且带白色。轮伞花序在茎及分枝先端密集成穗状花序，此花序长 2.5 ~ 3 cm，直径约 1 cm，不间断或基部 1 ~ 2 轮伞花序稍间断；苞片线状披针形，稍长于花萼；花梗长 1 mm，略被微柔毛；花萼钟形，花时花萼长 1.5 mm，外面近无毛，具腺点，5 脉，不明显，萼齿 5，三角状披针形，长 0.7 mm，具缘毛，果时稍靠合；

花冠淡紫，长 3.5 mm，外面无毛，花冠筒长 2 mm，冠檐具 4 裂片，裂片近等大，上裂片先端微凹；雄蕊 4，伸出，近等长，花丝丝状，无毛，花药卵圆形，2 室；花柱伸出，先端相等 2 浅裂，裂片钻形；花盘平顶；子房褐色，无毛。小坚果卵珠状三棱形，长 0.7 mm，茶褐色，基部淡褐色，略具腺点，先端圆。

| 生境分布 | 生于田野。栽培于花圃。分布于湖南长沙（浏阳）、岳阳（岳阳、平江）等。

| 资源情况 | 栽培资源一般。药材主要来源于栽培。

| 功能主治 | 清热散表，祛风消肿。

唇形科 Lamiaceae 薄荷属 Mentha

薄荷 Mentha haplocalyx Briq.

| 药 材 名 | 薄荷（药用部位：全草或叶。别名：蕃荷菜、香薷草、鱼香草）、薄荷油（药材来源：鲜茎叶经蒸馏而得的挥发油）、薄荷脑（药材来源：全草中提炼出的结晶）。

| 形态特征 | 多年生草本。茎直立，高 30 ~ 60 cm，上部被倒向微柔毛，多分枝。叶片长圆状披针形、披针形、椭圆形或卵状披针形，稀长圆形，长 2 ~ 7 cm，宽 0.8 ~ 3 cm，先端锐尖，基部楔形至近圆形，边缘在基部以上疏生粗大的牙齿状锯齿；侧脉 5 ~ 6 对。轮伞花序腋生，球形；花萼管状钟形，具 10 脉，不明显，萼齿 5，狭三角状钻形；花冠淡紫色，上裂片先端 2 裂，较大，其余 3 裂片近等大，长圆形，先端钝；雄蕊 4，前对较长，均伸出花冠外，花丝丝状。小坚果卵珠形，黄褐色，具小腺窝。花期 7 ~ 9 月，果期 10 月。

| 生境分布 | 生于水旁潮湿地。栽培于光照充足的塘边、屋边、水渠边等零散土地。湖南各地均有分布。

| 资源情况 | 野生资源一般。栽培资源较丰富。药材来源于野生和栽培。

| 采收加工 | 薄荷：7月或10月选晴天采收，摊晒2天，稍干后扎成小把，再晒干或阴干。
薄荷油：采收新鲜茎叶用水蒸气蒸馏，再冷冻，部分脱脑加工得挥发油。
薄荷脑：采收全草（干、鲜均可）用水蒸气蒸馏，提取出薄荷油，再将薄荷油在0℃以下冷却，析出薄荷脑粗制品，将粗制品再次蒸馏、结晶。

| 药材性状 | 薄荷：本品茎呈方柱形，有对生分枝，长15～40 cm，直径0.2～0.4 cm；表面紫棕色或淡绿色，棱角处具茸毛，节间长2～5 cm；质脆，断面白色，髓部中空。叶对生，有短柄；叶片皱缩卷曲，完整叶片展平后呈披针形、卵状披针形、长圆状披针形至椭圆形，长2～7 cm，宽0.8～3 cm，边缘在基部以上疏生粗大的牙齿状锯齿；侧脉5～6对；上表面深绿色，下表面灰绿色，两面均有柔毛，

下表面可见凹点状腺鳞。轮伞花序腋生；花萼钟状，先端 5 齿裂，萼齿狭三角状钻形，微被柔毛；花冠淡紫色。揉搓后有特殊清凉香气，味辛，性凉。

| 功能主治 | 薄荷：辛，凉；归肺、肝经。宣散风热，清利头目，利咽，透疹，疏肝解郁。用于风热表证，头痛目赤，咽喉肿痛，麻疹不透，风疹瘙痒，肝郁胁痛。

薄荷油：辛，凉。无毒。疏风，清热。用于外感风热，头痛目赤，咽痛，齿痛，皮肤风痒。

薄荷脑：辛，凉。疏风，清热。用于风热感冒，头痛，目赤，咽喉肿痛，齿痛，皮肤瘙痒。

| 用法用量 | 薄荷：内服煎汤，3 ~ 6 g，不可久煎，宜后下；或入丸、散剂。外用适量，煎汤洗；或捣汁涂敷。

薄荷油：内服开水冲，1 ~ 3 滴。外用适量，涂擦。

薄荷脑：内服多入片剂含服，0.02 ~ 1 g。外用适量，入醋剂、软膏剂，涂搽。

| 附　注 | 本种的拉丁学名在 FOC 中被修订为 *Mentha canadensis* Linnaeus。

唇形科 Lamiaceae 薄荷属 Mentha

留兰香 *Mentha spicata* L..

| 药 材 名 | 留兰香（药用部位：全草。别名：南薄荷、升阳菜、香花菜）。

| 形态特征 | 多年生草本。茎直立，高 40～130 cm，不育枝仅贴地生。叶无柄或近无柄，卵状长圆形或长圆状披针形，长 3～7 cm，宽 1～2 cm，先端锐尖，基部宽楔形至近圆形，边缘具尖锐而不规则的锯齿，草质，侧脉 6～7 对。轮伞花序生于茎及分枝先端；小苞片线形，长超过花萼；花萼钟形，萼齿 5，三角状披针形；花冠淡紫色，两面无毛，冠檐具 4 裂片，裂片近等大；雄蕊 4，伸出，近等长；花柱伸出花冠很多，先端具相等的 2 浅裂，裂片钻形，子房褐色，无毛。花期 7～9 月。

| 生境分布 | 栽培种。分布于湖南长沙（望城）、株洲（醴陵）、衡阳（石鼓、蒸湘、衡阳）、益阳（南县）、邵阳（武冈）、岳阳（君山）、郴州（嘉禾、汝城）、怀化（溆浦）等。

| 资源情况 | 栽培资源一般。药材来源于栽培。

| 采收加工 | 7～9月采收，多鲜用。

| 功能主治 | 辛，微温。解表，和中，理气。用于感冒，咳嗽，头痛，咽痛，目赤，鼻衄，胃痛，腹胀，霍乱吐泻，痛经，肢体麻木，跌打肿痛，疮疖，皮肤皲裂。

| 用法用量 | 内服煎汤，3～9 g，鲜品15～30 g。外用适量，捣敷；或绞汁点眼。

唇形科 Lamiaceae 冠唇花属 Microtoena

南川冠唇花 *Microtoena prainiana* Diels

| 药 材 名 |

南川冠唇花（药用部位：全草）。

| 形态特征 |

直立草本。茎高约1m。叶三角状卵圆形或卵圆状长圆形，长6.5～14cm，宽4～8cm，先端长渐尖，基部截状阔楔形至急狭尖，膜质，网脉在上面呈灰色，在下面呈浅褐色，明显。花序为腋生的二歧聚伞花序及由6～10聚伞花序组成的顶生圆锥花序；花萼花时钟形，近膜质，淡绿色，除萼齿边缘有小缘毛外，其余部分无毛，萼齿5，近相等，三角状钻形；花冠淡黄色，冠檐二唇形，上唇盔状，下唇略短，近圆形，先端3裂；雄蕊4，近等长，包于盔内。小坚果倒卵圆状长圆形，深褐色。花期7～8月，果期9月以后。

| 生境分布 |

生于海拔1000～2000m的林下、林缘、沟边或荒坡上。分布于湖南永州（道县）等。

| 资源情况 |

野生资源稀少。药材来源于野生。

| **采收加工** | 夏、秋季采收，晒干或鲜用。

| **功能主治** | 苦、辛，温。解表散寒，温中理气，祛痰，健胃。用于风寒感冒，喘咳气急，消化不良，气胀腹痛，肠炎，痢疾等。

| **用法用量** | 内服煎汤，15～30 g。外用适量，鲜品捣敷。

唇形科 Labiatae 石荠苧属 Mosla

小花荠苧 *Mosla cavaleriei* Lévl.

| 药 材 名 |

七星剑（药用部位：全草。别名：小叶不红、野香薷、痱子草）。

| 形态特征 |

一年生草本，高 25 ~ 100 cm，揉之有强烈香气。茎直立，四棱形，被具节长柔毛及微柔毛。叶对生；叶柄长 1 ~ 2 cm，被具节柔毛；叶片卵形或卵状披针形，长 2 ~ 5 cm，宽 1 ~ 2.5 cm，先端渐尖，基部楔形，边缘具细锯齿，近基部全缘，上面被具节柔毛，下面被具节柔毛及腺点。轮伞花序 2 花，在主茎及侧枝上组成顶生的假总状花序，长 2.5 ~ 4.5 cm；苞片极小，与花梗近等长，被具节小柔毛；花萼长约 1.2 mm，外面被柔毛，上唇 3 齿极小，三角形，下唇 2 齿稍长于上唇，披针形，果时花萼增大；花冠紫色或粉红色，长约 2.5 mm，外被短柔毛，上唇 2 圆裂，下唇略长，3 裂，中裂片较长；雄蕊 4，后对雄蕊能育，前对退化；子房 4 裂，花柱基生，柱头 2 裂。小坚果球形，灰褐色，直径 1.5 mm，具网纹。花期 9 ~ 11 月，果期 10 ~ 12 月。

| 生境分布 | 生于海拔 700 ~ 1 600 m 的疏林下或山坡草地上。分布于湖南邵阳（新宁）、怀化（芷江）等。

| 资源情况 | 野生资源一般。药材来源于野生。

| 采收加工 | 9 ~ 11 月采收，洗净，鲜用或晒干。

| 药材性状 | 本品茎呈方柱形，具分枝，长 25 ~ 100 cm，具节，被柔毛；质脆。叶卷曲皱缩，展平后呈卵形或卵状披针形，上面被具节疏柔毛，下面满布小窝点，纸质。可见轮伞花序组成的顶生的总状花序。多皱缩成团，花小，花冠淡紫色。小坚果类球形，褐色，直径 1.5 mm。有特异清香，味辛凉。

| 功能主治 | 发汗解暑，利湿解毒。用于感冒，中暑，呕吐，泄泻，水肿，湿疹，疮疡肿毒，带状疱疹，阴疽瘰疬，跌打伤痛，毒蛇咬伤。

| 用法用量 | 内服煎汤，9 ~ 15 g；或鲜品捣汁。外用适量，鲜品捣敷；或干品煎汤洗；或捣敷。

唇形科 Lamiaceae 石荠苎属 Mosla

石香薷 *Mosla chinensis* Maxim.

| 药 材 名 | 香薷（药用部位：全草或地上部分。别名：青香薷、香菜、石香薷）。

| 形态特征 | 直立草本。茎高 9 ~ 40 cm，纤细，自基部多分枝。叶线状长圆形至线状披针形，长 1.3 ~ 2.8（~ 3.3）cm，宽 2 ~ 4（~ 7）mm，先端渐尖或急尖，基部渐狭或楔形，边缘具疏而不明显的浅锯齿，上面榄绿色，下面色较淡，两面均被疏短柔毛及具棕色凹陷腺点；叶柄长 3 ~ 5 mm，被疏短柔毛。总状花序头状；苞片覆瓦状排列，圆倒卵形；花梗短，被疏短柔毛；花萼钟形，萼齿 5，钻形，长约为花萼的 2/3，果时花萼增大；花冠紫红色、淡红色至白色，略伸出苞片；雄蕊及雌蕊内藏。小坚果球形，灰褐色，具深雕纹。花期 6 ~ 9 月，果期 7 ~ 11 月。

| 生境分布 | 生于海拔 1 400 m 以下的草坡或林下。湖南各地均有分布。

| 资源情况 | 野生资源一般。药材来源于野生。

| 采收加工 | 7 ~ 9 月茎叶茂盛、花初开时采收，阴干或晒干。

| 功能主治 | 辛，微温。归肺、胃经。发汗解暑，和中化湿，行水消肿。用于外感风寒，内伤于湿，恶寒发热，头痛无汗，脘腹疼痛，呕吐，腹泻，小便不利，水肿。

| 用法用量 | 内服煎汤，3 ~ 9 g；或入丸、散剂；或煎汤含漱。外用适量，捣敷。

唇形科 Lamiaceae 石荠苎属 Mosla

小鱼仙草 *Mosla dianthera* (Buch.-Ham.) Maxim.

| 药 材 名 | 小鱼仙草（药用部位：全草。别名：大叶香薷、热痱草、山苏麻）。

| 形态特征 | 一年生草本。茎高至1 m，多分枝。叶卵状披针形或菱状披针形，有时卵形，长 1.2 ~ 3.5 cm，宽 0.5 ~ 1.8 cm，先端渐尖或急尖，基部渐狭，边缘具锐尖的疏齿，近基部全缘，纸质；叶柄长 3 ~ 18 mm，腹凹背凸，腹面被微柔毛。总状花序生于主茎及分枝的顶部，通常多数，具密花或疏花；花萼钟形，二唇形，上唇具3齿，卵状三角形，中齿较短，下唇具2齿，披针形；花冠淡紫色，上唇微缺，下唇3裂；雄蕊4，后对能育，药室2，叉开，前对退化。小坚果灰褐色，近球形，具疏网纹。花果期 5 ~ 11 月。

| 生境分布 | 生于海拔 175 ~ 1 600 m 的山坡、路旁或水边。湖南各地均有分布。

| 资源情况 | 野生资源较丰富。药材来源于野生。

| 采收加工 | 7～10月采收，晒干或鲜用。

| 功能主治 | 辛、苦，微温。归肺、脾、胃经。祛风发表，利湿止痒。用于感冒头痛，扁桃体炎，中暑，消化性溃疡，痢疾；外用于湿疹，痱子，皮肤瘙痒，疮疖，蜈蚣咬伤。

| 用法用量 | 内服煎汤，9～15g；或浸酒。外用适量，捣敷；或捣汁涂；或煎汤洗。

唇形科 Lamiaceae 石荠苎属 Mosla

石荠苎 Mosla scabra (Thunb.) C. Y. Wu et H. W. Li

| 药 材 名 |

石荠苎（药用部位：全草。别名：鬼香油、小鱼仙草、香茹草）。

| 形态特征 |

一年生草本。茎高 20 ~ 100 cm，多分枝，分枝纤细。叶卵形或卵状披针形，长 1.5 ~ 3.5 cm，宽 0.9 ~ 1.7 cm，先端急尖或钝，基部圆形或宽楔形，边缘近基部全缘，自基部以上为锯齿状，纸质。总状花序生于主茎及侧枝上；苞片卵形，先端尾状渐尖；花萼钟形，二唇形，上唇 3 齿呈卵状披针形，下唇 2 齿呈线形；花冠粉红色，冠檐二唇形，上唇直立，扁平，先端微凹，下唇 3 裂，中裂片较大，边缘具齿；雄蕊 4，后对能育，药室 2，叉开，前对退化。小坚果黄褐色，球形，具深雕纹。花期 5 ~ 11 月，果期 9 ~ 11 月。

| 生境分布 |

生于海拔 50 ~ 1 150 m 的山坡、路旁或灌丛下。湖南各地均有分布。

| 资源情况 |

野生资源较丰富。药材来源于野生。

| 采收加工 | 7～8月采收，晒干或鲜用。

| 药材性状 | 本品茎呈方柱形，多分枝，长20～60 cm，表面有下曲的柔毛。叶多皱缩，展平后呈卵形或长椭圆形，边缘有浅锯齿，叶面近无毛而具黄褐色腺点。总状花序生于主茎及侧枝上，花多脱落，花萼宿存。小坚果类球形，表面黄褐色，有网状凸起的皱纹。气清香、浓郁。

| 功能主治 | 辛、苦，凉。归肝、胆、胃经。祛风利湿，清暑解毒。用于感冒头痛，咳嗽，暑热，热痱，风疹，湿疹，足癣，肠炎，痢疾，蛇虫咬伤，痔血，血崩。

| 用法用量 | 内服煎汤，4.5～15 g。外用适量，煎汤洗；或捣敷；或烧存性，研末调敷。

唇形科 Labiatae 石荠苧属 Mosla

苏州荠苧 *Mosla soochowensis* Matsuda

| 药 材 名 | 五香草（药用部位：全草。别名：土香薷、小叶香薷、小叶天香油）。

| 形态特征 | 一年生草本，高 12 ~ 50 cm。茎直立，四棱形，被疏短柔毛。叶对生；叶柄长 2 ~ 7 mm，略被柔毛；叶片线状披针形或披针形，长 1.2 ~ 2.2 cm，宽 0.2 ~ 0.4 cm，先端渐尖，基部狭楔形，边缘具细锯齿，近基部全缘，上面被微柔毛，下面脉上被短硬毛，有腺点。轮伞花序 2 花，在主茎及侧枝上组成顶生的假总状花序，长 2 ~ 5 mm，疏花；苞片小；排列稀疏，近圆形至卵形，长 1.5 ~ 2.5 mm，先端尾尖，上面被柔毛，下面密布腺点；花萼钟形，长约 3 mm，外面被柔毛及腺点，萼齿 5，二唇形，后 3 齿较短，前 2 齿深裂；花冠紫色，长 6 ~ 7 mm，外面被微柔毛，上唇直立，微凹，下唇 3 裂，

中裂片较大；雄蕊4，后对能育，略伸出；子房4裂，花柱基生，柱头2裂。小坚果球形，褐色，具网纹。花期7～10月，果期8～11月。

| 生境分布 | 生长于草坡或路旁。分布于湖南株洲（茶陵）等。

| 资源情况 | 野生资源一般。药材来源于野生。

| 采收加工 | 7 ~ 10 月采收，晒干或鲜用。

| 药材性状 | 本品茎细方柱形，多分枝，长 20 ~ 42 cm，表面灰绿色至紫色，被向阳花柔毛，质脆。叶对生，卷曲皱缩，展平后呈条状披针形或披针形，两面有短柔毛及腺点。花皱缩成团，苞片小，长仅 1.5 ~ 2.5 mm，花冠淡紫色。小坚果类球形，表面黑褐色。有细网纹。气香浓郁，味辛、凉。

| 功能主治 | 解表，祛暑，理气止痛。用于感冒，中暑，痧气，胃气痛，咽喉肿痛，疖子，蜈蚣咬伤。

| 用法用量 | 内服煎汤，9 ~ 15 g，大剂量可用至 30 ~ 45 g。外用适量，鲜品捣敷。

唇形科 Lamiaceae 荆芥属 Nepeta

心叶荆芥 *Nepeta fordii* Hemsl.

| 药 材 名 | 心叶荆芥（药用部位：全草。别名：假荆芥、山藿香、假苏）。

| 形态特征 | 多年生草本。茎纤弱，高 30 ~ 60 cm。叶三角状卵形，长 1.5 ~ 6.4 cm，宽 1 ~ 5.2 cm，先端急尖或尾状短尖，基部心形，边缘有粗圆齿或牙齿，近膜质。由小聚伞花序（有时在主茎上的小聚伞花序呈蝎尾状）组成的复合聚伞花序在茎基部的腋生，在茎先端的组成顶生圆锥花序，松散；苞片钻形，微小；花萼瓶状，被微刚毛，萼齿披针形；花冠紫色，冠檐二唇形，上唇短，2 浅裂，下唇较长，中裂片近圆形，边缘波状；雄蕊 4，后对在上唇片下；花柱伸出上唇外。小坚果卵状三棱形，深紫褐色。花果期 4 ~ 10 月。

| 生境分布 | 生于海拔 130 ～ 650 m 低平地区的亚热带灌丛中。分布于湖南郴州（桂东）等。

| 资源情况 | 野生资源较少。药材来源于野生。

| 采收加工 | 夏季采收，晒干或鲜用。

| 功能主治 | 淡，凉。散瘀消肿，止血止痛。用于跌打损伤，吐血，衄血，外伤出血，毒蛇咬伤，疔疮疖肿。

| 用法用量 | 内服煎汤，25 ～ 50 g。外用适量，鲜品捣敷。

唇形科 Lamiaceae 罗勒属 Ocimum

罗勒 *Ocimum basilicum* L.

| 药 材 名 |

罗勒（药用部位：全草。别名：熏草、惠草、兰香）。

| 形态特征 |

一年生草本，高20～80 cm，具圆锥形主根及自其上生出的密集须根。茎直立，基部无毛，上部被倒向的微柔毛，绿色，常染有红色，多分枝。叶卵圆形至卵圆状长圆形，长2.5～5 cm，宽1～2.5 cm，先端微钝或急尖，基部渐狭，边缘具不规则牙齿或近全缘，侧脉3～4对。总状花序顶生于茎、枝上，由多数具6花交互对生的轮伞花序组成；花萼钟形，萼齿5；花冠淡紫色，或上唇白色下唇紫红色，伸出花萼；雄蕊4，分离，后对花丝基部具齿状附属物。小坚果卵珠形，有具腺的穴陷。花期通常7～9月，果期9～12月。

| 生境分布 |

栽培种。分布于湖南株洲（芦淞、天元）、岳阳（君山）、张家界（慈利）、郴州（桂阳、嘉禾、临武、汝城）、永州（双牌）等。

| 资源情况 | 栽培资源一般。药材来源于栽培。

| 采收加工 | 9月花开后采收，切段，鲜用或阴干。

| 药材性状 | 本品为茎枝带果穗的全草，叶片多脱落。茎方形，表面紫色或黄紫色，有柔毛；折断面具纤维性，中央有白色的髓。花已凋谢，宿存萼钟状，黄棕色，膜质，具5裂，内藏棕色小坚果。气芳香，有清凉感。

| 功能主治 | 辛、甘，温。归肺、脾、胃、大肠经。疏风解表，化湿和中，活血，解毒。用于感冒头痛，发热咳嗽，中暑，食欲不振，脘腹胀痛，呕吐泄泻，风湿痹痛，遗精，月经不调，牙痛，口臭，胬肉遮睛，湿疮，瘾疹瘙痒，跌打损伤。

| 用法用量 | 内服煎汤，5～15 g，大剂量可用至30 g；或捣汁；或入丸、散剂。外用适量，捣敷；或烧存性，研末调敷；或煎汤洗；或含漱。气虚血燥者慎服。

唇形科 Lamiaceae 罗勒属 Ocimum

疏柔毛罗勒 *Ocimum basilicum* L. var. *pilosum* (Willd.) Benth.

| 药 材 名 |

毛罗勒（药用部位：全草。别名：滚龙珠、香草、鱼香草）。

| 形态特征 |

一年生草本，高20～80 cm。茎多分枝，上升。叶长圆形，先端微钝或急尖，基部渐狭，边缘具不规则牙齿或近全缘，侧脉3～4对；叶柄近扁平，向叶基多少具狭翅，被极多疏柔毛。总状花序延长，顶生于茎、枝上，各部均被极多疏柔毛；苞片细小，倒披针形；花萼钟形，萼齿5，果时花萼宿存，明显增大，脉纹显著；花冠淡紫色，或上唇白色下唇紫红色，伸出花萼，冠檐二唇形，上唇宽大，下唇长圆形；雄蕊4，分离，略超出花冠，插生于花冠筒中部；花盘平顶，具4齿。小坚果卵珠形。花期通常7～9月，果期9～12月。

| 生境分布 |

栽培种。分布于湖南邵阳（隆回）等。

| 资源情况 |

栽培资源较少。药材来源于栽培。

| **采收加工** | 花开后采收，切段，鲜用或阴干。

| **功能主治** | 辛、甘，温。归肺、肝、胃经。疏风解表，健胃祛痰，散瘀消肿，理气止痛。用于风寒感冒，脘腹胀痛，风湿关节痛，蛇咬伤，皮炎，湿疮，火眼，跌打瘀肿。

| **用法用量** | 内服煎汤，5～15 g；或捣汁；或入丸、散剂。外用适量，捣敷；或烧存性，研末调敷；或煎汤洗；或含漱。气虚血燥者慎服。

唇形科 Lamiaceae 牛至属 Origanum

牛至 *Origanum vulgare* L.

| 药 材 名 |

牛至（药用部位：全草。别名：白花茵陈、银薄荷、山薄荷）。

| 形态特征 |

多年生草本或半灌木，芳香。根茎斜生，节上具纤细的须根，多少木质。茎直立或近基部伏地，通常高 25 ~ 60 cm，多少带紫色。叶片卵圆形或长圆状卵圆形，长 1 ~ 4 cm，宽 0.4 ~ 1.5 cm，先端钝或稍钝，基部宽楔形至近圆形或微心形，上面亮绿色，常带紫晕，侧脉 3 ~ 5 对；苞叶大多无柄，常带紫色。伞房状圆锥花序，开张，密生多花；花萼钟状，具 13 脉，多少显著，萼齿 5，三角形，等大；花冠紫红色、淡红色至白色，管状钟形；雄蕊 4；花柱略超出雄蕊，先端不相等 2 浅裂，裂片钻形。小坚果卵圆形，褐色。花期 7 ~ 9 月，果期 10 ~ 12 月。

| 生境分布 |

生于海拔 500 ~ 1 600 m 的路旁、山坡、林下及草地。分布于湖南株洲（渌口、茶陵、醴陵）、衡阳（衡阳）、邵阳（邵东、新邵）、怀化（辰溪、新晃、靖州、沅陵）、湘西州（吉首、泸溪、花垣、古丈、永顺、凤凰、

保靖）、岳阳（平江）等。

| **资源情况** | 野生资源较少。药材来源于野生。

| **采收加工** | 7～8月花开前采收，抖净泥沙，鲜用或扎把晒干。

| **功能主治** | 辛、苦，凉。归肺、肝、胃、大肠经。解表，理气，清暑，利湿。用于感冒，发热，中暑，胸膈胀满，腹痛吐泻，痢疾，黄疸，水肿，带下，疳积，麻疹，皮肤瘙痒，疮疡肿痛，跌打损伤。

| **用法用量** | 内服煎服，3～9 g，大剂量可用至15～30 g；或代茶饮。外用适量，煎汤洗；或鲜品捣敷。表虚汗多者禁服。

唇形科 Lamiaceae 假糙苏属 Paraphlomis

白花假糙苏 *Paraphlomis albiflora* (Hemsl.) Hand.-Mazz.

| 药 材 名 | 四轮麻（药用部位：茎叶。别名：红野紫苏）。

| 形态特征 | 多年生草本，直立或曲折上升，高30～60cm。茎密被具节长柔毛并杂有短柔毛，基部带紫色，不分枝。叶卵圆形，有时下部茎叶为圆形，通常长6～8cm，宽3.5～4cm，边缘有具胼胝尖、有时不规则的粗大圆齿状锯齿，坚纸质，侧脉5～6；叶柄细弱，通常长3～4cm，常与叶片等长，腹平背凸，微具翅。轮伞花序由约20花组成，近圆球形；花萼管状，稍弯曲，上部稍膨大；花冠白色，或于喉部有紫斑，冠檐二唇形；雄蕊4，前对稍长，花丝丝状，具髯毛；花柱丝状，先端具近相等的2浅裂。小坚果三棱形，无毛，先端截形。花期6月。

| 生境分布 | 生于海拔 100 ~ 800 m 的谷地、林下潮湿处。分布于湖南永州（双牌）、娄底（新化）、张家界（慈利）、怀化（通道）等。

| 资源情况 | 野生资源较少。药材来源于野生。

| 采收加工 | 7 ~ 8 月采收，晒干或鲜用。

| 功能主治 | 辛，温。归肺经。散寒止咳。用于风寒咳嗽。

| 用法用量 | 内服煎汤，15 ~ 20 g。

唇形科 Lamiaceae 假糙苏属 Paraphlomis

纤细假糙苏 Paraphlomis gracilis Kudo

| 药 材 名 |

纤细假糙苏（药用部位：地上部分。别名：狗肝菜）。

| 形态特征 |

草本，从纤细须根直立，具匍匐枝。茎高约1 m，被倒向的糙伏毛。叶披针形，通常长5～10 cm，宽1.7～3.3 cm，向上渐变小，先端锐尖或渐尖，近薄纸质，侧脉4～5对；叶柄具狭翅。轮伞花序通常具4～8花，其下承以少数小苞片；花萼倒圆锥状，萼齿5，基部宽大，先端钻形，开张，长与萼筒近相等；花冠白色，下唇具紫斑，花冠筒短于萼筒；雄蕊4，均上升至上唇片之下；花柱丝状，先端具不相等的2浅裂，后裂片稍短，子房近无毛，先端平截；花盘平顶。花期6～7月。

| 生境分布 |

生于海拔600～810 m的密林下背阴处。分布于湖南邵阳（邵阳、隆回）、常德（安乡）、张家界（永定）、郴州（临武、桂东）、永州（双牌、道县、江永）、怀化（辰溪、麻阳、沅陵）、湘西州（吉首、泸溪、古丈、永顺、凤凰、保靖）、益阳（安化）、娄底

（涟源）等。

| 资源情况 | 野生资源较少。药材来源于野生。

| 采收加工 | 秋季花开穗绿时采收，除去杂质，晒干。

| 功能主治 | 辛，温。归肺经。解表。用于风寒表证。

| 用法用量 | 内服煎汤，10 ~ 20 g。

唇形科 Lamiaceae 假糙苏属 Paraphlomis

假糙苏 Paraphlomis javanica (Bl.) Prain

| 药 材 名 |

假糙苏（药用部位：地上部分）。

| 形态特征 |

草本，从纤细须根上升。茎单生，通常高约50 cm，有时高达1.5 m，被倒向的平伏毛，常曲折。叶椭圆形、椭圆状卵形或长圆状卵形，通常长7～15 cm，宽3～8.5 cm，有时长达30 cm，宽达14 cm，先端锐尖或渐尖，基部圆形或近楔形，边缘有具小突尖的圆齿状锯齿，有时齿多少不明显，膜质或纸质，侧脉5～6对。轮伞花序具多花，圆球形；花梗无；花萼花时明显管状，口部骤然开张，果时膨大，革质；花冠通常黄色或淡黄色，有时近白色；雄蕊4，前对较长。小坚果倒卵珠状三棱形，先端钝圆。花期6～8月，果期8～12月。

| 生境分布 |

生于海拔320～1 350 m的林荫下。分布于湖南湘潭（湘潭）、衡阳（祁东）、邵阳（洞口、绥宁、新宁、武冈）、永州（东安、江永、蓝山）、娄底（新化）、怀化（通道）等。

| **资源情况** | 野生资源较少。药材来源于野生。

| **采收加工** | 夏季采收，除去杂质，晒干。

| **功能主治** | 辛，温。清热解毒。用于感冒发热，泄泻。

| **用法用量** | 内服煎汤，15 ~ 20 g。

唇形科 Lamiaceae 假糙苏属 Paraphlomis

小叶假糙苏 *Paraphlomis javanica* (Bl.) Prain var. *coronate* (Vaniot) C. Y. Wu et H. W. Li

| 药 材 名 |

金槐（药用部位：全草。别名：土九楼花、大铁子菜、壶瓶花）。

| 形态特征 |

草本，从纤细须根上升。茎单生，通常高约50 cm，被倒向的平伏毛，常曲折。叶椭圆形、椭圆状卵形或长圆状卵形，一般长 3 ~ 9 cm（有时长达 15 cm），宽 1.5 ~ 6 cm，肉质，边缘疏生锯齿或有小突尖的圆齿，齿常不明显或极浅，膜质或纸质，侧脉 5 ~ 6 对。轮伞花序具多花，圆球形；花梗无；花萼花时明显管状，口部骤然开张，果时膨大，革质；花冠通常黄色或淡黄色，有时近白色；雄蕊 4，前对较长。小坚果倒卵珠状三棱形，先端钝圆。花期 6 ~ 8 月，果期 8 ~ 12 月。

| 生境分布 |

生于海拔 400 ~ 1 400 m 的亚热带常绿林或混交林的林荫下。分布于湖南邵阳（洞口）、永州（东安、双牌）、湘西州（吉首、永顺）等。

| 资源情况 |

野生资源稀少。药材来源于野生。

| 采收加工 | 夏、秋季采收，洗净，晒干。

| 功能主治 | 甘，平。滋阴润燥，止咳，调经。用于阴虚劳嗽，痰中带血，月经不调。

| 用法用量 | 内服煎汤，10 ~ 15 g；或炖肉、鸡、猪心、肺；或蒸酒。

唇形科 Lamiaceae 紫苏属 Perilla

紫苏 Perilla frutescens (L.) Britt.

| 药 材 名 | 紫苏（药用部位：叶或带叶嫩枝。别名：紫苏叶、苏叶）。

| 形 态 特 征 | 一年生直立草本。茎高 0.3 ~ 2 m，绿色或紫色，密被长柔毛。叶阔卵形或圆形，长 7 ~ 13 cm，宽 4.5 ~ 10 cm，先端具短尖或突尖，基部圆形或阔楔形，边缘在基部以上有粗锯齿，膜质或草质，两面绿色或紫色，或仅下面紫色，侧脉 7 ~ 8 对；叶柄长 3 ~ 5 cm，背腹扁平，密被长柔毛。轮伞花序具 2 花，组成长 1.5 ~ 15 cm、密被长柔毛、偏向一侧的顶生及腋生总状花序；花萼钟形，萼檐二唇形；花冠白色至紫红色，花冠筒短，喉部斜钟形；雄蕊 4，几不伸出，前对稍长。小坚果近球形，灰褐色，具网纹。花期 8 ~ 11 月，果期 8 ~ 12 月。

| 生境分布 | 栽培于排水良好、肥沃疏松的土壤。湖南各地均有分布。

| 资源情况 | 栽培资源丰富。药材来源于栽培。

| 采收加工 | 7～9月采收，阴干。

| 药材性状 | 本品叶片多皱缩卷曲、破碎，完整者展平后呈卵圆形，先端短尖，基部圆形或宽楔形，边缘具圆锯齿，下表面紫褐色，疏生灰白色毛；叶柄紫色或紫绿色；质脆。嫩枝呈紫绿色，断面中部有髓。气清香，味微辛。以叶完整、色紫、香气浓者为佳。

| 功能主治 | 辛，温，归肺、脾、胃经。散寒解表，宣肺化痰，行气和中，安胎，解鱼蟹毒。用于风寒表证，咳嗽痰多，胸脘胀满，恶心呕吐，腹痛吐泻，胎气不和，妊娠恶阻，鱼蟹毒。

| 用法用量 | 内服煎汤，5～10 g。外用适量，捣敷；或研末掺；或煎汤洗。阴虚、气虚及温病者慎服，入煎剂宜后下。

唇形科 Lamiaceae 紫苏属 Perilla

野生紫苏 Perilla frutescens (L.) Britt. var. acuta (Thunb.) Kudo

| 药 材 名 | 野生紫苏（药用部位：叶或带叶小软枝。别名：紫菜、野紫苏、紫苏）。

| 形态特征 | 一年生直立草本。茎高 0.3 ~ 2 m，绿色或紫色，被短疏柔毛。叶较小，卵形，长 4.5 ~ 7.5 cm，宽 2.8 ~ 5 cm，两面被疏柔毛，膜质或草质，侧脉 7 ~ 8 对；叶柄长 3 ~ 5 cm，背腹扁平，密被长柔毛。轮伞花序具 2 花，组成长 1.5 ~ 15 cm，密被长柔毛，偏向一侧的顶生及腋生总状花序；花萼钟形，萼檐二唇形；花冠白色至紫红色，花冠筒短，喉部斜钟形；雄蕊 4，几不伸出，前对稍长。果萼小，长 4 ~ 5.5 mm，下部被疏柔毛，具腺点；小坚果近球形，土黄色，直径 1 ~ 1.5 mm，具网纹。花期 8 ~ 11 月，果期 8 ~ 12 月。

| 生境分布 | 生于山地路旁和村边荒地。分布于湖南长沙（浏阳）、衡阳（蒸湘）、

常德（澧县、桃源）、益阳（桃江）、郴州（永兴）、永州（零陵、双牌、江永）等。

| **资源情况** | 野生资源一般。药材来源于野生。

| **采收加工** | 7～8月枝叶茂盛时采收，阴干。

| **药材性状** | 本品叶片多皱缩卷曲、破碎，湿润展平后，完整者呈卵圆形，两面紫色，或上表面绿色，下表面紫色。质脆。嫩枝直径2～5 mm，断面中部有髓。气清香，味微辛。以叶完整，色紫，香气浓者为佳。

| **功能主治** | 辛，温。归肺、脾、胃经。散寒解表，宣肺化痰，行气和中，安胎，解鱼蟹毒。用于风寒表证，咳嗽痰多，胸脘胀满，恶心呕吐，腹痛吐泻，胎气不和，妊娠恶阻，鱼蟹毒。

| **用法用量** | 内服煎汤，5～10 g。外用适量，捣敷；或研末掺；或煎汤洗。阴虚、气虚及温病者慎服。

唇形科 Lamiaceae 紫苏属 Perilla

回回苏 Perilla frutescens (L.) Britt. var. crispa (Thunb.) Hand.-Mazz.

| 药 材 名 |

回回苏（药用部位：叶或带叶小枝）。

| 形态特征 |

一年生直立草本。茎高 0.3 ～ 2 m，绿色或紫色，密被长柔毛。叶阔卵形或圆形，长 7 ～ 13 cm，宽 4.5 ～ 10 cm，先端短尖或突尖，基部圆形或阔楔形，边缘具狭而深的锯齿，常为紫色，膜质或草质，侧脉 7 ～ 8 对；叶柄长 3 ～ 5 cm，背腹扁平，密被长柔毛。轮伞花序具 2 花，组成长 1.5 ～ 15 cm，密被长柔毛，偏向一侧的顶生及腋生总状花序；花萼钟形，萼檐二唇形；花冠白色至紫红色，花冠筒短，喉部斜钟形；雄蕊 4，几不伸出，前对稍长。小坚果近球形，灰褐色，具网纹；果萼较小。花期 8 ～ 11 月，果期 8 ～ 12 月。

| 生境分布 |

栽培种。湖南各地均有分布。

| 资源情况 |

栽培资源一般。药材来源于栽培。

| 采收加工 |

7 ～ 9 月采收，阴干。

| 功能主治 | 辛,温。归肺、脾、胃经。散寒解表,宣肺化痰,行气和中,安胎,解鱼蟹毒。用于风寒表证,咳嗽痰多,胸脘胀满,恶心呕吐,腹痛吐泻,胎气不和,妊娠恶阻,鱼蟹毒。

| 用法用量 | 内服煎汤,5~10 g。外用适量,捣敷;或研末掺;或煎汤洗。阴虚、气虚及温病者慎服,入煎剂宜后下。

唇形科 Lamiaceae 糙苏属 Phlomis

糙苏 *Phlomis umbrosa* Turcz.

| 药 材 名 | 糙苏（药用部位：全草）。

| 形态特征 | 多年生草本。根粗厚，须根肉质。茎高 50 ~ 150 cm，多分枝，常带紫红色。叶近圆形、圆卵形至卵状长圆形，长 5.2 ~ 12 cm，宽 2.5 ~ 12 cm，先端急尖，基部浅心形或圆形，边缘为具胼胝尖的锯齿状牙齿，或为不整齐的圆齿；叶柄长 1 ~ 12 cm，腹凹背凸，密被短硬毛。轮伞花序通常具 4 ~ 8 花，多数，生于主茎及分枝上；苞片线状钻形，较坚硬；花萼管状，齿间形成 2 不明显的小齿，边缘被丛毛；花冠通常粉红色，下唇色较深，常具红色斑点；雄蕊内藏，花丝无毛，无附属器。小坚果无毛。花期 6 ~ 9 月，果期 9 月。

| 生境分布 | 生于海拔 200 ~ 1 500 m 的疏林下或草坡上。分布于湖南常德（汉寿）、张家界（武陵源、慈利）、益阳（赫山）、永州（蓝山）等。

| 资源情况 | 野生资源较少。药材来源于野生。

| 采收加工 | 夏、秋季采收，晒干。

| 功能主治 | 涩，平。归肺经。祛痰，清热解毒，消肿。用于咳嗽痰多，疮痈肿毒。

| 用法用量 | 内服煎汤，3 ~ 10 g。

唇形科 Lamiaceae 糙苏属 Phlomis

南方糙苏 Phlomis umbrosa Turcz. var. australis Hemsl.

| 药 材 名 | 南方糙苏（药用部位：全草）。

| 形态特征 | 多年生草本。高达 1.5 m。叶薄，具长柄，具圆齿状锯齿，先端的齿有时长许多。苞片草质，线状披针形，稍比花萼短；花冠粉红色或紫红色，稀白色，下唇具红斑，上唇具不整齐细牙齿，下唇密被绢状柔毛。花期 6 ~ 9 月，果期 9 月。

| 生境分布 | 生于林下、草坡。分布于湖南张家界（桑植）、永州（东安）等。

| 资源情况 | 野生资源较少。药材来源于野生。

| 采收加工 | 夏、秋季采收，晒干。

| 功能主治 | 辛，平。祛风散寒。用于胃肠炎，肺炎，感冒咳嗽。

唇形科 Lamiaceae 夏枯草属 Prunella

夏枯草 Prunella vulgaris L.

| 药 材 名 | 夏枯草（药用部位：果穗。别名：枯牛草、夏枯球、东风）。

| 形态特征 | 多年生草本。茎高 20 ~ 30 cm，上升，下部伏地，紫红色。茎生叶卵状长圆形或卵圆形，大小不等，长 1.5 ~ 6 cm，宽 0.7 ~ 2.5 cm，先端钝，基部圆形、截形至宽楔形，下延至叶柄成狭翅，边缘具不明显的波状齿或近全缘，草质，侧脉 3 ~ 4 对。轮伞花序密集，组成顶生、长 2 ~ 4 cm 的穗状花序；苞片宽心形；花萼钟形或倒圆锥形；花冠紫色、蓝紫色或红紫色，冠檐二唇形，下唇中裂片较大，先端边缘具流苏状小裂片；雄蕊 4；花柱纤细，先端具相等的 2 裂，裂片钻形，外弯。小坚果黄褐色，长圆状卵珠形。花期 4 ~ 6 月，果期 7 ~ 10 月。

| 生境分布 | 生于荒坡、草地、溪边及路旁等湿润处。湖南各地均有分布。

| 资源情况 | 野生资源丰富。药材来源于野生。

| 采收加工 | 6～7月果穗呈棕红色时采收，剪去果穗柄，晒干。

| 药材性状 | 本品呈圆长棒状，略压扁，淡棕色或棕红色，少数基部有短茎。全穗由4～13轮宿存苞片和花萼组成，每轮有2对生的苞片。苞片呈扇形，膜质，先端尖尾状，脉纹明显，外被白色粗毛。1苞片内有花2～3，花冠多已脱落，残留花冠长约13 mm，宿存萼二唇形，闭合，内有小坚果4。果实椭圆形，尖端有白色突起，坚果遇水后，表面能形成白色黏液层。质轻柔，不易破裂。气微清香，味淡。均以穗大、色棕红、摇之作响者为佳。

| 功能主治 | 苦、辛，寒。归肝、胆经。清肝明目，清热解毒，消肿散结。用于目赤羞明，目珠疼痛，头痛眩晕，耳鸣，瘰疬，瘿瘤，乳痈，痄腮，痈疖肿毒，黄疸，胁痛，肝阳上亢。

| 用法用量 | 内服煎汤，6～15 g，大剂量可用至30 g；或熬膏；或入丸、散剂。外用适量，煎汤洗；或捣敷。脾胃虚弱者慎服。

唇形科 Lamiaceae 香茶菜属 Rabdosia

香茶菜 *Rabdosia amethystoides* (Benth.) Hara

| 药 材 名 | 香茶菜（药用部位：地上部分。别名：蛇总管、山薄荷、蛇通管）。

| 形态特征 | 多年生直立草本。根茎肥大，疙瘩状，木质，向下密生纤维状须根。茎高 0.3 ~ 1.5 m，密被向下贴生的疏柔毛或短柔毛。叶卵状圆形、卵形至披针形，大小不一，长 0.8 ~ 11 cm，宽 0.7 ~ 3.5 cm，先端渐尖、急尖或钝，边缘除基部全缘外具圆齿，草质。花序为由聚伞花序组成的顶生圆锥花序，疏散；花萼钟形，萼齿 5，近相等，三角状；花冠白色、蓝白色或紫色，上唇带紫蓝色，冠檐二唇形，上唇先端具 4 圆裂，下唇阔圆形；雄蕊及花柱与花冠等长，均内藏。成熟小坚果卵形，黄栗色。花期 6 ~ 10 月，果期 9 ~ 11 月。

| 生境分布 | 生于海拔 200 ~ 920 m 的林下或草丛中的湿润处。分布于湖南长沙

（浏阳）、衡阳（衡阳、衡山、常宁）、邵阳（武冈）、岳阳（临湘）、常德（澧县）、郴州（宜章、汝城、桂东）、怀化（靖州、通道、沅陵）、湘西州（花垣、永顺、凤凰）、张家界（桑植）等。

| **资源情况** | 野生资源较少。药材来源于野生。

| **采收加工** | 6～10月花开时采收，晒干，或随采随用。

| **药材性状** | 本品茎呈方形，多分枝，表面灰绿色或灰棕色，4面凹下成纵沟，密被柔毛；质脆，易折断，断面木部窄，黄棕色，髓部大，白色。叶对生，灰绿色，多具皱纹、破碎，完整叶片展平后呈卵形或卵状披针形，边缘具粗锯齿，先端渐尖、急尖或钝，基部楔形，两面有柔毛；叶柄长0.2～2.5 cm。气微，味苦。

| **功能主治** | 辛、苦，凉。归肝、肾经。清热利湿，活血散瘀，解毒消肿。用于湿热黄疸，淋证，水肿，咽喉肿痛，关节痹痛，闭经，乳痈，痔疮，发背，跌打损伤，毒蛇咬伤。

| **用法用量** | 内服煎汤，10～15 g。外用适量，鲜叶捣敷；或煎汤洗。

| **附　　注** | 本种的拉丁学名在FOC中被修订为 *Isodon amethystoides* (Bentham) H. Hara。

唇形科 Lamiaceae 香茶菜属 Rabdosia

细锥香茶菜 *Rabdosia coetsa* (Buch.-Ham. ex D. Don) Hara

| 药 材 名 | 细锥香茶菜（药用部位：根。别名：六棱麻、碎兰花根、野苏麻）。

| 形态特征 | 多年生草本或半灌木。根茎木质，向下密生纤维状的须根。茎直立，高 0.5 ~ 2 m，多分枝，被下曲的微柔毛或近无毛。茎生叶对生，卵圆形，长 3 ~ 9 cm，宽 1.5 ~ 6 cm，先端渐尖，基部宽楔形渐狭，边缘在基部以上具圆齿，侧脉约 3 对。狭圆锥花序长 5 ~ 15 cm，顶生或腋生，由具 3 ~ 5 花的聚伞花序组成；花萼钟形，萼齿 5，卵圆状三角形，锐尖；花冠紫色或紫蓝色，冠檐二唇形，上唇反折，先端具 4 圆裂，下唇宽卵圆形，远长于花冠筒，内凹，舟形。雄蕊 4，均内藏，花丝扁平。成熟小坚果倒卵球形，褐色。花果期 10 月至翌年 2 月。

| 生境分布 | 生于海拔650～1700 m的草坡、灌丛、林中旷地、路边、溪边、河岸、林缘及常绿阔叶林中。分布于湖南永州（双牌）、怀化（洪江）、湘西州（龙山）等。

| 资源情况 | 野生资源稀少。药材来源于野生。

| 采收加工 | 夏、秋季采收，洗净，鲜用或切段晒干。

| 功能主治 | 苦，温。归肝经。清热利湿，行血止痛。用于湿热黄疸，胁肋疼痛，跌打伤痛。

| 用法用量 | 内服煎汤，6～15 g；或浸酒。

| 附　　注 | 本种的拉丁学名在FOC中被修订为 *Isodon coetsa* (Buchanan-Hamilton ex D. Don) Kudô。

唇形科 Lamiaceae 香茶菜属 Rabdosia

内折香茶菜 *Rabdosia inflexus* (Thunb.) Hara

| 药 材 名 | 内折香茶菜（药用部位：茎叶）。

| 形态特征 | 多年生草本。根茎木质，疙瘩状，粗达 3 cm 以上，向下密生纤维状须根。茎曲折，直立，高 0.4 ~ 1（~ 1.5）m，自茎下部多分枝。茎生叶三角状阔卵形或阔卵形，长 3 ~ 5.5 cm，宽 2.5 ~ 5 cm，先端锐尖或钝，基部阔楔形，骤然渐狭下延，边缘在基部以上具粗大的圆齿状锯齿，齿尖具硬尖，坚纸质，侧脉约 4 对。狭圆锥花序长 6 ~ 10 cm，在花茎及分枝先端着生，或在上部茎生叶叶腋内着生；花萼钟形，萼齿 5，近相等或微呈 3/2 式；花冠淡红色至青紫色，冠檐二唇形，上唇外反，先端具相等的 4 圆裂，下唇阔卵圆形，内凹，舟形；雄蕊 4，内藏。花期 8 ~ 10 月。

| 生境分布 | 生于海拔 1 200 m 以下的山谷溪旁疏林中或阳处。分布于湖南邵阳（武冈）、常德（安乡）、永州（蓝山）、湘西州（龙山）等。

| 资源情况 | 野生资源稀少。药材来源于野生。

| 采收加工 | 夏季采收，洗净，鲜用或切段晒干。

| 功能主治 | 辛、微甘、苦，凉。归脾、胃经。化湿和胃。用于脘腹痞胀，痢疾。

| 用法用量 | 内服煎汤，6 ~ 15 g。

| 附　　注 | 本种的拉丁学名在 FOC 中被修订为 *Isodon inflexus* (Thunberg) Kudô。

唇形科 Lamiaceae 香茶菜属 Rabdosia

线纹香茶菜 *Rabdosia lophanthoides* (Buch.-Ham. ex D. Don) H. Hara

| 药 材 名 | 溪黄草（药用部位：全草）。

| 形态特征 | 多年生柔弱草本，基部匍匐生根，并具小球形块根。茎高15～100 cm，常下部具多数叶。茎生叶卵形、阔卵形或长圆状卵形，长1.5～8.8 cm，宽0.5～5.3 cm，先端钝，基部楔形、圆形或阔楔形，边缘具圆齿，草质。圆锥花序顶生及侧生，由聚伞花序组成，聚伞花序具11～13花，分枝蝎尾状，具梗；花萼钟形，外面下部疏被串珠状具节长柔毛；花冠白色或粉红色，具紫色斑点，冠檐二唇形，上唇极外反，具4深圆裂，下唇稍长于上唇，极阔的卵形，伸展，扁平；雄蕊及花柱长长地伸出或在雄蕊退化的花中仅花柱长长地伸出。花果期8～12月。

| 生境分布 | 生于海拔 500 ~ 1 500 m 的沼泽地上或林下潮湿处。分布于湖南株洲（茶陵）、郴州（宜章、汝城）、永州（江永）、怀化（沅陵）等。

| 资源情况 | 野生资源稀少。药材来源于野生。

| 采收加工 | 夏末秋初采收，晒干。

| 药材性状 | 本品茎枝方柱形，具槽，被短柔毛。叶对生，多皱缩，完整叶片展开后呈卵形或长圆状卵形，上面被具节微硬毛，下面被具节微硬毛并布满褐色腺点。圆锥花序由聚伞花序组成；苞片卵形，被短柔毛；花萼长约 2 mm，外被串珠状的具节长柔毛，布满红褐色腺点；花冠白色，具紫色斑点。气微，味苦。

| 功能主治 | 苦，寒。归肝、胆、大肠经。清热解毒，利湿退黄，散瘀消肿。用于湿热黄疸，胆囊炎，泄泻，痢疾，疮肿，跌打伤痛。

| 用法用量 | 内服煎汤，15 ~ 30 g。外用适量，捣敷；或研末调搽。脾胃虚弱者慎服。

| 附　注 | 本种的拉丁学名在 FOC 中被修订为 *Isodon lophanthoides* (Buchanan-Hamilton ex D. Don) H. Hara。

唇形科 Lamiaceae 香茶菜属 Rabdosia

大萼香茶菜 Rabdosia macrocalyx (Dunn) Hara

| 药 材 名 |

大萼香茶菜（药用部位：地上部分）。

| 形态特征 |

多年生草本。根茎木质，疙瘩状。茎直立，高0.4～1（～1.5）m，被贴生的微柔毛，髓部大，白色。茎叶对生，卵圆形，长（5～）7～10（～15）cm，宽（2～）2.5～5（～8.5）cm，先端长渐尖，基部宽楔形，骤然渐狭下延，边缘在基部以上有整齐的圆齿状锯齿，齿尖具硬尖，坚纸质，侧脉约4对。总状圆锥花序顶生及在茎上部叶腋内腋生；花萼花时宽钟形，萼齿5，明显呈3/2式二唇形；花冠浅紫色、紫色或紫红色，冠檐二唇形，上唇外反，先端具相等的4圆裂，下唇阔卵圆形；雄蕊4，稍露出。成熟小坚果卵球形，褐色。花期7～8月，果期9～10月。

| 生境分布 |

生于海拔600～1700 m的林下、灌丛中、山坡或路旁等。分布于湖南张家界（永定）、益阳（赫山）、郴州（宜章、汝城）、永州（东安）等。

| 资源情况 | 野生资源稀少。药材来源于野生。

| 采收加工 | 6～9月采收，鲜用或晒干。

| 功能主治 | 辛、苦，凉。归肝、肾经。清热利湿，活血散瘀，解毒消肿。用于湿热黄疸，水肿，咽喉肿痛，关节痹痛，闭经，乳痈，痔疮，跌打损伤，毒蛇咬伤。

| 用法用量 | 内服煎汤，10～15 g。外用适量，鲜叶捣敷；或煎汤洗。脾胃虚弱者慎服。

| 附　　注 | 本种的拉丁学名在 FOC 中被修订为 *Isodon macrocalyx* (Dunn) Kudô。

唇形科 Lamiaceae 香茶菜属 Rabdosia

显脉香茶菜 *Rabdosia nervosus* (Hemsl.) C. Y. Wu et H. W. Li

药材名

大叶蛇总管（药用部位：全草。别名：山薄荷、小驳骨丹、白牛膝）。

形态特征

多年生草本，高达 1 m。根茎稍增大，呈结节块状。叶交互对生，披针形至狭披针形，长 3.5 ~ 13 cm，宽 1 ~ 2 cm，先端长渐尖，基部楔形至狭楔形，边缘有具胼胝尖的粗浅齿，侧脉 4 ~ 5 对，薄纸质。聚伞花序具（3 ~）5 ~ 9（~ 15）花，于茎顶组成疏散的圆锥花序；花梗、总梗及序轴均密被微柔毛；花萼紫色，钟形，萼齿 5，近相等，披针形，锐尖；花冠蓝色，上唇 4 等裂，裂片长圆形或椭圆形，下唇舟形，较上唇稍长，椭圆形；雄蕊 4，二强，伸出花冠外。小坚果卵圆形，先端被微柔毛。花期 7 ~ 10 月，果期 8 ~ 11 月。

生境分布

生于海拔 1 000 m 以下的山谷、草丛或林下背阴处。分布于湖南常德（安乡）、郴州（汝城）、永州（道县）、怀化（辰溪、新晃、洪江、沅陵）、湘西州（泸溪、永顺、龙山、凤凰）、益阳（安化）等。

| **资源情况** | 野生资源一般。药材来源于野生。

| **采收加工** | 7～9月采收,鲜用或切段晒干。

| **功能主治** | 微辛、苦,寒。归肝、胃经。利湿和胃,解毒敛疮。用于急性肝炎,消化不良,脓疱疮,湿疹,皮肤瘙痒,烧伤,烫伤,毒蛇咬伤。

| **用法用量** | 内服煎汤,15～60 g。外用适量,鲜品捣敷;或煎汤洗。

| **附　注** | 本种的拉丁学名在FOC中被修订为 Isodon nervosus (Hemsley) Kudô。

唇形科 Lamiaceae 香茶菜属 Rabdosia

总序香茶菜 *Rabdosia racemosus* (Hemsl.) Hara

| 药 材 名 | 总序香茶菜（药用部位：地上部分）。

| 形态特征 | 多年生草本。根茎木质，粗大，向下密生纤维状须根。茎直立，高 0.6 ~ 1 m，单一或分枝，节间常短于叶。茎叶对生，菱状卵圆形，长 3 ~ 11 cm，宽 1.2 ~ 4（~ 4.5）cm，先端长渐尖，基部楔形，长渐狭下延，边缘具粗大牙齿或锯齿状牙齿，坚纸质或近膜质，侧脉约 3 对。花序总状或假总状；小苞片微小，线形；花萼花时钟形，萼齿 5，明显 3/2 式二唇形；花冠白色或微红，冠檐二唇形，上唇外反，下唇宽卵圆形或舟形。雄蕊 4，微露出。成熟小坚果倒卵珠形，淡黄褐色。花期 8 ~ 9 月，果期 9 ~ 10 月。

| 生境分布 | 生于 700 ~ 1 500 m 的山坡草地、林下。分布于湖南怀化（洪江）、

湘西州（吉首）等。

| 资源情况 | 野生资源稀少。药材来源于野生。

| 采收加工 | 6～10月采收，晒干，或随采随用。

| 功能主治 | 辛、苦，凉。归肝、肾经。清热利湿，活血散瘀，解毒消肿。用于湿热黄疸，淋证，水肿，咽喉肿痛，关节痹痛，闭经，乳痈，痔疮，发背，跌打损伤，毒蛇咬伤。

| 用法用量 | 内服煎汤，10～15 g。外用适量，鲜叶捣敷；或煎汤洗。脾胃虚弱者慎服。

| 附　　注 | 本种的拉丁学名在FOC中被修订为 Isodon racemosus (Hemsley) H. W. Li。

唇形科 Lamiaceae 香茶菜属 Rabdosia

碎米桠 Rabdosia rubescens (Hemsl.) Hara

| 药 材 名 | 冬凌草（药用部位：全株。别名：苦痧药、烙铁头）。

| 形态特征 | 小灌木，高（0.3～）0.5～1（～1.2）m；根茎木质，有长纤维状须根。茎直立，多数，基部近圆柱形，皮层纵向剥落，上部多分枝。茎生叶对生，卵圆形或菱状卵圆形，长2～6 cm，宽1.3～3 cm，先端锐尖或渐尖，膜质至坚纸质，侧脉3～4对，两面十分明显，脉纹常带紫红色。聚伞花序具3～5花；苞叶菱形或菱状卵圆形至披针形；花萼钟形，萼齿5，卵圆状三角形，近钝尖，约占花萼长的1/2；冠檐二唇形，上唇外反，先端具4圆齿，下唇宽卵圆形，内凹；雄蕊4，略伸出。小坚果倒卵状三棱形，淡褐色。花期7～10月，果期8～11月。

| 生境分布 | 生于海拔 100～1 500 m 的山坡、灌丛、林地、砾石地及路边等向阳处。分布于湖南衡阳（衡阳）、邵阳（邵阳）、常德（安乡）、永州（江永）、怀化（洪江、沅陵）、湘西州（吉首、泸溪、花垣、保靖、古丈、凤凰）、张家界（桑植）等。

| 资源情况 | 野生资源较少。药材来源于野生。

| 采收加工 | 秋季采收，洗净，晒干。

| 药材性状 | 本品茎呈方柱形，基部近圆柱形；表面红褐色，被柔毛。叶对生，多皱缩或破碎，完整者展平后呈卵形或宽卵形，边缘有粗锯齿，绿色或绿棕色，下表面有腺点，叶脉上被疏柔毛。顶生聚伞花序，花小；花冠二唇形。气微香，味苦。以叶多、色绿者为佳。

| 功能主治 | 苦、甘，微寒。归肺、肝、胃经。清热解毒，活血止痛。用于咽喉肿痛，感冒头痛，气管炎，慢性肝炎，风湿关节痛，蛇虫咬伤，消化道肿瘤。

| 用法用量 | 内服煎汤，30～60 g；或浸酒。

| 附　注 | 本种的拉丁学名在 FOC 中被修订为 *Isodon rubescens* (Hemsley) H. Hara。

Lamiaceae Rabdosia

溪黄草 *Rabdosia serra* (Maxim.) Hara

| 药 材 名 |

溪黄草（药用部位：全草）。

| 形态特征 |

多年生草本。根茎肥大、粗壮，有时呈疙瘩状。茎直立，高达1.5（~2）m，带紫色，基部木质，近无毛，上部多分枝。茎生叶对生，卵圆形或卵圆状披针形或披针形，长3.5~10 cm，宽1.5~4.5 cm，先端近渐尖，基部楔形，边缘具粗大、内弯的锯齿，草质。圆锥花序顶生于茎及分枝，下部常分枝；花萼钟形，萼齿5，长三角形，近等大，长约为花萼的1/2，果时花萼增大，呈阔钟形；花冠紫色，冠檐二唇形，上唇外反，先端具相等的4圆裂，下唇阔卵圆形，内凹；雄蕊4，内藏。成熟小坚果阔卵圆形，先端圆，具腺点及白色髯毛。花果期8~9月。

| 生境分布 |

生于海拔120~1 250 m的山坡、路旁、田边、溪旁、河岸、草丛、灌丛和林下砂壤土中。分布于湖南衡阳（衡阳）、邵阳（邵东、绥宁）、岳阳（临湘）、常德（桃源）、益阳（桃江）、郴州（北湖、宜章、桂东）、永州（江永）、怀化（洪江）、湘西州（吉首）等。

| 资源情况 | 野生资源一般。药材来源于野生。

| 采收加工 | 夏末秋初采收，晒干。

| 药材性状 | 本品茎枝呈方柱形。叶对生，常破碎，完整者多皱缩，展开后呈卵形或卵状披针形，两面沿脉被微柔毛；叶柄长 1 ~ 1.5 cm。聚伞花序具梗，由 5 至多数花组成顶生的圆锥花序；苞片及小苞片狭卵形至条形，密被柔毛；花萼钟状，外面密被灰白色柔毛并夹有腺点；花冠紫色，花冠筒近基部上面浅囊状，上唇 4 等裂，下唇舟形；雄蕊及花柱不伸出花冠。气微，味苦。

| 功能主治 | 苦，寒。归肝、胆、大肠经。清热解毒，利湿退黄，散瘀消肿。用于湿热黄疸，胆囊炎，泄泻，痢疾，疮肿，跌打伤痛。

| 用法用量 | 内服煎汤，15 ~ 30 g。外用适量，捣敷；或研末调搽。脾胃虚弱者慎服。

| 附　　注 | 本种的拉丁学名在 FOC 中被修订为 *Isodon serra* (Maximowicz) Kudô。

唇形科 Lamiaceae 迷迭香属 Rosmarinus

迷迭香 Rosmarinus officinalis L.

| 药 材 名 | 迷迭香（药用部位：嫩茎叶）。

| 形态特征 | 灌木，高达 2 m。茎及老枝圆柱形，皮层暗灰色，具不规则的纵裂，呈块状剥落，幼枝四棱形，密被白色星状细绒毛。叶常在枝上丛生，具极短的柄或无柄，叶片线形，长 1 ~ 2.5 cm，宽 1 ~ 2 mm，先端钝，基部渐狭，全缘，向背面卷曲，革质，上面稍具光泽，近无毛，下面密被白色的星状绒毛。花近无梗，对生，少数聚生在短枝的先端组成总状花序；花萼卵状钟形，二唇形；花冠蓝紫色，下唇宽大，3 裂，中裂片最大，边缘齿状，基部缢缩成柄；雄蕊 2 发育，着生于花冠下唇的下方；花盘平顶，具相等的裂片。花期 11 月。

| 生境分布 | 栽培种。分布于湖南长沙（宁乡）、衡阳（衡阳）、岳阳（华容）、

永州（双牌）等。

| **资源情况** | 栽培资源一般。药材来源于栽培。

| **采收加工** | 春、夏季采收，鲜用或杀青，烘干。

| **功能主治** | 辛，温；有毒。发汗，健脾，安神，止痛。用于头痛，流行性感冒，肺炎，咳喘，气管炎，鼻炎，失眠，心悸，头痛，消化不良；外用于外伤，关节炎，风湿痛。

| **用法用量** | 内服煎汤，7～15 g。外用适量，浸水洗。高血压及癫痫患者、孕妇禁服。

唇形科 Lamiaceae 鼠尾草属 Salvia

南丹参 Salvia bowleyana Dunn

| 药 材 名 |

丹参（药用部位：根及根茎。别名：七里麻、七里蕉）。

| 形态特征 |

多年生草本。根肥厚，外表红色，切面淡黄色。茎粗大，高约 1 m，被向下的长柔毛。叶为羽状复叶，有小叶（5 ~）7；顶生小叶卵圆状披针形，长 4 ~ 7.5 cm，宽 2 ~ 4.5 cm，先端渐尖或尾状渐尖，基部圆形、浅心形或稍偏斜，边缘具圆齿状锯齿或锯齿，草质，侧脉 5 ~ 6 对；侧生小叶较小，基部偏斜。轮伞花序具 8 至多花，组成长 14 ~ 30 cm 的顶生总状花序或总状圆锥花序；花萼筒形，二唇形，裂至花萼长的 1/4；花冠淡紫色、紫色至蓝紫色，上唇略呈镰形，两侧折合，下唇稍短，呈长方形，3 裂。小坚果椭圆形，褐色，先端有毛。花期 3 ~ 7 月。

| 生境分布 |

生于海拔 30 ~ 960 m 的山地、山谷、路旁、林下或水边。湖南有广泛分布。

| **资源情况** | 野生资源一般。药材来源于野生。

| **采收加工** | 秋季采挖，除去须根，洗净，晒干。

| **药材性状** | 本品根茎粗短，上端残留茎基。根数条，圆柱形，长 5 ~ 20 cm，直径 2 ~ 8 mm，表面灰棕色或灰红色。质坚脆，易折断，断面不平坦。气微，味微苦。

| **功能主治** | 苦，微寒。归心、肝、胃经。活血化瘀，调经止痛。用于胸痹绞痛，心烦，心悸，脘腹疼痛，月经不调，痛经，经闭，产后瘀滞腹痛，崩漏，肝脾肿大，关节痛，疝气痛，痈肿。

| **用法用量** | 内服煎汤，9 ~ 15 g；或入丸、散剂。

唇形科 Lamiaceae 鼠尾草属 Salvia

贵州鼠尾草 *Salvia cavaleriei* Lévl.

| 药 材 名 | 血盆草（药用部位：全草。别名：朱砂草、反背红、叶下红）。

| 形态特征 | 一年生草本，主根粗短，纤维状须根细长，多分枝。茎高 12 ~ 32 cm，细瘦，青紫色。叶形状不一，下部的叶为羽状复叶，顶生小叶长卵圆形或披针形，长 2.5 ~ 7.5 cm，宽 1 ~ 3.2 cm，先端钝或钝圆，基部楔形或圆形而偏斜，边缘有稀疏的钝锯齿，草质；上部的叶为单叶，或裂为 3 裂片，或于叶的基部裂出 1 对小的裂片。轮伞花序具 2 ~ 6 花，疏离，组成顶生总状花序，或总状花序基部分枝而成总状圆锥花序；花萼筒状，二唇形，唇裂长达花萼的 1/4；花冠蓝紫色或紫色，下唇与上唇近等长。小坚果长椭圆形，黑色。花期 7 ~ 9 月。

| 生境分布 | 生于海拔 530 ~ 1 300 m 的多岩石的山坡上、林下或水沟边。分布于湖南邵阳（绥宁）、常德（澧县）、张家界（永定、武陵源）、郴州（北湖、宜章）、永州（蓝山、新田）、怀化（鹤城、会同、麻阳、新晃、洪江、沅陵）、娄底（新化）、湘西州（泸溪、花垣、古丈、凤凰）、益阳（安化）等。

| 资源情况 | 野生资源较丰富。药材来源于野生。

| 采收加工 | 全年均可采收，洗净，鲜用或晒干。

| 功能主治 | 微苦，凉。归肺、肝经。凉血止血，散血消肿，清热利湿，疗疮，止带。用于咯血，吐血，鼻衄，崩漏，金创出血，跌打瘀肿，疮疖痈肿，湿热痢疾，带下。

| 用法用量 | 内服煎汤，15 ~ 30 g。外用适量，研末撒；或加水捣敷。

唇形科 Lamiaceae 鼠尾草属 Salvia

紫背贵州鼠尾草
Salvia cavaleriei Lévl. var. *erythrophylla* (Hemsl.) E. Peter

| 药 材 名 | 紫背贵州鼠尾草（药用部位：全草）。

| 形态特征 | 一年生草本，主根粗短，纤维状须根细长，多分枝。叶大多数基出，常为1～2对羽片的羽状复叶，稀为单叶，边缘具整齐的粗圆齿或圆齿状牙齿，下面紫色，两面被疏柔毛，稀近无毛；叶柄常比叶片短，常被开展的疏柔毛。轮伞花序具2～6花，疏离，组成顶生总状花序，或总状花序基部分枝而成总状圆锥花序；花萼筒状，二唇形，唇裂长达花萼的1/4；花冠暗紫色或白色，冠檐二唇形，上唇长圆形，先端微缺，下唇与上唇近等长，中裂片倒心形，先端微缺；能育雄蕊2。小坚果长椭圆形，黑色，无毛。花期7～9月。

| 生境分布 | 生于海拔700～2 000 m的林下、路旁和草坡。分布于湖南娄底

（涟源）等。

| 资源情况 | 野生资源稀少。药材来源于野生。

| 采收加工 | 春、夏季采收，洗净，鲜用或晒干。

| 功能主治 | 微苦，凉。归肺、肝经。凉血止血，散血消肿，清热利湿。用于咯血，吐血，鼻衄，崩漏，金创出血，跌打瘀肿，疮疖痈肿。

| 用法用量 | 内服煎汤，10～20 g。外用适量，捣敷。

唇形科 Lamiaceae 鼠尾草属 Salvia

血盆草 *Salvia cavaleriei* Lévl. var. *simplicifolia* Stib.

| 药 材 名 | 血盆草（药用部位：全草。别名：朱砂草、反背红、叶下红）。

| 形态特征 | 一年生草本，主根粗短，纤维状须根细长，多分枝。叶全部基出或稀在茎最下部着生，通常为单叶，心状卵圆形或心状三角形，稀为三出叶，侧生小叶小，叶片长 3.5 ~ 10.5 cm，宽约为长的 1/2，先端锐尖或钝，具圆齿，无毛或被疏柔毛；叶柄常长于叶片，无毛或被开展的疏柔毛。轮伞花序具 2 ~ 6 花，疏离，组成顶生总状花序，或总状花序基部分枝而成总状圆锥花序，花序被极细、贴生的疏柔毛，无腺毛；花萼筒状，二唇形，唇裂长达花萼的 1/4；花紫色或紫红色，下唇与上唇近等长。小坚果长椭圆形，黑色。花期 7 ~ 9 月。

| 生境分布 | 生于海拔 460 ~ 1 500 m 的山坡、林下或沟边。分布于湖南长沙（天

心)、邵阳(邵阳、绥宁)、常德(桃源)、张家界(永定、武陵源、桑植)、郴州(宜章)、永州(冷水滩、祁阳、蓝山)、怀化(辰溪、麻阳、新晃、芷江、通道、洪江、溆浦)、娄底(新化)、湘西州(吉首、泸溪、花垣、古丈、永顺、凤凰)等。

| 资源情况 | 野生资源较丰富。药材来源于野生。

| 采收加工 | 全年均可采收,洗净,鲜用或晒干。

| 功能主治 | 微苦,凉。归肺、肝经。凉血止血,散血消肿,清热利湿,疗疮,止带。用于咯血,吐血,鼻衄,崩漏,金创出血,跌打瘀肿,疮疖痈肿,湿热痢疾,带下。

| 用法用量 | 内服煎汤,15 ~ 30 g。外用适量,研末撒;或加水捣敷。

唇形科 Lamiaceae 鼠尾草属 Salvia

华鼠尾草 *Salvia chinensis* Benth.

| 药 材 名 | 石见穿（药用部位：全草。别名：紫参、五凤花、小丹参）。

| 形态特征 | 一年生草本。根略肥厚，多分枝，紫褐色。茎直立或基部倾卧，高 20 ~ 60 cm，单一或分枝。叶全为单叶或下部具 3 小叶的复叶，叶片卵圆形或卵圆状椭圆形，先端钝或锐尖，基部心形或圆形，边缘有圆齿或钝锯齿，两面除叶脉被短柔毛外余部近无毛，单叶叶片长 1.3 ~ 7 cm，宽 0.8 ~ 4.5 cm，复叶时顶生小叶片较大，长 2.5 ~ 7.5 cm。轮伞花序具 6 花，在下部的疏离，上部的较密集，组成顶生的总状花序或总状圆锥花序；花冠蓝紫色或紫色，伸出花萼，外被短柔毛；能育雄蕊 2，近外伸，花丝短，关节处有毛。小坚果椭圆状卵圆形，褐色，光滑。花期 8 ~ 10 月。

| 生境分布 | 生于海拔 120 ~ 500 m 的山坡或平地的林荫处或草丛中。湖南有广泛分布。

| 资源情况 | 野生资源较丰富。药材来源于野生。

| 药材性状 | 本品茎呈方柱形，有的有分枝，长 20 ~ 70 cm，直径 0.1 ~ 0.4 cm；表面灰绿色至暗紫色，被白柔毛；质脆，易折断，断面黄白色。叶对生，有柄，为单叶或三出复叶；叶片多皱缩破碎，完整者展平后呈卵形至披针形，边缘有钝圆齿。轮伞花序多轮，每轮约有 6 花；萼筒外面脉上有毛，萼筒内喉部有长硬毛；花冠二唇形，蓝紫色。气微，味微苦、涩。

| 采收加工 | 开花期采收，鲜用或晒干。

| 功能主治 | 辛、苦，微寒。归肝、脾经。活血化瘀，清热利湿，散结消肿。用于月经不调，痛经，经闭，崩漏，便血，湿热黄疸，热毒血痢，淋痛，带下，风湿骨痛，瘰疬，疮肿，乳痈，带状疱疹，麻风，跌打伤肿。

| 用法用量 | 内服煎汤，6 ~ 15 g；或绞汁。外用适量，捣敷。

唇形科 Lamiaceae 鼠尾草属 Salvia

鼠尾草 *Salvia japonica* Thunb.

| 药 材 名 |

鼠尾草（药用部位：全草。别名：坑苏、紫花丹）。

| 形态特征 |

一年生草本。须根密集。茎直立，高40～60 cm。茎下部叶为二回羽状复叶，叶柄长7～9 cm，腹凹背凸，被疏长柔毛或无毛，叶片长6～10 cm，宽5～9 cm；茎上部叶为一回羽状复叶，具短柄，顶生小叶披针形或菱形，草质。轮伞花序具2～6花，组成伸长的总状花序或分枝组成总状圆锥花序，花序顶生；花萼筒形，二唇形，唇裂长达花萼的1/3。花冠淡红色、淡紫色、淡蓝色至白色，花冠筒直伸，筒状；能育雄蕊2，外伸；花柱外伸，先端具不相等的2裂，前裂片较长；花盘前方略膨大。小坚果椭圆形，褐色，光滑。花期6～9月。

| 生境分布 |

生于海拔220～1100 m的山坡、路旁、背阴草丛、水边及林荫下。分布于湖南株洲（石峰、茶陵）、衡阳（石鼓、耒阳）、邵阳（邵东、邵阳）、岳阳（岳阳楼、云溪、汨罗）、

常德（桃源、津市、石门）、益阳（南县）、郴州（苏仙、嘉禾、临武、桂东）、永州（道县）、张家界（慈利）、怀化（沅陵）、湘西州（保靖、龙山）等。

| 资源情况 | 野生资源一般。药材来源于野生。

| 采收加工 | 7～9月采收，晒干。

| 功能主治 | 苦、辛，平。清热利湿，活血调经。用于黄疸，赤白痢，湿热带下，月经不调，痛经，疮疡疖肿，跌打损伤。

| 用法用量 | 内服煎汤，15～30 g。

唇形科 Labiatae 鼠尾草属 Salvia

关公须 *Salvia kiangsiensis* C. Y. Wu

| 药 材 名 | 关公须（药用部位：带根全草。别名：叶下红、关羽须、根下红）。

| 形态特征 | 一年生直立草本，高达 60 cm。茎钝四棱形，具沟，被微柔毛。叶大多基生，叶柄长 3 ~ 10 cm；茎生叶约 2 对，叶柄长约 1 cm 至近无柄，被短柔毛或微柔毛；叶片均长圆状卵圆形、披针形或卵圆形，长 4 ~ 13.5 cm，宽 2 ~ 5.5 cm，先端锐尖，基部近心形或心形，上面绿色，无毛，下面紫色，沿脉被微柔毛，边缘具浅钝锯齿。轮伞花序 2 ~ 6 花，组成顶生或腋生的总状花序；苞片披针形，比花萼长或短；小苞片披针形，比花梗短或近等长；花梗与花序轴密被微柔毛；花萼筒状钟形，外面紫色，萼檐二唇形，下唇比上唇稍长，半裂成 2 齿；花冠紫色，外被短柔毛，内面有疏柔毛环，冠檐二唇形，

先端微凹，下唇 3 裂，中裂片最大；能育雄蕊 2，外伸；花柱外伸，先端不相等 2 浅裂，前裂片较长；花盘前方微膨大。花期 5 月。

| 生境分布 | 生于林下、山谷或路旁。分布于湖南衡阳（南岳）、邵阳（新宁）等。

| 资源情况 | 野生资源一般。药材来源于野生。

| 采收加工 | 夏季采收，洗净，鲜用或晒干。

| 功能主治 | 凉血止血，活血消肿，清热解毒。用于吐血，衄血，便血，崩漏，月经不调，跌打损伤，腰痛，乳腺炎，疔疮肿毒，毒蛇咬伤。

| 用法用量 | 内服煎汤，9 ~ 15 g。外用适量，捣敷。

唇形科 Lamiaceae 鼠尾草属 Salvia

丹参 *Salvia miltiorrhiza* Bunge

| 药 材 名 | 丹参（药用部位：根及根茎。别名：山紫草、接骨风、四方蓝花草）。

| 形态特征 | 多年生直立草本。根肥厚，肉质，外面朱红色，内面白色，疏生支根。茎直立，高40~80 cm，密被长柔毛，多分枝。叶常为奇数羽状复叶，叶柄长1.3~7.5 cm，密被向下的长柔毛，小叶3~5（~7），长1.5~8 cm，宽1~4 cm，卵圆形、椭圆状卵圆形或宽披针形，先端锐尖或渐尖，基部圆形或偏斜，边缘具圆齿，草质。轮伞花序具6至多花，下部者疏离，上部者密集，组成顶生或腋生的总状花序；花萼钟形，带紫色，花后稍增大；花冠紫蓝色，外被具腺短柔毛，尤以上唇为密；能育雄蕊2，伸至上唇片。小坚果黑色，椭圆形。花期4~8月，花后见果。

| 生境分布 | 生于海拔120～1 300 m的山坡、林下草丛或溪谷旁。栽培于向阳山坡、排水良好的土壤中。分布于湖南株洲（渌口）、衡阳（衡山、衡东）、邵阳（邵东、新邵、武冈）、岳阳（云溪、临湘）、常德（澧县）、益阳（桃江）、郴州（嘉禾）、永州（零陵、蓝山、江华）、怀化（洪江、沅陵）、娄底（新化、涟源）、湘西州（永顺）、湘潭（湘乡）等。

| **资源情况** | 野生资源较少。栽培资源一般。药材来源于野生和栽培。

| **采收加工** | 秋季采挖,除去杂质,晒干。

| **药材性状** | 本品根茎粗短,先端有时残留茎基;根数条,长圆柱形,略弯曲,有的分枝具须状细根。表面棕红色或暗棕红色,粗糙,具纵皱纹;老根外皮疏松,多呈紫棕色,常呈鳞片状剥落。质硬而脆,断面疏松,有裂隙或略平整而致密,皮部棕红色,木部灰黄色或紫褐色,可见呈放射状排列的黄白色导管束。气微,味微苦、涩。以条粗壮、色紫红者为佳。

| **功能主治** | 苦,微寒。归心、心包、肝经。活血祛瘀,调经止痛,养血安神,凉血消痈。用于月经不调,痛经,经闭,产后瘀滞腹痛,心腹疼痛,癥瘕积聚,跌打损伤,热痹疼痛,心烦不眠,疮疡肿痛。

| **用法用量** | 内服煎汤,5～15 g,大剂量可用至30 g。月经过多及无瘀血者禁服;孕妇慎服;反藜芦。

唇形科 Lamiaceae 鼠尾草属 Salvia

南川鼠尾草 *Salvia nanchuanensis* Sun

| 药 材 名 |

南川鼠尾草（药用部位：全草）。

| 形态特征 |

一年生或二年生草本。根肥厚，狭锥形，须根多数，呈丝状延长。茎直立，高 20 ~ 65 cm，单生或少数丛生，不分枝，密被平展的白色长绵毛。叶茎生，多为一回奇数羽状复叶，间有 2 回裂片，小叶卵圆形或披针形，长 2 ~ 6.5 cm，宽 0.7 ~ 2.3 cm，先端钝或渐尖，基部偏斜，边缘有圆齿或锯齿，薄纸质。轮伞花序具 2 ~ 6 花，组成顶生或腋生的总状花序；花萼筒形，深紫色，外面脉上被具腺白色疏柔毛，内面喉部被白色长硬毛；花冠紫红色，长筒形；能育雄蕊 2，略伸出花冠。小坚果椭圆形，褐色。花期 7 ~ 8 月。

| 生境分布 |

生于海拔 1 700 ~ 1 800 m 的河边岩石上。分布于湖南永州（蓝山）等。

| 资源情况 |

野生资源稀少。药材来源于野生。

| 采收加工 | 7～8月采收，晒干。

| 功能主治 | 苦、辛，平。清热利湿，活血调经。用于黄疸，湿热带下，月经不调，痛经，疮疡疖肿，跌打损伤。

| 用法用量 | 内服煎汤，15～30 g。

唇形科 Lamiaceae 鼠尾草属 Salvia

荔枝草 *Salvia plebeia* R. Brown

| 药 材 名 | 荔枝草（药用部位：地上部分。别名：水羊耳、过冬青、天明精）。

| 形态特征 | 一年生或二年生草本。主根肥厚，向下直伸，有多数须根。茎直立，高 15 ~ 90 cm，粗壮，多分枝，被向下的灰白色疏柔毛。叶椭圆状卵圆形或椭圆状披针形，长 2 ~ 6 cm，宽 0.8 ~ 2.5 cm，先端钝或急尖，基部圆形或楔形，边缘具圆齿、牙齿或尖锯齿，草质。轮伞花序具 6 花，多数，在茎、枝先端密集组成总状花序或总状圆锥花序；花萼钟形，外面被疏柔毛，内面喉部有微柔毛；花冠淡红色、淡紫色、紫色、蓝紫色至蓝色，稀白色，花冠筒外面无毛，内面中部有毛环；能育雄蕊 2，着生于下唇基部，略伸出花冠。小坚果倒卵圆形，成熟时干燥，光滑。花期 4 ~ 5 月，果期 6 ~ 7 月。

| 生境分布 | 生于山坡、路旁、沟边、田野潮湿的土壤上。湖南各地均有分布。

| 资源情况 | 野生资源丰富。药材来源于野生。

| 采收加工 | 6～7月采收，扎成小把，晒干或鲜用。

| 功能主治 | 苦、辛，凉。归肺、胃经。清热解毒，凉血散瘀，利水消肿。用于感冒发热，咽喉肿痛，肺热咳嗽，咯血，吐血，尿血，崩漏，痔疮出血，肾炎性水肿，白浊，痢疾，痈肿疮毒，湿疹瘙痒，跌打损伤，蛇虫咬伤。

| 用法用量 | 内服煎汤，9～30 g，鲜品15～60 g；或捣绞汁。外用适量，捣敷；或绞汁含漱及滴耳；或煎汤洗。

唇形科 Lamiaceae 鼠尾草属 Salvia

长冠鼠尾草紫参 *Salvia plectranthoides* Griff.

| 药 材 名 | 红骨参（药用部位：根。别名：劲枝丹参、毛丹参、紫丹参）。

| 形态特征 | 一年生或二年生草本。根茎匍匐或斜上升，近木质；根常增大成块根状，梭形，外皮朱红色。茎直立或从基部上升，密被短柔毛。叶基生及茎生，为三出叶至具5～7小叶的奇数羽状复叶或二回羽状复叶，小叶卵形，近圆形至披针形，长0.5～5 cm，宽与长相等或较狭，先端急尖至渐尖或钝至近圆形，基部偏斜，草质。轮伞花序具（2～）5～7花，疏离，组成伸长的顶生总状花序或总状圆锥花序；花萼钟状筒形或筒形；花冠红色、淡紫色、紫红色、紫色至紫蓝色，稀白色，花冠筒管状；能育雄蕊2，稍外伸。小坚果长圆形，淡褐色。花期5～8月。

| 生境分布 | 生于海拔 800 ~ 1 200 m 的山坡、山谷、疏林下或溪边。分布于湖南株洲（茶陵）等。

| 资源情况 | 野生资源稀少。药材来源于野生。

| 采收加工 | 秋季采挖，除去杂质，晒干。

| 功能主治 | 淡，温。补虚，调经，祛风止咳。用于劳伤虚弱，月经不调，崩漏，伤风咳嗽。

| 用法用量 | 内服煎汤，6 ~ 9 g。

唇形科 Lamiaceae 鼠尾草属 Salvia

地埂鼠尾草 *Salvia scapiformis* Hance

| 药 材 名 |

地埂鼠尾（药用部位：全草。别名：泡骨丹、地梗草、老鼠草）。

| 形态特征 |

一年生草本。须根密集，纤细，自下部茎节生出。茎细长，高 20 ~ 26 cm。叶常为根出叶或近根出叶，稀为茎生叶，根出叶多为单叶，间或有分出 1 片或 1 对小叶而成复叶；叶片心状卵圆形，长 2 ~ 4.3 cm，宽 1.3 ~ 3.6 cm，尖端钝或急尖，基部心形，边缘具浅波状圆齿，薄纸质。轮伞花序具 6 ~ 10 花，疏离，组成长 10 ~ 20 cm 的顶生总状花序或总状圆锥花序；花萼筒形，背部常染红色；花冠紫色或白色，花冠筒略伸出花萼，近等大；能育雄蕊 2，伸出花冠。小坚果长卵圆形，先端急尖，褐色，无毛。花期 4 ~ 5 月。

| 生境分布 |

生于山谷、林下或山顶。分布于湖南邵阳（隆回、洞口、绥宁）、常德（澧县、石门）、永州（双牌、道县）、株洲（渌口）、张家界（慈利）、益阳（安化）、怀化（溆浦）、湘西州（凤凰、龙山）等。

| 资源情况 | 野生资源一般。药材来源于野生。

| 采收加工 | 夏、秋季采收，洗净，晒干。

| 功能主治 | 辛，平。归肝经。补虚益损，强筋壮骨。用于气虚倦怠，肢体无力，腰膝酸软，手脚转筋。

| 用法用量 | 内服煎汤，9～12 g。

唇形科 Lamiaceae 鼠尾草属 Salvia

一串红 Salvia splendens Ker-Gawl.

| 药 材 名 | 一串红（药用部位：全草。别名：爆仗红、象牙红、西洋红）。

| 形态特征 | 亚灌木状草本，高可达 90 cm。茎具浅槽，无毛。叶卵圆形或三角状卵圆形，长 2.5 ~ 7 cm，宽 2 ~ 4.5 cm，先端渐尖，基部截形或圆形，稀钝，边缘具锯齿，上面绿色，下面色较淡，两面无毛，下面具腺点。轮伞花序具 2 ~ 6 花，组成顶生总状花序；苞片卵圆形，红色，大，在花开前包裹着花蕾，先端尾状渐尖；花萼钟形，红色；花冠红色，外被微柔毛，内面无毛，花冠筒筒状，直伸；能育雄蕊 2，近外伸，退化雄蕊短小。小坚果椭圆形，暗褐色，先端具极少数不规则的折皱突起，光滑。花期 3 ~ 10 月。

| 生境分布 | 栽培种。湖南有广泛分布。

| 资源情况 | 栽培资源一般。药材来源于栽培。

| 采收加工 | 夏、秋季采收,晒干或鲜用。

| 功能主治 | 凉血止血,清热利湿,散瘀止痛。用于咯血,吐血,便血,血崩,泄泻,痢疾,胃痛,经期腹痛,产后瘀血腹痛,跌打损伤,风湿痹痛,瘰疬,痈肿。

| 用法用量 | 内服煎汤,25 ~ 50 g。外用适量,捣敷。

唇形科 Lamiaceae 鼠尾草属 Salvia

佛光草
Salvia substolonifera Stib.

| 药 材 名 | 湖广草（药用部位：全草。别名：九龙草、盐咳药）。

| 形态特征 | 一年生草本。根须状，簇生。茎少数，丛生，基部上升或匍匐，高10～40 cm，被短柔毛或微柔毛。叶根出及茎生；根出叶大多数为单叶；茎生叶为单叶、三出叶或3裂，单叶叶片卵圆形，长1～3 cm，宽0.8～2 cm，先端圆形，基部截形或圆形，边缘具圆齿，膜质，三出叶或3裂时，小叶卵圆形，顶生的较大。轮伞花序具2～8花，在下部疏离，在上部稍密集组成顶生或腋生总状花序；花萼钟形，果时增大；花冠淡红色或淡紫色，冠檐二唇形；能育雄蕊2，上弯，不外伸。小坚果卵圆形，淡褐色，先端圆形。花期3～5月。

| 生境分布 | 生于海拔40～950 m的林内、沟边、石隙等潮湿地。分布于湖南衡

阳（石鼓）、邵阳（邵阳、隆回）、怀化（辰溪、会同、芷江、洪江）、娄底（娄星）、湘西州（吉首）、湘潭（湘乡）、郴州（安仁）等。

| 资源情况 | 野生资源较少。药材来源于野生。

| 采收加工 | 夏、秋季采收，晒干或鲜用。

| 功能主治 | 微苦、辛，平。归肺、肾经。清肺化痰，补益肾气，调经止血，清热解毒。用于肺热咳嗽，痰多气急，吐血，肾虚腰酸，小便频数，带下，月经过多，蛇头疔。

| 用法用量 | 内服煎汤，15 ~ 30 g；或炖肉。外用适量，鲜品捣敷。

唇形科 Lamiaceae 四棱草属 Schnabelia

四棱草 Schnabelia oligophylla Hand.-Mazz.

| 药 材 名 |

四棱筋骨草（药用部位：全草。别名：假马鞭草、石伸筋、山石兰）。

| 形态特征 |

草本。根茎短且膨大，逐节生根；根细长，纤维状。茎高 60 ～ 100（～ 120）cm，直立或上升，上部几成丛缠绕。叶片纸质，卵形或三角状卵形，稀掌状 3 裂，长 1 ～ 3 cm，宽 8 ～ 17 mm，先端锐尖或短渐尖，基部近圆形或楔形，有时呈浅心形，边缘具锯齿。总梗着生于茎上部叶腋，仅有 1 花，被疏短柔毛；花梗通常扭曲，开花时上部膝曲；花萼钟状，萼筒极短，萼齿 5，线状披针形；花冠大，淡紫蓝色或紫红色，花冠筒细长；雄蕊 4，二强，内藏。小坚果倒卵珠形，被短柔毛，橄榄色。花期 4 ～ 5 月，果期 5 ～ 6 月。

| 生境分布 |

生于海拔约 700 m 的山谷溪旁、石灰岩上、河边林下、疏林中或石边。分布于湖南株洲（攸县）、衡阳（衡阳）、郴州（桂阳、嘉禾）、永州（双牌、蓝山、新田）、岳阳（平江）、怀化（溆浦）、娄底（新化）、邵阳

（武冈）等。

| 资源情况 | 野生资源稀少。药材来源于野生。

| 采收加工 | 5月采收，洗净，鲜用或晒干。

| 药材性状 | 本品根短小，棕红色。茎具4棱，多分枝，棱边具膜质翅，节处较细，呈断裂状，表面枯绿色或绿褐色；质柔脆，易折断，髓心白色，松泡如灯心草。叶多脱落，完整叶片展开后呈卵形或卵状披针形，先端尖，基部楔形或圆形，下部叶多3裂；两面均被毛。气微，味淡。

| 功能主治 | 辛、苦，平。归肝、肾经。祛风除湿，活血通络。用于风湿痹痛，四肢麻木，腰膝酸痛，跌打损伤，经闭。

| 用法用量 | 内服煎汤，9 ~ 15 g；或浸酒。外用适量，捣敷。

唇形科 Lamiaceae 黄芩属 Scutellaria

半枝莲 Scutellaria barbata D. Don

| 药 材 名 | 半枝莲（药用部位：全草。别名：狭叶韩信草、通经草、紫连草）。

| 形态特征 | 根茎短粗，生簇生的须根。茎直立，高 12 ~ 35（~ 55）cm。叶片三角状卵圆形或卵圆状披针形，有时卵圆形，长 1.3 ~ 3.2 cm，宽 0.5 ~ 1（~ 1.4）cm，先端急尖，基部宽楔形或近截形，边缘有疏而钝的浅牙齿，上面榄绿色，下面淡绿色，有时带紫色，侧脉 2 ~ 3 对。花单生于茎或分枝上部的叶腋内；花萼开花时外面沿脉被微柔毛，边缘具短缘毛，盾片高约 1 mm；花冠紫蓝色，花冠筒基部囊大；雄蕊 4，前对较长，微露出，具能育半药，退化半药不明显。小坚果褐色，扁球形，具小疣状突起。花果期 4 ~ 7 月。

| 生境分布 | 生于海拔 2 000 m 以下的水田边、溪边或湿润的草地上。湖南各地均有分布。

| 资源情况 | 野生资源一般。药材来源于野生。

| 采收加工 | 5～9月采收，捆成小把，鲜用、晒干或阴干。

| 功能主治 | 辛、苦，寒。归肺、肝、肾经。清热解毒，止血，消肿。用于热毒痈肿，咽喉疼痛，肺痈，肠痈，瘰疬，毒蛇咬伤，跌打损伤，各种出血，水肿，腹水，恶性肿瘤。

| 用法用量 | 内服煎汤，15～30 g，鲜品加倍；或入丸、散剂。外用适量，鲜品捣敷；或捣汁涂；或点眼。

唇形科 Lamiaceae 黄芩属 Scutellaria

岩藿香 Scutellaria franchetiana Lévl.

| 药 材 名 | 岩藿香（药用部位：全草。别名：犁头草、方茎犁头草）。

| 形态特征 | 多年生草本。根茎横行，密生须根，在节上生匐枝。茎上升，高30～70 cm，下部1/3处常无叶，常带紫色。叶片草质，卵圆形至卵圆状披针形，长1.5～3（～4.5）cm，宽1～2（～2.5）cm，先端渐尖，基部宽楔形、近截形至心形，边缘每侧具3～4大牙齿，侧脉2～3对。总状花序于茎中部以上的叶腋内着生，花序下部具不育叶，叶腋内复有极短枝；花冠紫色，花冠筒基部膝曲，微囊状增大；雄蕊4，前对较长，后对较短，内藏。小坚果黑色，卵球形，具瘤突，腹面基部具果脐。花期6～7月。

| 生境分布 | 生于海拔830～1 500 m的山坡湿地上。分布于湖南郴州（永兴）、怀化（新晃）、衡阳（常宁）、张家界（慈利）等。

| 资源情况 | 野生资源较少。药材来源于野生。

| 采收加工 | 6～7月采收，鲜用或晒干。

| 功能主治 | 辛、苦，凉。祛暑清热，活血解毒。用于暑热感冒，风热咳嗽，痱子，跌打损伤，蜂蜇伤。

| 用法用量 | 内服煎汤，3～15 g。外用适量，捣敷；或煎汤洗。

唇形科 Lamiaceae 黄芩属 Scutellaria

韩信草 Scutellaria indica L.

| 药 材 名 | 向天盏（药用部位：全草。别名：调羹草、红叶犁头尖、金挖耳）。

| 形态特征 | 多年生草本。根茎短，向上生出 1 至多数茎。茎高 12 ~ 28 cm，通常带暗紫色。叶草质至近坚纸质，心状卵圆形或卵圆形至椭圆形，长 1.5 ~ 2.6（~ 3）cm，宽 1.2 ~ 2.3 cm，先端钝或圆，基部圆形、浅心形至心形，边缘密生整齐的圆齿。花对生，在茎或分枝顶上排列成长 4 ~ 8（~ 12）cm 的总状花序；花冠蓝紫色，外面疏被微柔毛，内面仅唇片被短柔毛，花冠筒前方基部膝曲，其后直伸，向上逐渐增大；雄蕊 4，二强，花丝扁平，中部以下具小纤毛。成熟小坚果栗色或暗褐色，卵形，具瘤，腹面近基部具 1 果脐。花果期 2 ~ 6 月。

| 生境分布 | 生于海拔1 500 m以下的山地或丘陵地、疏林下、路旁空地及草地上。湖南各地均有分布。

| 资源情况 | 野生资源一般。药材来源于野生。

| 采收加工 | 春、夏季采收，洗净，鲜用或晒干。

| 药材性状 | 本品根纤细。茎方柱形，灰绿色。叶对生，叶片较厚，多皱缩，展平后呈卵圆形，灰绿色或暗紫色，先端圆钝，基部浅心形或平截，边缘有钝齿；叶柄长0.5～2.5 cm。总状花序顶生，花偏向一侧；萼片条状披针形；花冠二唇形，被毛。果实卵圆形，淡棕色。气微，味微苦。

| 功能主治 | 辛、苦，寒。归心、肝、肺经。清热解毒，活血止血，止痛消肿。用于痈肿疔毒，肺痈，肠痈，瘰疬，毒蛇咬伤，肺热咳嗽，牙痛，喉痹，咽痛，筋骨疼痛，吐血，咯血，便血，创伤出血，跌打损伤，皮肤瘙痒。

| 用法用量 | 内服煎汤，10～15 g；或捣汁，鲜品30～60 g；或浸酒。外用适量，捣敷；或煎汤洗。

唇形科 Lamiaceae 黄芩属 Scutellaria

长毛韩信草 Scutellaria indica L. var. elliptica Sun ex C. H. Hu

药材名

韩信草（药用部位：全草。别名：耳挖草、金茶匙、牙刷草）。

形态特征

多年生草本。根茎短，向上生出1至多数茎。茎高12～28 cm，通常带暗紫色，密被白色平展的具节疏柔毛。叶草质至近坚纸质，先端钝或圆，基部圆形、浅心形至心形，边缘密生整齐的圆齿，叶柄及叶两面密被白色平展的具节疏柔毛。花对生，在茎或分枝顶上排列成长4～8（～12）cm的总状花序；花冠蓝紫色，外面疏被微柔毛，内面仅唇片被短柔毛，花冠筒前方基部膝曲，其后直伸，向上逐渐增大；雄蕊4，二强，花丝扁平，中部以下具小纤毛。成熟小坚果栗色或暗褐色，卵形，具瘤，腹面近基部具1果脐。花果期2～6月。

生境分布

生于海拔900 m以下的山坡、路旁及草地上。分布于湖南永州（道县）、怀化（会同）、湘西州（吉首）等。

| **资源情况** | 野生资源稀少。药材来源于野生。

| **采收加工** | 春、夏季采收，洗净，鲜用或晒干。

| **功能主治** | 苦、辛，寒。归心、肺、肝经。清热解毒，止血消肿，活血止痛。用于肺痈，肺热咳喘，皮肤瘙痒，肠痈，牙痛，咽痛，喉痹，便血，吐血，创伤出血，筋骨疼痛，跌打损伤，毒蛇咬伤。

| **用法用量** | 内服煎汤，10～15 g。外用适量，捣敷；或煎汤洗。

唇形科 Lamiaceae 黄芩属 Scutellaria

小叶韩信草

Scutellaria indica L. var. *parvifolia* (Makino) Makino

| 药 材 名 | 小叶韩信草（药用部位：全草）。

| 形态特征 | 多年生草本。根茎短，向上生出1至多数茎。茎高8～16（～20）cm，多分枝。叶草质至近坚纸质，心状卵圆形或卵圆形，长0.8～1.5 cm，宽0.8～1 cm，边缘密生整齐的圆齿。花对生，在茎或分枝顶上排列成长4～8（～12）cm的总状花序；花冠蓝紫色，长1～1.5 cm，外面疏被微柔毛，内面仅唇片被短柔毛，花冠筒前方基部膝曲，其后直伸，向上逐渐增大；雄蕊4，二强，花丝扁平，中部以下具小纤毛。成熟小坚果栗色或暗褐色，卵形，具瘤，腹面近基部具1果脐。花果期2～6月。

| 生境分布 | 生于路旁、疏林下、山坡或荒坡草地上。分布于湖南郴州（安仁）等。

| **资源情况** | 野生资源稀少。药材来源于野生。

| **采收加工** | 春、夏季采收，晒干。

| **功能主治** | 辛、苦，寒。解表退热，消炎解毒。用于感冒，高热，胃肠炎，咽喉肿痛，痈毒疔疮，中耳炎。

| **用法用量** | 内服煎汤，6 ~ 15 g。

唇形科 Labiatae 黄芩属 Scutellaria

紫茎京黄芩 Scutellaria pekinensis Maxim. var. purpureicaulis (Migo) C. Y. Wu et H. W. Li

| 药 材 名 | 紫茎京黄芩（药用部位：全草）。

| 形态特征 | 一年生草本。根茎细长。茎及叶柄密被短柔毛，常带紫色。叶两面疏被具节柔毛，下面沿脉上密被短柔毛；叶草质，卵圆形或三角状卵圆形。花对生，排列成顶生的总状花序；花长约 2.5 mm，与花序轴密被上曲的白色小柔毛；苞片除花序上最下 1 对较大且叶状外其余均细小，狭披针形，长 3 ~ 7 mm，宽 1 ~ 2 mm，全缘，疏被短柔毛；花萼开花时长约 3 mm，果时增大，长 4 mm，密被小柔毛，盾片开花时高 1.5 mm，果时高 4 mm；花冠蓝紫色，长 1.7 ~ 1.8 cm，外被具腺小柔毛，内面无毛；花冠筒前方基部略膝曲状，中部宽 1.5 mm，向上渐宽，至喉部宽达 5 mm；冠檐二唇形，上唇盔状，

内凹，先端微缺，下唇中裂片宽卵圆形，两侧中部微内缢，先端微缺，两侧裂片卵圆形。雄蕊4，二强，花丝扁平，中部以下被纤毛；花盘肥厚，前方隆起；子房柄短，花柱细长，子房光滑，无毛。成熟小坚果栗色或黑栗色，卵形，直径约1 mm，具瘤，腹面中下部具1果脐。花期6～8月，果期7～10月。

| 生境分布 | 生于海拔130～2 000 m的丘陵地。分布于湖南邵阳（绥宁）、张家界（桑植）、岳阳等。

| 资源情况 | 野生资源一般。药材来源于野生。

| 功能主治 | 清热解毒。用于跌打损伤。

唇形科 Lamiaceae 黄芩属 Scutellaria

偏花黄芩 Scutellaria tayloriana Dunn

| 药 材 名 | 偏花黄芩（药用部位：根。别名：土黄芩）。

| 形态特征 | 多年生草本。茎直立或上升，有时具匍匐根茎。叶通常仅3～4对，初时如莲座状排列，以后由于节间伸长而交互对生，中部叶最大，坚纸质，椭圆形或宽卵状椭圆形，长4.5～5.5 cm，宽3.8～4.5 cm，下部叶及近花序叶变小，先端圆形或钝，基部心形或圆形，边缘具浅波状圆齿，侧脉约4对。花对生，于茎顶排列成背腹向的总状花序；花葶状，花序轴被具节长柔毛；花萼长约2.5 mm，密被短柔毛；花冠淡紫色至紫蓝色，基部呈曲膝状，向上渐宽；雄蕊4，二强，花丝细长，扁平，中部以下被纤毛。花期3～5月。

| 生境分布 | 生于林下灌丛中或旷地上。分布于湖南永州（江永）等。

| 资源情况 | 野生资源稀少。药材来源于野生。

| 采收加工 | 秋季采挖，洗净，晒干。

| 功能主治 | 苦，寒。清热燥湿。用于咳嗽，吐血，白痢。

| 用法用量 | 内服煎汤，10 ~ 15 g。

唇形科 Lamiaceae 黄芩属 Scutellaria

假活血草 Scutellaria tuberifera C. Y. Wu et C. Chen

| 药 材 名 | 假活血草（药用部位：全草）。

| 形态特征 | 一年生草本。根茎斜行，细弱，在节上生出纤维状的细根及长而无叶的匍匐枝，末端常具块茎。茎直立或基部伏地而上升，高 10 ~ 25（~ 30）cm。茎下部的叶圆形、卵圆形或肾形，长 0.5 ~ 1 cm，宽 0.8 ~ 1.3 cm，先端钝或圆形，基部深心形，边缘具近规则的 4 ~ 7 对圆齿，草质；茎中部及上部叶圆形、卵圆形或披针状卵圆形，长 1 ~ 1.8（~ 2.4）cm，宽 1.2 ~ 1.5（~ 2）cm，先端极钝，基部浅心形或近截形；叶柄向茎上部渐短，长 0.4 ~ 1.5 cm。花单生于茎中部以上或茎上部的叶腋内；花冠淡紫色或蓝紫色。小坚果黄褐色，卵球形。花期 3 ~ 4 月，果期 4 月。

| 生境分布 | 生于海拔 100 ～ 200（～ 1 550）m 的草坡背阴处、竹林或密林下、溪边草丛中。分布于湖南怀化（中方、新晃）、湘西州（吉首）等。

| 资源情况 | 野生资源稀少。药材来源于野生。

| 采收加工 | 春季采收，晒干或鲜用。

| 功能主治 | 微辛，温。舒筋活络，散瘀止痛。用于跌打肿痛，外伤出血，产后四肢麻木，毒蛇咬伤，妇科炎症。

| 用法用量 | 内服煎汤，15 ～ 30 g。外用适量，鲜品捣敷。

唇形科 Lamiaceae 黄芩属 Scutellaria

英德黄芩 Scutellaria yingtakensis Sun ex C. H. Hu

| 药 材 名 | 英德黄芩（药用部位：全草）。

| 形态特征 | 多年生草本。茎高 35 cm，分枝。叶草质，狭卵圆形至狭三角状卵圆形，长 1.3 ~ 3 cm，宽 0.8 ~ 1.4 cm，先端急尖，基部宽楔形至近截形，边缘疏生 4 ~ 6 对浅牙齿，上面绿色，下面色较淡，有时变紫色，侧脉 3 ~ 4 对，与中脉在上面微凹陷，在下面凸起。花对生，在茎及枝条顶上排列成总状花序；花萼开花时长约 2 mm，被具腺微柔毛，盾片高约 1.5 mm；花冠淡红色至紫红色，外面被微柔毛，内面在喉部被白色髯毛；雄蕊 4，二强，花丝扁平，中部被小纤毛。小坚果深褐色，光滑。花期 4 ~ 5 月。

| 生境分布 | 生于海拔 500 ~ 1 300 m 的丘陵地。分布于湖南邵阳（邵阳、新宁）、

张家界（武陵源）、益阳（资阳）、郴州（苏仙、汝城）、永州（东安）、怀化（鹤城）、湘西州（古丈）等。

| **资源情况** | 野生资源较少。药材来源于野生。

| **采收加工** | 春、夏季采收，洗净，鲜用或晒干。

| **功能主治** | 苦，寒。清热燥湿，泻火解毒。用于跌打肿痛，牙痛，喉痹，咽痛，筋骨疼痛，吐血，毒蛇咬伤。

| **用法用量** | 内服煎汤，10～15 g。外用适量，鲜品捣敷。

唇形科 Labiatae 筒冠花属 Siphocranion

光柄筒冠花 *Siphocranion nudipes* (Hemsl.) Kudo

| 药 材 名 | 光柄筒冠花（药用部位：茎、叶）。

| 形态特征 | 多年生草本，全体几无毛，根茎纤细，匍匐，其上密生须根。茎纤细，直立，连花序高 30 ~ 50 cm，中部以下无叶，钝四棱形，具槽，被微柔毛或近无毛。叶少数，在茎中部以上聚集，披针形，长 6 ~ 15 cm，宽 3 ~ 7 cm，先端锐尖及长渐尖，基部楔形下延至叶柄，边缘有细锐锯齿，近膜质，上面绿色，极疏生具节平伏小刺毛，沿中肋及侧脉上被微柔毛，下面较淡，脉上有微柔毛，其余部分无毛，有黄色腺点，侧脉 5 ~ 6 对，与中肋两面微显著，平行网脉多少显著；叶柄短，长 1 ~ 2 cm，靠茎端叶近无柄，被微柔毛。总状花序通常单一生于茎顶，有时成对，有时呈三叉状，中央者伸长，两侧者不

发育或较短，有时也于下 1 茎端腋生，均纤细，疏花，长 6 ～ 25 cm，疏被微柔毛或近无毛，由具 2 花的轮伞花序组成；苞片细小，披针形至钻形；花梗长约 3 mm，被腺微柔毛；花萼开花时细小，长 3 ～ 4 mm，阔钟形，外被腺微柔毛，内面无毛，萼齿 5，近相等，三角形，先端锥尖，果时极增大，长约 8 mm，多脉，下倾，筒长 3 mm，明显呈二唇形，上唇长 3 mm，3 齿，齿宽而短，三角形，具尖头，下唇长 5 mm，2 齿，齿狭长，披针形，具尖头；花冠筒白色，上部紫红色，筒状，狭而直，或稍为内弯，长 1.2 ～ 1.5 cm，中部稍横缢，外面被微柔毛，

内面无毛，冠檐 5 浅裂，二唇形，上唇 4 裂，裂片圆形，近相等，或中央 2 裂片较小，下唇稍大，内凹，全缘。雄蕊 4，内藏，下倾，前对较长，插生于花冠筒中部稍上方，花丝丝状，无毛，花药椭圆形，2 室，药室汇合；花柱短于雄蕊，先端 2 浅裂；花盘前方呈指状膨大，其长度超过子房，子房无毛。小坚果长圆形，长 1.5 mm，褐色，具点，基部有一小白色的痕。花期 7 ~ 9 月，果期 10 ~ 11 月。

| 生境分布 | 生于海拔 1 000 ~ 2 000 m 的常绿林或混交林下。分布于湖南张家界（桑植）、湘西州（永顺、保靖）、怀化（洪江）、邵阳（新宁）等。

| 资源情况 | 野生资源丰富。药材来源于野生。

| 功能主治 | 外用于疮毒。

唇形科 Lamiaceae 水苏属 Stachys

地蚕 *Stachys geobombycis* C. Y. Wu

| 药 材 名 | 地蚕（药用部位：根茎。别名：土冬虫草、白冬虫草、白虫草）。

| 形态特征 | 多年生草本，高 40 ~ 50 cm。根茎横走，肉质，肥大，在节上生出纤维状须根。茎直立，具 4 槽。茎生叶长圆状卵圆形，长 4.5 ~ 8 cm，宽 2.5 ~ 3 cm，先端钝，基部浅心形或圆形，边缘有整齐粗大的圆齿状锯齿，侧脉约 4 对。轮伞花序腋生，具 4 ~ 6 花，远离，组成穗状花序；花萼倒圆锥形，细小，外面密被微柔毛及具腺微柔毛，内面无毛，萼齿 5，正三角形；花冠淡紫色至紫蓝色，亦有淡红色，圆柱形，等粗；雄蕊 4，前对稍长，均上升至上唇片之下，花药卵圆形，2 室，室略叉开，其后极叉开；子房黑褐色，无毛。花期 4 ~ 5 月。

| 生境分布 | 生于海拔170～700 m的荒地、田地及草丛湿地上。湖南有广泛分布。

| 资源情况 | 野生资源较少。药材来源于野生。

| 采收加工 | 秋季采挖，洗净，鲜用或蒸熟晒干。

| 功能主治 | 甘，平。归肺、肾经。益肾润肺，补血除疳，清热除烦。用于肺痨咳嗽，咯血，潮热盗汗，肺虚气喘，血虚体弱，疳积。

| 用法用量 | 内服煎汤，9～15 g。外用适量，研末敷。

唇形科 Labiatae 水苏属 Stachys

水苏 *Stachys japonica* Miq.

| 药 材 名 | 水苏（药用部位：全草或根。别名：鸡苏、劳祖、香苏）。

| 形态特征 | 多年生草本，高 20 ~ 80 cm，有在节上生须根的根茎。茎单一，直立，基部多少匍匐，四棱形，具槽，在棱及节上被小刚毛，其余部分无毛。茎叶长圆状宽披针形，长 5 ~ 10 cm，宽 1 ~ 2.3 cm，先端微急尖，基部圆形至微心形，边缘为圆齿状锯齿，上面绿色，下面灰绿色，两面均无毛，叶柄明显，长 3 ~ 17 mm，近茎基部者最长，向上渐变短；苞叶披针形，无柄，近全缘，向上渐变小，最下部者超出轮伞花序，上部者等于或短于轮伞花序。轮伞花序 6 ~ 8 花，下部者远离，上部者密集组成长 5 ~ 13 cm 的穗状花序；小苞片刺状，微小，长约 1 mm，无毛；花梗短，长约 1 mm，疏被微柔毛；

花萼钟形，连齿长达 7.5 mm，外被具腺微柔毛，肋上杂有疏柔毛，稀毛贴生或近无毛，内面在齿上疏被微柔毛，余部无毛，10 脉，不明显，齿 5，等大，三角状披针形，先端具刺尖头，具缘毛；花冠粉红色或淡红紫色，长约 1.2 cm，冠筒长约 6 mm，几不超出花萼，外面无毛，内面在近基部 1/3 处有微柔毛毛环及在下唇下方喉部有鳞片状微柔毛，前面紧接在毛环上方呈囊状膨大，冠檐二唇形，上唇直立，倒卵圆形，长 4 mm，宽 2.5 mm，外面被微柔毛，内面无毛，下唇开张，长 7 mm，宽 6 mm，外面疏被微柔毛，内面无毛，3 裂，中裂片最大，近圆形，先端微缺，侧裂片卵圆形；雄蕊 4，均延伸至上唇片之下，花丝丝状，先端略增大，被微柔毛，花药卵圆形，2 室，室极叉开；花柱丝状，稍超出雄蕊，先端相等 2 浅裂；花盘平顶；子房黑褐色，无毛。小坚果卵珠状，棕褐色，无毛。花期 5～7 月，果期 7 月以后。

| 生境分布 | 生于水沟、河岸等湿地上。分布于湘东、湘西等。

| 资源情况 | 野生资源较丰富。药材主要来源于野生。

| 采收加工 | 7～8月采收，鲜用或晒干。

| 功能主治 | 辛，凉。归肺、胃经。清热解毒，止咳利咽，止血消肿。用于感冒，痧症，肺痿，肺痈，头风目眩，咽痛失音，吐血，咯血，衄血，崩漏，痢疾，淋证，跌打肿痛。

| 用法用量 | 内服煎汤，9～15 g，鲜品可用至30 g；或捣汁。外用煎汤洗；或研末撒；或捣敷。

唇形科 Lamiaceae 水苏属 Stachys

针筒菜 Stachys oblongifolia Benth.

| 药 材 名 | 野油麻（药用部位：全草。别名：水苏、皱皮草）。

| 形态特征 | 多年生草本，高 30 ~ 60 cm。茎直立或上升，或基部多少匍匐，不分枝或少分枝。茎生叶长圆状披针形，通常长 3 ~ 7 cm，宽 1 ~ 2 cm，先端微急尖，基部浅心形，边缘为圆齿状锯齿，上面绿色，疏被微柔毛及长柔毛，下面灰绿色，密被灰白色柔毛状绒毛。轮伞花序通常具 6 花；小苞片线状刺形，微小，被微柔毛；花萼钟形，萼齿 5，三角状披针形，近等大；花冠粉红色或粉红紫色，冠檐二唇形，上唇长圆形，下唇开张，3 裂，中裂片最大，肾形，侧裂片卵圆形。小坚果卵珠状，褐色，光滑。

| 生境分布 | 生于海拔 210 ~ 1 350 m 的林下、河岸、竹丛、灌丛、苇丛、草丛及

湿地中。湖南各地均有分布。

| **资源情况** | 野生资源一般。药材来源于野生。

| **采收加工** | 夏、秋季采收，洗净，鲜用或晒干。

| **功能主治** | 辛、微甘，平。归脾、胃经。益气，补虚，止血。用于久病体弱，气虚乏力，久泻久痢，外伤出血。

| **用法用量** | 内服煎汤，15～30 g。外用适量，捣敷。

唇形科 Lamiaceae 水苏属 Stachys

甘露子 *Stachys sieboldii* Miq.

| 药 材 名 | 草石蚕（药用部位：块茎。别名：地牯牛、滴露、石蚕）。

| 形态特征 | 多年生草本，高 30 ~ 120 cm，在茎基部数节上生有密集的须根及多数横走的根茎；在节上有鳞状叶及须根，先端有念珠状或螺蛳形的肥大块茎。茎生叶卵圆形或长椭圆状卵圆形，长 3 ~ 12 cm，宽 1.5 ~ 6 cm，先端微锐尖或渐尖，基部平截至浅心形，有时宽楔形或近圆形，边缘有规则的圆齿状锯齿，侧脉 4 ~ 5 对。轮伞花序通常具 6 花，多数远离，组成顶生的穗状花序；花萼狭钟形，萼齿 5，正三角形至长三角形，先端具刺尖头，微反折；花冠粉红色至紫红色，下唇有紫斑，花冠筒筒状，直径近相等。小坚果卵珠形，黑褐色，具小瘤。花期 7 ~ 8 月，果期 9 月。

| 生境分布 | 栽培种。分布于湖南株洲（荷塘、芦淞）、衡阳（耒阳）、邵阳（隆回、洞口、武冈）、常德（桃源）、郴州（苏仙、桂阳、宜章、桂东）、永州（双牌、蓝山）、益阳（安化）、娄底（涟源）等。

| 资源情况 | 栽培资源一般。药材来源于栽培。

| 采收加工 | 春、秋季采收，洗净，鲜用或晒干。

| 药材性状 | 本品多呈长纺锤形，先端有的呈螺旋状，两头略尖，长1.5～4 cm，直径3～7 mm。表面棕黄色，多皱缩，扭曲，具5～15环节，节间可见点状芽痕及根痕。质坚脆，易折断，断面平坦，白色。气微，味微甘。用水浸泡后易膨胀。

| 功能主治 | 甘，平。归肺、肝、脾经。解表清肺，利湿解毒，补虚健脾。用于风热感冒，虚劳咳嗽，黄疸，淋证，疮毒肿痛，毒蛇咬伤。

| 用法用量 | 内服煎汤，15～30 g，鲜品30～60 g；或浸酒；或焙干研末。外用适量，煎汤洗；或捣敷。不宜生食或多食。

唇形科 Lamiaceae 香科科属 Teucrium

二齿香科科 *Teucrium bidentatum* Hemsl.

| 药 材 名 | 细沙虫草（药用部位：全草。别名：白花石蚕、野藿香、泡草）。

| 形态特征 | 多年生草本。茎直立，常具早年残存的茎基，基部近圆柱形，高 60 ~ 90 cm，绿色。叶片卵圆形、卵圆状披针形至披针形，长 4 ~ 11 cm，宽 1.5 ~ 4 cm，先端渐尖至尾状渐尖，基部楔形或阔楔形下延，边缘在中部以下全缘，中部以上具 3 ~ 4 对粗锯齿，侧脉 4 ~ 6 对。轮伞花序具 2 花，在茎及短于叶的腋生短枝上组成假穗状花序；花萼钟形，二唇形，上唇具 3 齿，中齿极发达，扁圆形；花冠白色，唇片与花冠筒成直角，中裂片极发达，近圆形，先端圆，基部渐收缢。小坚果卵圆形，黄棕色，具网纹，合生面长为果实的 1/2。

| 生境分布 | 生于海拔950～1 300 m的山地林下。分布于湖南邵阳（邵东、邵阳）、怀化（会同、洪江）、娄底（新化）、湘西州（吉首、花垣）等。

| 资源情况 | 野生资源较少。药材来源于野生。

| 采收加工 | 9～10月采收，晒干。

| 功能主治 | 辛、微甘，平。祛风，利湿，解毒。用于感冒，头痛，鼻塞，痢疾，湿疹，白斑。

| 用法用量 | 内服煎汤，6～15 g。外用适量，煎汤洗。

唇形科 Lamiaceae 香科科属 Teucrium

穗花香科科 *Teucrium japonicum* Willd.

| 药 材 名 | 石蚕（药用部位：全草。别名：毛秀才）。

| 形态特征 | 多年生草本，具匍匐茎。茎不分枝或分枝，高 50 ~ 80 cm，四棱形，具明显的 4 槽。叶片卵圆状长圆形至卵圆状披针形，长 5 ~ 10 cm，宽 1.5 ~ 4.5 cm，先端急尖或短渐尖，基部心形、近心形或平截，边缘为带重齿的锯齿或圆齿。假穗状花序生于主茎及上部分枝的先端；花萼钟形，上面 3 萼齿正三角形，等大，下面 2 萼齿锐三角形；花冠白色或淡红色，外面在唇片上被鳞状短毛，余部无毛，花冠筒长为花冠的 1/4，不伸出花萼。小坚果倒卵形，栗棕色，平滑，疏被白色波状毛，合生面长超过小坚果的 1/2。花期 7 ~ 9 月。

| 生境分布 | 生于海拔 500 ~ 1 100 m 的山地及原野。分布于湖南长沙（长沙）、

怀化（洪江）、娄底（冷水江）、湘西州（吉首、泸溪、古丈、永顺）等。

| 资源情况 | 野生资源较少。药材来源于野生。

| 采收加工 | 7 ～ 10 月采收，洗净，晒干。

| 功能主治 | 苦、辛，温。归肺、脾经。发散风寒，解毒祛湿。用于外感风寒，头痛，风寒湿痹。

| 用法用量 | 内服煎汤，9 ～ 15 g。

唇形科 Lamiaceae 香科科属 Teucrium

庐山香科科 Teucrium pernyi Franch.

| 药 材 名 | 细沙虫草（药用部位：全草。别名：野薄荷、见血雀、喜相红）。

| 形态特征 | 多年生草本，具匍匐茎。茎直立，基部常不分枝而具早年残存的茎基，基部近圆柱形，上部四棱形，无槽，高60 cm，有时达100 cm，密被白色向下弯曲的短柔毛。叶片卵圆状披针形，长3.5～5.3 cm，宽1.5～2 cm，有时长达8.5 cm，宽达3.5 cm，先端短渐尖或渐尖，基部圆形或阔楔形，下延，侧脉3～4对，有时5对。轮伞花序常具2花，松散，偶具6花，于茎及短于叶的腋生短枝上组成穗状花序；花冠白色，有时稍带红晕，花冠筒稍伸出，外面被稀疏的微柔毛，唇片与花冠筒成直角，中裂片极发达，椭圆状匙形。小坚果倒卵形，棕黑色，具极明显的网纹，合生面长不及小坚果的1/2。

| 生境分布 | 生于海拔 150 ~ 1 120 m 的山地及原野。湖南各地均有分布。

| 资源情况 | 野生资源较少。药材来源于野生。

| 采收加工 | 夏、秋季采收，洗净，鲜用或晒干。

| 功能主治 | 辛、微苦，凉。归肺、肝、胃经。清热解毒，凉肝息风，活血消肿。用于肺脓肿，小儿惊风，痈疮，跌打损伤。

| 用法用量 | 内服煎汤，6 ~ 15 g。外用适量，捣敷；或煎汤洗。

唇形科 Lamiaceae 香科科属 Teucrium

长毛香科科 Teucrium pilosum (Pamp.) C. Y. Wu et S. Chow

| 药 材 名 | 长毛香科科（药用部位：全草）。

| 形态特征 | 多年生草本，具匍匐茎。茎直立，细弱，扭曲，常不分枝，偶于上部分枝，高 0.5 ~ 1 m，被长达 3 mm 密集而平展的白色长柔毛。叶片卵圆状披针形或长圆状披针形，偶为卵圆状长圆形，长 5 ~ 8 cm，宽 1.5 ~ 2.5 cm，先端短渐尖或渐尖，基部平截或近心形，边缘为稍不整齐的具重齿的细圆锯齿。假穗状花序顶生于主茎及分枝上，被明显的长柔毛；花萼钟形，外被长柔毛，夹有浅黄色腺点；花冠淡红色，花冠筒长不达花冠的 1/3，外面在伸出部分疏被长柔毛，散布浅黄色腺点；子房圆球形，具 4 裂。花期 7 ~ 8 月。

| 生境分布 | 生于海拔 340 ~ 1 200 m 的山坡林缘、河边。分布于湖南怀化（麻

阳）、湘西州（吉首、泸溪、花垣、古丈、永顺、凤凰、保靖）等。

| 资源情况 | 野生资源稀少。药材来源于野生。

| 采收加工 | 7～9月采收，洗净，鲜用或晒干。

| 功能主治 | 辛、微苦，凉。归肺、胃、肝、大肠经。祛风发表，清热解毒，止痒。用于风热感冒，咽喉肿痛，痄腮，肺痈，痢疾，漆疮，湿疹，疥癣，风疹。

| 用法用量 | 内服煎汤，6～15 g。

唇形科 Lamiaceae 香科科属 Teucrium

铁轴草 *Teucrium quadrifarium* Buch.-Ham. ex D. Don

| 药 材 名 |

铁轴草（药用部位：全株。别名：红毛将军、红油麻、红痧药）。

| 形态特征 |

半灌木。茎直立，基部常常聚结成块状，高 30 ~ 110 cm，常不分枝，近圆柱形，被浓密向上的金黄色、锈棕色或艳紫色的长柔毛或糙毛。叶片卵圆形或长圆状卵圆形，长 3 ~ 7.5 cm，宽 1.5 ~ 4 cm，茎上部及分枝上的叶变小，先端钝或急尖，有时钝圆，基部近心形、平截或圆形，边缘为有重齿的细锯齿或圆齿，侧脉 4 ~ 6 对。假穗状花序由密集或有时较疏松的具 2 花的轮伞花序组成，花序轴上被有与茎相同的长柔毛；花冠淡红色。小坚果倒卵状近圆形，常非 4 枚同等发育，暗栗棕色，背面具网纹。花期 7 ~ 9 月。

| 生境分布 |

生于海拔 350 ~ 1 600 m 的山地阳坡、林下及灌丛中。分布于湖南张家界（永定）、郴州（北湖、永兴、临武、安仁）、怀化（洪江）、湘西州（永顺）等。

| 资源情况 | 野生资源稀少。药材来源于野生。

| 采收加工 | 全年均可采收，洗净，鲜用或晒干。

| 药材性状 | 本品茎呈方柱形，直径2～4 mm，表面紫棕色，密被锈色或金黄色长柔毛；质脆，易折断，断面白色，有髓。叶多皱缩破碎，完整叶片展平后呈卵形或长卵形，先端钝或急尖，基部近心形，上面被锈色柔毛，下面密被灰白色柔毛。气微香，味微苦、涩。

| 功能主治 | 辛、苦，凉。归肺、肝、脾经。祛风解暑，利湿消肿，凉血解毒。用于风热感冒，中暑无汗，肺热咳嗽，肺痈，热毒泻痢，水肿，风湿痛，劳伤，吐血，便血，乳痈，无名肿痛，风疹，湿疹，跌打损伤，外伤出血，毒蛇咬伤，蜂蜇伤。

| 用法用量 | 内服煎汤，6～15 g；或浸酒。外用适量，捣敷；或研末撒；或煎汤洗。

唇形科 Lamiaceae 香科科属 Teucrium

血见愁 *Teucrium viscidum* Bl.

| 药 材 名 | 山藿香（药用部位：全草。别名：冲天泡、吉益草、野薄荷）。

| 形态特征 | 多年生草本，具匍匐茎。茎直立，高30～70 cm，下部无毛或近无毛，上部具夹生腺毛的短柔毛。叶片卵圆形至卵圆状长圆形，长3～10 cm，先端急尖或短渐尖，基部圆形、阔楔形至楔形，下延，边缘为带重齿的圆齿，有时数齿间具深刻的齿弯。假穗状花序生于茎及短枝上部，密被腺毛，由密集具2花的轮伞花序组成；花萼小，钟形，齿缘具缘毛；花冠白色、淡红色或淡紫色，唇片与花冠筒成钝角，中裂片正圆形，侧裂片卵圆状三角形，先端钝。小坚果扁球形，黄棕色，合生面长超过小坚果的1/2。花期7～9月。

| 生境分布 | 生于海拔120～1 530 m的山地林下湿润处。湖南各地均有分布。

| 资源情况 | 野生资源一般。药材来源于野生。

| 采收加工 | 7～8月采收，洗净，鲜用或晒干。

| 药材性状 | 本品地上部分长30～70 cm。根须状。茎方形，有分枝，表面黑褐色或灰褐色，被毛，嫩枝毛较密；节处有多数灰白色须根。叶对生，灰绿色或灰褐色，叶片皱缩，易碎，完整者展平后呈卵形或矩圆形，先端短尖，基部圆形或阔楔形，下延，边缘具粗锯齿；叶面常皱缩，两面均有毛，下面毛较密；叶柄长约1.5 cm。淡红色小花间见于枝顶或叶腋；花萼钟形。小坚果圆形，包于宿存萼中。花、叶以手搓之微有香气，味微辛、苦。以叶多、色灰绿、气香者为佳。

| 功能主治 | 辛、苦，凉。归肺、大肠经。清热，凉血止血，解毒消肿，疗疮。用于咯血，吐血，衄血，肺痈，跌打伤痛，疮痈肿毒，痔疮肿痛，漆疮，足癣，狂犬咬伤，毒蛇咬伤。

| 用法用量 | 内服煎汤，15～30 g，鲜品加倍；或捣汁；或研末。外用适量，捣敷；或煎汤洗。

唇形科 Lamiaceae 香科科属 Teucrium

微毛血见愁 Teucrium viscidum Bl. var. nepetoides (Lévl.) C. Y. Wu et S. Chow

| 药 材 名 |

微毛血见愁（药用部位：全草）。

| 形态特征 |

多年生草本，具匍匐茎。茎直立，高 30 ~ 70 cm，下部无毛或近无毛，上部具夹生腺毛的短柔毛。叶片卵圆形至卵圆状长圆形，长 3 ~ 10 cm，先端急尖或短渐尖，基部圆形、阔楔形至楔形，下延，边缘为带重齿的圆齿，有时数齿间具深刻的齿弯。假穗状花序生于茎及短枝上部，由密集具 2 花的轮伞花序组成；花及苞片均较大；花萼长约 4 mm，宽约 2.5 mm，密被灰白色微柔毛，粗视若被 1 层白霜；花冠白色、淡红色或淡紫色，长 8 ~ 10 mm，花冠筒长 4 ~ 5 mm。小坚果扁球形，黄棕色。花期 7 ~ 9 月。

| 生境分布 |

生于海拔 700 ~ 1 700 m 的山地林下阴湿处。分布于湖南邵阳（邵阳）、常德（安乡）、永州（零陵）、怀化（中方、辰溪）等。

| 资源情况 |

野生资源稀少。药材来源于野生。

| **采收加工** | 7～8月采收，洗净，鲜用或晒干。

| **功能主治** | 辛、苦，凉。归肺、大肠经。凉血止血，解毒消肿。用于咯血，吐血，衄血，肺痈，跌打损伤，痈疽肿毒，足癣，狂犬咬伤，毒蛇咬伤。

| **用法用量** | 内服煎汤，15～30 g。外用适量，捣敷。